环境化学导论

（第二版）

王麟生　乐美卿　张太森　编著

华东师范大学出版社

上海

图书在版编目（CIP）数据

环境化学导论（第二版）/王麟生，乐美卿，张太森编
著.—上海：华东师范大学出版社，2006.5
ISBN 978-7-5617-2320-3

Ⅰ.环...　Ⅱ.①王...②乐...③张...　Ⅲ.环境化
学-师范学校：高等学校-教材　Ⅳ.X13

中国版本图书馆 CIP 数据核字（2000）第 64202 号

华东师范大学教材出版基金资助出版

环境化学导论（第二版）

编　　著　王麟生　乐美卿　张太森
责任编辑　应向阳
封面设计　卢晓红
版式设计　蒋　克

出版发行　华东师范大学出版社
社　　址　上海市中山北路 3663 号　邮编 200062
网　　址　www.ecnupress.com.cn
电　　话　021-60821666　行政传真 021-62572105
客服电话　021-62865537　门市（邮购）电话 021-62869887
地　　址　上海市中山北路 3663 号华东师范大学校内先锋路口
网　　店　http://ecnup.taobao.com/

印 刷 者　上海昌鑫龙印务有限公司
开　　本　787×1092　16 开
印　　张　15.25
字　　数　360 千字
版　　次　2006 年 5 月第二版
印　　次　2023 年 1 月第七次
印　　数　14051-14600
书　　号　ISBN 978-7-5617-2320-3/O·083
定　　价　30.00 元

出版人　王　焰

（如发现本版图书有印订质量问题，请寄回本社客服中心调换或电话 021-62865537 联系）

再版前言

数百年来人们为了发展生产、改善生活,发现和创造了两千多万种地球上原来存在的和不存在的化学物质。这些物质提供给我们能源、材料、化肥、医药,直至各种各样的生活用品。蓦然回首,人们发现,部分物质在带给人类各种各样生活享受的同时,也造成了严重的环境污染。而原本许多造福人类的化学物质,却出现于自然界的各个角落,从格陵兰的冰原到南极的海水,从阿拉伯的沙漠到西藏高原的云层中,甚至出现在各种动植物体内,直至进入我们人体,其对生命的危害是毋庸置疑的。

人们对化学或化学品的误解之一,就是化学有害于环境,化学品是造成环境污染的罪魁祸首。其实这是错怪了化学和化学品。正是由于化学家合成了氨和尿素,养活了将近一半的世界人口;发明了抗生素和新药物,人类平均寿命增加了 25 年。同样,没有化学家的努力,我们的世界也决不会如此绚烂多彩。然而正如一切事物都有其两重性一样,化学品的滥用和化学废弃物的不当处理也会造成危害,环境污染就是最严重的后果之一。

原先我们考虑的是怎样发明和制取一种新物质,它具有什么性质,可以应用于我们社会生活的什么方面;我们研究制取它的方法越容易越好,成本越低越好,它的使用寿命越长越好。然而今天,我们不得不花更多的时间和更多的精力来研究这种物质在制取、使用和使用后处置的过程中,会对环境造成什么样的危害,以及如何防止、减少直至消除这种危害。这样一种责任毫无疑问降落在化学工作者的身上。

不是不使用化学品,而是需要正确地使用化学品;不是随意地丢弃废弃化学品,而是对废弃的化学品加以适当的回收、利用和处理以保护环境。这是我们人类,特别是化学家的责任。了解我们使用的化学品的特性,以及它们可能对环境造成什么样的危害,还有如何来防止和消除这种危害,这就是我们写作这样一本书的初衷。

《环境化学导论》出版已经五年多了,相比五年之前,环境保护和可持续发展的理念已经如此深刻地进入当今中国人的思想理念之中,这是我们这个社会的幸运。

当然,这五年中,环境科学和环境化学也获得了长足的进步,越来越多的科技工作者投身于这一领域的研究之中,新理论、新方法、新技术、新成果接踵而至,目不暇接。

我们的教材也要与时俱进,为了反映环境科学和环境化学的新发展,我们对本书进行了认真的修改,力求能跟上环境化学的快速发展,然而我们知道,这是一件十分困难的事情,我们的学识,我们的能力都有待提高,错误和缺点仍有可能存在,我们期待着读者提出批评。

这次再版,我们增加了各章之后的练习题,更新了某些数据,修正了原书中个别的文字错误,补充了一些新内容,书后的参考文献则增加了近年来新发表的文章。

我们的研究生王海霞、方海红、周琳、李强、卢荣丽、杨翠、刘甜参加了修订中的很多工作,付出了辛勤的劳动,访问学者,广西右江医学院的黄锁义老师也参加了部分工作,在这里表示衷心的感谢。

编　者

2005 年 12 月

前　　言

　　人类叩响了新世纪的大门。作为当今地球面临的重大问题之一,作为在可持续发展中迫切需要解决的难题之一,作为一门年轻的综合性科学,环境科学的发展具有十分重要的作用,而环境化学无疑在其中更是举足轻重。化学曾经为人类的生存与发展提供了能量与资源;化学曾经为社会的进步发现了或合成了成千上万种新的化合物,今天这些化合物出现在我们社会生活的每一个角落;为了消除环境的化学污染,今天化学又走上了一条寻求清洁生产,"绿色"工艺和减少以至消除化学污染物质的艰难的探索之路。

　　环境化学是研究化学物质在环境中存在、化学特性、行为和效应及其控制的化学原理和方法的科学,它是化学科学的一个重要分支,也是环境科学的核心组成部分。环境化学主要包括环境分析化学,大气、水体、土壤环境化学,污染生态化学和污染控制化学等。本书主要阐述对生态环境可能带来影响的化学物质在大气、水和土壤中的产生、迁移、转化、积累和毒害,主要环境污染物质及其对环境的影响;同时扼要论述了污染防治化学的一些内容,介绍了清洁生产和污染防治的基本原理;而对于环境分析化学这部分内容,因另有较多的专著和教材论及,本书限于篇幅,基本上就不涉及了。

　　本书共分为四章:第一章绪论,介绍自然圈层、环境生态和物质循环等基本概念,同时介绍了当今世界和我国环境污染的现状,环境中的污染源和主要污染物以及污染防治的基本对策,特别是介绍了绿色化学的概念;第二章大气环境化学,介绍大气污染物在大气中的存在和转化规律,尤其是对人体危害严重的各种烟雾和酸雨的形成过程及其危害,二氧化碳增多形成的温室效应和地球臭氧层的破坏对环境的影响,同时简单介绍了主要大气污染物的防治;第三章水环境化学,在溶液平衡理论的基础上,介绍了重金属、化学农药等污染物在水体中的存在、化学转化及其对环境的影响,同时介绍了废水处理的基本原理和一般方法;第四章土壤环境化学,介绍了化学污染物在土壤中的存在、迁移、转化和归宿以及固体废弃物的环境效应及其处理。

　　环境保护意识,这是现代社会公民必须具有的社会意识和科学意识。环境教育已经成为科学教育的一个重要组成部分,对在校大学生进行环境意识的教育刻不容缓。本书的主要对象是高等学校非环境专业的学生,同时也可以作为广大中学教师和从事环境科学研究的工作人员的参考用书。

　　环境化学虽然是一门年轻的科学,近年来却获得了长足的发展,新理论、新方法、新成果、新技术不断涌现,我们力求在本书中对此有所反映。

　　本书中,我们引用了近年来国内外学者在环境科学和环境化学领域里的许多研究成果,在此我们表示衷心的感谢,我们在全书的最后列出了引用的主要参考文献,并在有关图表下面尽可能标明其出处。

本书在成书过程中得到张五昌教授的热诚指导,在此谨表示衷心感谢。我们的学生赵丽萍、林月环、何苏萍、陈燕等帮助整理书稿,在此一并表示感谢。

目　　录

第一章 绪 论

走可持续发展的道路,是 1992 年在巴西里约热内卢联合国环境与发展首脑会议上签署通过的《21 世纪议程》中正式确立的当代人类发展的主题,是中国迈向 21 世纪过程中与科教兴国相并列的两大发展战略之一。

可持续发展(sustainable development)就是要努力寻求一条人口、经济、社会、环境和资源相互协调的,既能满足当代人的需求又不对满足后代人需求的能力构成危害的可持续发展的道路。

某些国家,目前还在沿袭传统的非可持续性的发展模式。这一模式虽然也十分强调发展,但它却是以牺牲环境、掠夺资源、破坏生态平衡为代价的,其最终结果必然是人口的激增、食物的短缺、能源的紧张、资源的枯竭和环境的污染,最终导致人类赖以生存和发展之全部基础的地表自然环境和资源条件的丧失,因而是不可取的。

可持续发展强调发展是有条件的,即必须以清洁自然、美化环境、保护资源、维护生态平衡为前提,其基本方针是"持续发展,永久利用"。可持续发展以保护自然为基础,与资源和环境的承载能力相协调。因此,发展的同时必须保护环境,控制环境污染,改善环境质量,保持生态平衡,保证以可持续的方式利用自然环境。

长期以来,我们始终把人与自然的关系视为彼此对立、对抗和不可调和的关系,视为征服与被征服、战胜与被战胜的关系,提出了"征服自然,战胜自然,做大自然的主人"的错误的指导方针。

恩格斯说,我们不要过分陶醉于我们对自然界的胜利。对于每一次这样的胜利,自然界都报复了我们。人类在开发自然,发展社会生产力方面取得了伟大的胜利,但与此同时,自然界也报复了人类。由于不合理地开发和利用自然资源,由于任意排放各类废弃物使地球生态平衡破坏,造成人类生存的大气、水和土壤环境的污染。在导致人类环境污染的因素中,化学物质引起的环境污染约占 $80\%\sim90\%$,人类活动尤其是工业排放的废弃物急剧增加,废气、废水、固体废弃物大量地排入环境,同时各种新的化学物质在造福人类的同时,也迅速地进入人类环境,引起生态环境的破坏,给人类带来潜在的或即时的危害。

在治理环境、防治污染的过程中,化学工作者发挥着十分重要的作用。20 世纪 60 年代以来,对化学物质在大气、水体、土壤等自然环境中引起的化学现象的研究,在环境科学和化学结合的基础上,形成了一门新的学科——环境化学。环境化学主要是运用化学的理论和方法,鉴定和测量化学污染物在大气圈、水圈、土壤—岩石圈和生物圈中的含量,研究它们在环境中存在的形态及其迁移、转化和归宿的规律,研究消除化学污染物的化学技术及原理。

目前由于汽车排放尾气中的氮氧化物和碳氢化合物在光照下发生的光化学烟雾污染,由于矿物燃料燃烧造成的大气中二氧化碳浓度增大而形成的温室效应问题,由于硫氧化物和氮氧化物大量排放造成的酸雨污染,由于喷气式飞机排放的氮氧化物和大量使用氟氯甲烷类制冷剂而造成的地球高空平流层中臭氧层的破坏,由于各种有毒有害重金属和有机农药大量排放造成的水污染问题,已经成为世界性的重大的环境污染问题,威胁着地球上人类和其他生物的生存,严重影响着人类社会的发展,成为化学家开展研究的重要领域。

环境污染是人类活动和环境相互作用而产生的,是社会生产非良性发展的结果,绝不是个别学科领域或某个产业系统单独造成的。化学在为社会提供各种物质财富的同时,也为治理环境、保护环境作出了重大贡献。化学家在从事物质变化规律的研究、追求目标产物高产率的同时,注重改革旧工艺,设计无污染或低排放的“绿色”工艺,并积极探索各种有害有毒污染物的防治、转化、处理及综合利用的途径,变废为宝,化害为利。在解决环境问题中,化学具有举足轻重的地位,化学工作者理应也必将作出重大的贡献。

第一节 化学和环境

1.1 环境的化学污染

人类的生产活动和社会活动必然给环境带来相应的影响,如果这种影响超过了环境的承受能力,就会发生环境的污染。环境污染(environmental pollution)随着人类社会的工农业生产规模的快速发展而日益严重,给人类社会带来了严重的危害。从 20 世纪 30 年代至 60 年代,先后发生了世界有名的八大公害事件,导致人类生命财产的巨大损失。

(1) 马斯河谷烟雾事件(Meuse River Valley smog episode):1930 年 12 月 3~5 日,比利时列日市马斯河谷大气中 SO_2 浓度高达 25~100 mg/m³,几千人发病,一周内死亡 60 余人。

(2) 洛杉矶光化学烟雾事件(Los Angeles photochemical smog episode):20 世纪 40 年代初期至 50 年代,美国洛杉矶光化学烟雾污染严重,其中 1952 年的一次最为严重,大批居民发生眼睛红肿、喉痛、咳嗽等症状,65 岁以上老人有近 400 人死亡。

(3) 多诺拉烟雾事件(Donora smog episode):1948 年 10 月 26~31 日,美国宾夕法尼亚州多诺拉镇 SO_2 烟雾污染,占全镇总人口 43% 的 5 911 人中毒,17 人死亡。

(4) 伦敦烟雾事件(London smog episode):1952 年 12 月 5~8 日,伦敦大气中烟尘达 4.46 mg/m³,二氧化硫达 3.8 mg/m³,居民出现喉痛、咳嗽、胸闷、头痛、呼吸困难、眼睛刺激等症状,死亡人数较常年同期超过 4 000 多人。

(5) 四日市哮喘(Yokkaichi asthma):1961 年日本四日市因大量使用含硫量高的重油,大气污染严重,二氧化硫和烟尘含量很高,导致支气管哮喘发病率明显增加。1972 年共确认全市哮喘病患者达 817 人,10 多人死亡。

(6) 痛痛病事件(itai-itai disease event):1955~1972 年,日本富山县神通川流域锌、铅冶炼工厂排放的含镉废水污染了神通川水体,河水及用河水灌溉的农田的稻米食用后,导致痛痛病,其症状为腰、背、膝关节疼痛,骨骼严重畸形,骨脆易折,1963~1979 年期间共有患者 130人,其中 81 人死亡。

(7) 水俣病事件(minamata disease event)：1956 年日本熊本县水俣市的含甲基汞的工业废水污染水体，使水俣湾和附近海域的鱼中毒，人食用后导致水俣病，中毒居民 283 人，其中 60 人死亡。

(8) 米糠油事件(yusho disease incident)：1968 年 3 月，日本北九州市、爱知县一带所产米糠油中含有多氯联苯(PCB)，销售后造成大量人中毒，患病者超过 5 000 人，其中 16 人死亡，实际受害者约 13 000 人。

20 世纪 80 年代以后，全球环境进一步恶化，影响广、范围大、危害严重的重大污染事件多次发生：1984 年 12 月 2 日夜，在印度中央邦博帕尔市，美国联合碳化物公司的博帕尔农药厂，由于管理混乱，地下储罐中 40 吨用以制造农药的异氰酸甲酯(剧毒、低沸点、易燃液体)渗进了水，毒液变成气体，罐内压力升高而爆裂外泄，当地居民 70 万人中有 20 万受到影响，其中 5 万人可能双目失明，到 1989 年 2 月，共有 3 300 多人丧失生命。毒气泄漏使大批食品和水源遭受污染，4 000 头牲畜和其他动物死亡，生态环境受到严重破坏，这是迄今为止世界上最严重的污染事故。

1986 年 4 月 26 日，前苏联境内乌克兰基辅市郊的切尔诺贝利核电站(Chernobly Nuclear Power Plant)，由于管理不善和操作失误，4 号核反应堆爆炸起火，大量放射性物质外泄，造成环境严重污染，当即造成 31 人死亡，200 多人受严重放射性伤害，数万人受到放射性影响，直接经济损失达 120 亿卢布，核污染飘尘扩散至周围国家，西欧各国乃至世界大部分地区都检测到了核电站泄漏的放射性物质。事故发生多年后，放射性污染带来的危害还在继续，不断有报道该地区受放射性伤害的人群死亡或患病、患癌症的消息，伤亡人数不断扩大，该地区的生态环境也遭到严重的破坏。类似的核事故据透露在前苏联曾发生过不止一次。

1986 年 11 月 1 日，瑞士巴塞尔市桑多兹化工公司仓库爆炸起火，近 30 吨剧毒的碳化物、磷化物与含有汞的化工产品随灭火机喷出液和水流入莱茵河，其中有毒化学品达 30 多种，河内水生生物鳗鱼、鳟鱼、水鸭、鸬鹚等大量死亡，沿莱茵河而下 150 公里内大约 60 多万条鱼被毒死，500 公里内河岸两侧的井水不能饮用，许多自来水厂和啤酒厂被迫关闭。据专家们估计，由于有毒物质沉积在河流底泥中，有可能使莱茵河死亡 20 年。

1999 年 2 月，比利时养鸡业者发现母鸡产蛋率下降，蛋壳坚硬，肉鸡出现病态反应。经研究发现，这是由于比利时九家饲料公司生产的饲料中含有致癌物质二噁英。据悉，此种饲料已出售给比利时的 400 多家养鸡场和 500 多家养猪场，并已输往德国、法国、荷兰。据调查，比利时某些养鸡场肉鸡体内二噁英含量高于正常极限的 1 000 倍。事件发生后，美国、日本、新加坡、韩国、我国大陆和香港、台湾地区纷纷禁止从欧洲进口畜禽类和乳制品，这是近年来世界上影响最大的污染事件之一。

2000 年 1 月底到 2 月初，东欧地区连降大雨，1 月 30 日，在罗马尼亚奥拉迪亚镇，澳大利亚埃斯梅拉达采矿公司所属的巴雅梅尔金矿发生堤坝漫水事件，用于生产黄金的剧毒氰化物漫过大坝，随洪水流入附近的河水。污水向西流入邻国匈牙利境内的蒂萨河，河水中的氰化物含量是正常指标的 700 倍，在某些地区，一立方米水中含有氰化物 0.064 mg，然后河水中的污染物随着水流以平均每小时 2.5 英里的速度向南方蔓延，一夜之间，蒂萨河内 80% 的鱼类和其他生物死亡。300 万立方米受氰化物污染的河水流向莫什河(匈—罗)、蒂萨河(匈—捷—

南),并向南斯拉夫蔓延,开始扩散到多瑙河。这是自前苏联切尔诺贝利核电站事故以来欧洲最大的环境灾难,也是世纪之交世界上最严重的一次环境事故。

大量人工制取的化合物(包括有毒物质)进入环境,在环境中经扩散、迁移、转化和累积,不断地恶化环境,可以这样说,今天的地球上已没有一块干净的土地。栖息在爱尔兰海上的海鸟,体内含有高浓度的多氯联苯;生活在荒无人烟的南极大陆上的企鹅体内也测到了 DDT 存在;北极附近格陵兰冰盖层中,近几十年来铅和汞的含量在不断上升!

近年来,随着经济的高速增长,由于技术水平低、管理能力差以及环境保护意识薄弱,我国的环境污染十分严重,资源浪费、生态平衡破坏、重大环境污染事件时有发生,废气、废水和固体废弃物排放量仍在上升(见表 1-1),以城市为中心的环境污染仍在发展,并蔓延到农村,一些经济发达、人口稠密的地区的环境问题尤为严重。生态环境破坏的范围在扩大,程度在加剧。环境污染和生态破坏已成为制约经济发展,影响改革和社会稳定的一个重要因素。(《全国环境保护纲要》,1993~1998)

国家环境保护"九五"计划和 2010 年远景目标提出:到 2000 年,基本建立比较完善的环境管理体系和与社会主义市场经济体制相适应的环境法规体系,力争使环境污染和生态破坏加剧的趋势得到基本控制,部分城市和地区的环境质量有所改善,建成若干经济快速发展、环境清洁优美、生态良性循环的示范城市和示范地区。到 2010 年,可持续发展战略得到较好贯彻,环境管理法规体系进一步完善,基本改变环境污染和生态恶化的状况,环境质量有比较明显的改善,建成一批经济快速发展、环境清洁优美、生态良性循环的城市和地区。国家环境保护"十五"计划进一步指出:保护环境是我国的一项基本国策。今后五到十年,是我国经济和社会发展的重要时期,是进行经济结构战略性调整和改革开放的重要时期,也是减轻环境污染和遏制生态恶化趋势的重要时期。紧紧抓住新世纪的历史机遇,下大力气解决全国突出的环境问题,促进经济、社会与环境协调发展和实施可持续发展战略,是"十五"乃至到 2010 年环境保护工作重要而又艰巨的任务。

1.2 化学污染物的危害

化学是研究物质化学变化规律的基础科学。人类居住的地球环境是由各类物质组成的,其演化的历程也是物质遵循化学规律变化的过程。研究环境问题不能离开化学。

造成环境污染的因素大体上可分为物理的(噪声、振动、热、光辐射及放射性等)、生物的(微生物、寄生虫等)和化学的(重金属、有机物等)三方面,而其中化学物质引起的环境污染约占到 80%~90%。

化学为社会的进步发现了或合成了成千上万种新的化合物,据 20 世纪 50 年代初的统计,当时发现和合成的化合物不过 200 万种,到了 1985 年,在美国化学文摘(Chemical Abstracts,CA)上正式登录的化合物数目已达到了 600 万种,这个数目到 1990 年就超过了 1 000 万种,当人类跨进 21 世纪时,已知的化合物已增加到 2 000 万种以上! 全球人工合成的化学物质,1950 年产量约为 700 万吨,到 1970 年已达 6 000 多万吨,到 1985 年更是增加到约 2.5 亿吨。值得注意的是合成有机化学品,如人造纤维、塑料、染料、化肥、农药和多氯联苯等,其产量早在 20 世纪 80 年代初已超过了 1 亿吨。这些人工合成的化学物质,在过去

表 1－1 中国环境状况

排放污染物名称	1994	1995	1996	1997	1998	1999	2000	2001	2002	2003	2004
废气排放总量/亿标立方米	113 630	123 380					138 145			198 903	
其中:工业废气排放总量/亿标立方米	97 463	107 478									
二氧化硫排放总量/万吨	1 825	1 891		2 346	2 090	1 857.5	1 995.1	1 947.8	1 926.6	2 158.7	2 254.9
其中:工业二氧化硫排放量/万吨	1 341	1 405	1 397	1 852	1 593	1 460.1	1 612.5	1 566.6	1 562.0	1 791.4	1 891.4
其中:生活二氧化硫排放量/万吨	484	486		494	497	397.4	382.6	381.2	364.6	367.3	363.5
烟尘排放总量/万吨				1 873	1 452	1 159.0	1 165.4	1 069.8	1 012.7	1 048.7	1 095.0
其中:工业烟尘排放量/万吨	807	838	758	1 565	1 175	953.4	953.3	851.9	804.2	846.2	886.5
其中:生活烟尘排放量/万吨				308	277	205.6	212.1	217.9	208.5	202.5	208.5
工业粉尘排放量/万吨	583	639	562	1 505	1 322	1 175.3	1 092.0	990.6	941.0	1 021.0	904.8
废水排放总量/亿吨	365	373	205.9	415.8	395.3	401.1	415.2	433.0	439.5	460.0	482.4
其中:工业废水/亿吨	216	222		226.7	200.5	197.3	194.3	202.7	207.2	212.4	221.1
其中:生活污水/亿吨	149	151		189.1	194.8	203.8	220.9	230.3	232.3	247.6	261.3
化学需氧量排放量/万吨	770	768.38		1 757	1 499	1 388.9	1 445.0	1 404.8	1 366.9	1 333.6	1 339.2
其中:工业废水中化学需氧量排放量/万吨	1 832	71.227		1 073	806	691.7	704.5	607.5	584.0	511.9	509.7
其中:生活污水中化学需氧量排放量/万吨	1 084			684	693	697.2	740.5	797.3	782.9	821.7	829.5
工业固体废物产生量/万吨	61 704	64 474	65 898	105 849	80 000.0	78 441.9	81 608	88 746	94 509	100 428	120 030.0
工业固体废物综合利用量/万吨	26 693	28 511	28 365	42 777	33 387	35 755.9	34 751	47 290	50 061	56 040	67 795.9
工业固体废物储存量/万吨	24 828	24 779	26 364	29 912	27 546	26 294.8	28 921	30 183	30 040	27 667	26 011.9
工业固体废物处置量/万吨	17 642	14 204	11 491	19 461	10 527	10 764.3	9 152	14 491	16 618	17 751	26 634.8
工业固体废物排放量/万吨	1 932	2 242	1 690	18 412	7 000.0	3 880.5	3 186	2 894	2 635	1 941	1 762.0
工业固体废物累计储存量/万吨			649 000	658 309		637 624.1					
工业固体废物占地面积/万平方米	55 697	55 440	51 680	51 147		62 808.3					

全国环境统计公报（1994～2004）

的约 100 年间,其在全球的浓度已从稍大于零增加到约 1 ppb[①],如以目前工业产量年递增 2％～3％ 速度发展的话,那么不出 100 年,其在全球的浓度将会达到 ppm 级[②]! 大量的化学物质通过各种途径进入环境,在环境中相互反应,通过自然或生物、化学降解,又会形成许多新的化学品。它们存在于复杂的自然环境中,含量不一,变化多端,必然会对环境带来巨大的不可预见的影响,给地球生物(包括人类)带来各种即时的或潜在的危害。

1. 环境优先控制污染物(environmental priority pollutant)

环境中有毒化学物质数量众多,在环境管理中,不可能对全部污染物进行控制,只能根据社会经济技术条件和环境管理的需要,有重点地控制最具代表性的、具有较大排放量的、对人体健康和生态平衡危害大的、或潜在危险性大的有毒污染物。世界各国发展情况不同,污染状况也不同,优先控制的污染物也有所不同。

美国职业卫生研究所 1973 年登记的有毒化学物质已达 25 043 种,主要化学毒物可分为:重金属如 Hg、Pb、As、Cd、Cr 等,有机物如有机氯农药、多环芳烃、多氯联苯、氯代苯、亚硝胺类、有机汞、有机锡等。

欧洲共同体(今欧盟)在 1975 年根据物质的毒性、持久性和生物积累性列出了有害有毒物质的"黑名单","黑名单"中不包括那些生物学上无害的物质和易转化为生物学上无害物的物质。

表 1-2 欧洲共同体(今欧盟)公布的有毒物质"黑名单"

1	有机卤化物和可以在环境中形成卤化物的物质	5	汞及其化合物
2	有机磷化合物	6	镉及其化合物
3	有机锡化合物	7	持久性油类和来自石油的烃类
4	在水环境中或由于水环境介入而显示致癌活性的物质	8	可漂浮、悬浮或下沉和妨碍水质的任何持久性物质

王连生,《环境健康化学》,科学出版社,1994

联邦德国在 1980 年公布了 120 种水中有害物质名单,其中毒性最强的有 16 种,它们是:丙酮氰醇、丙烯腈、砷酸氢二钠、苯、四乙基铅、镉化合物、氰化物、DDT、3-氯环氧丙烷-1,2、乙酰亚胺、水合肼、林丹、硫醇、乙基对硫磷、汞化合物、银化合物。

杨友明等研究者对约 1 万种化学品经过筛选,确定了 52 种有毒化学品为我国优先控制的名单。这些有毒化学品均具有较强毒性,具有致癌(carcinogenicity)、致畸(teratogenesis)和致突变性(mutagenicity),其中国际限用或禁用的化学品达 24 种(见表 1-3)。

筛选有毒物质的原则是在环境中具有一定的残留水平,稳定,不易分解;易在生物体中富集和在人体中积累;具有较大的毒性,容易致癌、致畸、致突变,因此能造成普遍的、长期的和严重的中毒事件,对生态环境和人体健康会造成严重的威胁。

---

① ppb——十亿分之一。非国际单位制,因历史原因,本书大量原始检测数据均涉及,故仍沿用。下同,不另注。

② ppm——一百万分之一。非国际单位制,因历史原因,本书大量原始检测数据均涉及,故仍沿用。下同,不另注。

表 1-3　我国有毒化学品优先控制名单、排序、分类及归宿

序号	中文名称	英文名称	分类	大气	水	底泥	生物群
1	氯乙烯*	chloroethylene	卤代脂肪烃类化合物	○	○		
2	甲醛	formaldehyde	脂肪烃族类化合物	○	○		
3	环氧乙烷*	ethylene oxide	脂肪烃族类化合物	○	○		
4	丙烯腈*	acrylonitrile	脂肪烃族类化合物	○	○	○	○
5	三氯甲烷*	chloroform	卤代脂肪烃类化合物	○	○		
6	苯酚*	phenol	苯酚类化合物	○	○		
7	苯*	benzene	苯酚类化合物	○	○	○	○
8	甲醇*	methanol	脂肪烃族类化合物	○	○		
9	四氯化碳*	carbon tetrachloride	卤代脂肪烃类化合物	○	○		
10	乐果*	dimethoate	农药类化合物	○	○		
11	亚硝酸钠	sodiumnitrite	金属和无机物		○		
12	四氯乙烯*	tetrachloroethylene	卤代脂肪烃类化合物	○	○		
13	西维因	carbaryl	农药类化合物	○	○	○	○
14	除草醚	nitrofen	农药类化合物		○		
15	石棉*	asbestos	金属和无机物	○			
16	汞*	mercury	金属和无机物	○	○	○	○
17	三氯乙烯*	trichloroethylene	卤代脂肪烃类化合物	○	○		
18	1,1,2-三氯乙烷	1,1,2-trichloroethane	卤代脂肪烃类化合物	○	○		
19	丙烯醛	acrolein	农药类化合物	○	○	○	○
20	1,1-二氯乙烯	1,1-dichloroethylene	卤代脂肪烃类化合物	○	○		
21	甲苯	toluene	单环芳香族类化合物	○	○		
22	二甲苯*	xylene	单环芳香族类化合物	○	○		
23	五氯苯酚*	pentachlorophenol	苯酚类化合物	○	○	○	○
24	砷化合物*	arsenic compounds	金属和无机物	○	○		
25	苯胺	aniline	单环芳香族类化合物	○	○		
26	氰化钠	sodium cyanide	金属和无机物	○	○		
27	铅*	lead	金属和无机物			○	○
28	萘	naphthalene	多环芳香烃类化合物	○	○		
29	乙酸	acetic acid	脂肪烃族类化合物	○	○		
30	镉*	cadimium	金属和无机物			○	○
31	1,2-二氯乙烷*	1,2-dichloroethane	卤代脂肪烃类化合物	○	○		
32	杀虫咪*	chlordimeform	农药类化合物	○	○		
33	敌敌畏	DDV	农药类化合物	○			
34	2,4-二硝基苯酚	2,4-dinitrophenol	苯酚类化合物		○	○	
35	二氯甲烷	dichloromethane	卤代脂肪烃类化合物	○	○		
36	乙苯	ethylbenzene	单环芳香族类化合物	○	○	○	
37	对硫磷*	parathion	农药类化合物	○	○		
38	乙醛	ethanal	脂肪烃族类化合物	○	○		
39	1,1,2,2-四氯乙烷	1,1,2,2,-tetrachoroethane	卤代脂肪烃类化合物	○	○		
40	液氨	ammonia	金属和无机物	○	○		
41	丙酮	acetone	脂肪烃族类化合物	○	○		

（续　表）

序号	中 文 名 称	英 文 名 称	分　　类	大气	水	底泥	生物群
42	1,2-二氯苯	1,2-dichlorobenzene	单环芳香族类化合物	○	○	○	○
43	蒽	anthracene	多环芳香烃类化合物	○	○	○	○
44	m-甲酚	m-cresol	单环芳香族类化合物	○	○		
45	六氯苯*	hexylchlorobenzene	多环芳香烃类化合物	○		○	○
46	酞酸二丁基酯	dibutylphthalate	酞酸酯类化合物	○	○	○	
47	酞酸二辛基酯	diocthylphthlate	酞酸酯类化合物	○	○	○	
48	溴甲烷*	methyl bromide	卤代脂肪烃类化合物	○	○		
49	二硫化碳*	carbondisulfide	脂肪烃族类化合物	○			
50	氯苯	chlorobenzene	单环芳香族类化合物	○	○		○
51	4-硝基苯酚	4-nitrophenol	苯酚类化合物	○	○	○	
52	硝基苯	nitrobenzene	单环芳香族类化合物	○	○	○	

表中化学品按危害性大小降序排列。

* 国际限用或禁止的化学品。

○该化学品存在于对应的环境要素中。

王连生,《环境健康化学》,科学出版社,1994

　　许多研究证明,与某些有毒污染物接触,不仅会造成急性中毒,还可能致癌、致畸、致突变,因此在考虑毒性效应时,不仅要考虑急性毒性,还要考虑慢性毒性,以及其他特殊的毒性效应。衡量急性毒性,采用的指标是致死剂量水平,常用的参数是 LD_{50}（半数致死剂量）（median lethal dose）（指在外来化合物急性毒性试验中,引起半数实验动物死亡的剂量,以 mg/kg（体重）表示）和 LC_{50}（半数致死浓度）（median lethal concentration）（指在化学物质急性毒性试验中,能引起 50% 实验生物死亡的浓度）,慢性毒性参数可使用 TDL_0（最低中毒剂量）（toxic dose lowest）和 TCL_0（最低中毒浓度）（toxic concentration lowest）。

表 1-4　世界卫生组织推荐的急性毒性分级标准

毒性分级	大鼠一次经口 LD_{50} (mg/kg)	6 只大鼠吸入 4 小时,死亡 2~4 只的浓度(ppm)	兔经皮 LD_{50} (mg/kg)	对人可能致死的估计量 [总量(g/60kg)]
极　毒	<1	<<10	<5	0.1
剧　毒	1	10	5	3
高　毒	50	100	44	30
中等毒	500	1 000	350	250
低　毒	5 000	10 000	2 180	>1 000

环境科学大辞典编辑委员会编,《环境科学大辞典》,中国环境科学出版社,1991

　　对污染物毒性,还要考虑它的毒性产生的环境效应（environmental effect）和生物效应（biological effect）,考虑它的降解性（degradation）和积累性（accumulation）,难降解、残留期长的污染物,在环境中更容易扩散,与人接触的可能性与其在环境中存在的时间成正比关系,更容易通过食物链进入生物或人体内。

　　应当指出,上述有毒物质的名单只能反映当时的生产和科学技术发展水平,随着生产的发展和科技的进步,新的化合物还会不断被人类合成出来并进入环境,因此,有毒污染物的名单还会发生变化。

　　2. 环境污染物在生物体内的积累

　　某些生物在体内还能对重金属和一些有机物进行富集(enrichment)。如 Hg 和 Cd 的致毒浓度范围低至 $0.001 \sim 0.01$ ppm($1 \sim 10$ ppb),它们能在生物体内逐步地、成千上万倍地富集,如扇贝对 Cd 的富集因数高达 22600,最后可以通过食物链进入人体器官中积蓄起来。

　　瑞典某一汞污染的水域里底生动物体内汞含量为 0.3 ppm,吃这种底生动物的瑞典白鱼体内汞含量达3.1 ppm,捕食瑞典白鱼的梭子鱼体内的汞含量高达 5.8 ppm,而人长期食用含汞 $5 \sim 6$ ppm 的鱼就可能导致死亡。

　　金属元素排泄的难易可用生物半减期(biological half life)来衡量。所谓生物半减期是指进入生物体内的元素,减少到原有的一半所需要的时间,又称代谢半减期(metabolic half life)。生物半减期长,元素在生物体内的残留时间长,积累的浓度增高,其对生物的毒性也大。Cd 在人体肾中生物半减期为 18 年,Hg 在人脑中的生物半减期为数年,从而造成积累性慢性中毒。甲基汞中毒引起的水俣病和 Cd 中毒引起的骨痛病就是这种积累造成的公害病。

　　某些海洋生物对金属的富集见表 1-5。

表 1-5　某些海洋生物对金属的富集

元　素	海　扇	蚝	蛤		蚬	
	富集因子	富集因子	含量(ppm)	富集因子	含量(ppm)	富集因子
Hg	—	—	2.85	9.5×10^4	1.55	5.2×10^4
Pb	5.2×10^3	3.3×10^3	2.43	8.1×10^4	3.31	1.1×10^5
Cl	2.36×10^6	3.2×10^4	—			
Ti	—	—	32.7	3.3×10^4	18.5	1.9×10^4
V	4.5×10^3	1.5×10^3	1.32	6.6×10^2	0.24	1.2×10^2
Cr	2.0×10^5	6.0×10^4	3.27	6.5×10^4	1.06	2.1×10^4
Mn	5.6×10^4	4.0×10^3	24.5	1.2×10^4	36.1	1.8×10^4
Fe	2.9×10^5	6.8×10^4	—			
Co	—	—	0.85	8.5×10^3	0.32	3.2×10^3
Cu	3.0×10^3	5.2×10^3	16.1	5.4×10^3	25.4	8.5×10^3
Zn	2.8×10^4	5.2×10^3	34.0	3.4×10^3	31.2	3.1×10^3

彭安、王文华,《环境生物无机化学》,北京大学出版社,1991

　　某些难降解的有机物也能在生物体内富集。

　　W. G. M. Well 等在美国长岛沼泽地中进行了水生生物采集研究,该地为了灭蚊,至 1974 年止已喷洒 DDT 20 年,他们测定该沼泽地的水中含有 0.00005 ppm 的 DDT,水中浮游生物含 DDT 为0.04 ppm,比水中增加 800 倍,食取浮游生物的小鲦鱼体内含 DDT 为 0.94 ppm,又增加 23 倍,而以食取这种小鲦鱼为生的海鸥,在它的组织中含 DDT 为 75.5 ppm,又增加了

80.3 倍,整个食物链把 DDT 浓度提高了 1.5×10^6 倍!

表 1-6 美国纽约长岛卡门斯河口地区生物体中的 DDT 含量

样　品　名　称	DDT 含量(ppm,湿重)	样　品　名　称	DDT 含量(ppm,湿重)
水	0.000 05	大西洋颌针鱼	2.07
浮游生物(多数为浮游动物)	0.040	普通燕鸥	5.17
小虾	0.083	白额燕鸥	6.40
大西洋银汉鱼	0.23	银鸥	7.53
泥螺	0.26	鹗,蛋	13.8
硬壳蛤	0.42	双冠鸬鹚,未成熟	26.4
花鲈	0.94	环嘴鸥,未成熟	75.5
黑狗鱼	1.33		

环境科学大辞典编辑委员会编,《环境科学大辞典》,中国环境科学出版社,1991

有机化合物在生物体内或生物组织内的浓度与其在水中的浓度之比,称为该化合物的生物富集系数(bioconcentration factors,BCFs),用来表示有机化合物在生物体内的生物富集作用的大小。

人们曾经认为,有机化合物在水生生物体内的富集,主要是通过食物链方式进行营养迁移,或生物放大作用进行的。1971 年,Hame Link 等人通过实验发现,疏水性化合物被鱼体组织的吸收,主要是通过水和血液中脂肪层两相之间的平衡交换方式进行的。其他的研究者后来的实验也证实了这一结论的正确性。他们并明确指出,有机化合物的生物积累和富集主要是通过分配作用进入水生生物体内的脂肪中的,这个结论的提出,对研究有机化合物在水环境中的迁移转化有重要的意义。

生物体内脂肪的存在,为有机化合物的分配提供了理想溶剂。有机物的水生生物积累量和生物体内脂类含量之间相关性的研究,进一步证实了上述的结论。Canton 等人(1977)用海藻暴露于六氯代苯之中,无论活细胞还是死细胞,生物富集系数都是相同的。Pairs 等人(1977)进行了水生微生物富集毒杀芬的实验,也获得了相同的结论。Southworth 等人(1979)观察到,淡水鱼从水中直接吸收吖啶的比例和此类鱼通过消化污染的无脊椎动物或污染的沉积物的间接吸收比例没有什么明显差别。

由此可见,有机化合物的生物富集程度与下列因素有关:

首先,它取决于有机物在水中的溶解度。当其在水中溶解度减少时,生物富集系数将会增加。有机物在水中的低溶解度可以通过它们对相对非极性的有机相的亲和性反映出来,我们可以通过有机化合物的辛醇-水分配系数(K_{oc})来表示有机物在等体积的混合溶剂辛醇-水中的分配程度。由于辛醇对有机物的分配,与有机物在土壤有机质中的分配极为相似,因此辛醇-水分配系数(K_{oc})是反映有机物在水和沉积物中,有机质间或水生生物脂肪之间分配的一种很有用的指标,其数值越大,有机物在有机相中的溶解度也越大,在水生生物体内的富集作用也越大。

其次,与生物体内的脂肪含量有关。Roberts 等人在研究中发现,Redhorse Suchers 对氯的吸收与生物的脂肪体积直接相关。Hansen 等人证实,PCBs 在鱼体内脏中的浓度差别很大,一般以肝脏中 PCBs 浓度最大,其次为鳃、整个鱼体、心脏、脑、肌肉,这种变化差异是由于这些脏器中脂肪含量不同而引起的,这也同样证实了,有机物在水生生物体内不同组织中的分布是有规律的,其浓度与各组织中的脂肪含量有着直接的相关性。

3．环境有害污染物

（1）致癌物质

世界卫生组织（WTO）报告,1996 年全球 58 亿人口中,因癌症死亡的有 600 余万,占总死亡人数近 12％。在 1991～2000 年间,全球癌症发病人数增长了 22％。2000 年新诊断的癌症患者有 1 000 余万。癌症将成为人类的第一杀手,成为威胁人的生命和生活质量的主要病种。

卫生部数据显示,我国 1996 年新诊断癌症患者约 160 万人,年死亡 130 万人。2000 年我国的癌症病人约为 200 万人,占世界总数的四分之一。目前已知,癌症的发病主要是化学、物理、生物等环境因素引起的,而其中 80％～85％是化学致癌物所致。

表 1－7 环境致癌物的类型与来源

致癌物的类型	来 源 与 可 能 的 作 用
芳烃氨基化合物	联苯胺、2－萘胺、染料、橡胶制造（膀胱癌）
亚硝胺	食品防腐添加剂、橡胶制造、烟草（食道癌）
含氯有机化合物	氯乙烯、聚氯乙烯生产、有机氯杀虫剂,如艾氏剂、狄氏剂、DDT（致癌和生殖影响）
多环芳烃化合物	烟草烟雾和矿物燃料燃烧过程中的部分产物（肺癌等）
放射性元素	（^{90}Sr,^{239}Pu）用于医疗和科学诊断,军事及核电站的燃料（血癌）
金属尘	不同的金属尘来源于各种用途:如铍用于轻型合金以及涂料和染料（皮肤癌和肺癌等）
霉 菌	被霉菌污染的食物,滋生于花生、玉米、麦子和高粱中的曲霉菌所产生的黄曲霉素,是强致癌物质（肝癌）
类固醇刺激素	加到动物饲料中的己烯雌酚（乳腺癌、子宫癌等）

秦涛、赵立新、徐晓白,《环境化学》,9(1),22,1997

早在 200 年前就发现煤烟中的焦油能引起肿瘤,随着工业发展,污染环境的化学品种类和数量不断增加,人们对化学致癌物的实验和研究愈来愈重视。世界卫生组织所属国际癌症研究机构（International Agency for Research on Cancer, IARC）自 1971 年开始,报告有 140 余种化学物质经鉴定对动物有致癌作用,其中有多（稠）环芳烃（polycyclic aromatic hydrocarbons, PAHs）及其衍生物、杂环化合物（heterocyclic compound）和芳香胺（aromatic amine）类等,而黄曲霉素（aflatoxin）被认为是最强的致癌物（它们的结构式如下）。

α－萘胺（α-naphthylamine） β－萘胺（β-naphthylamine）

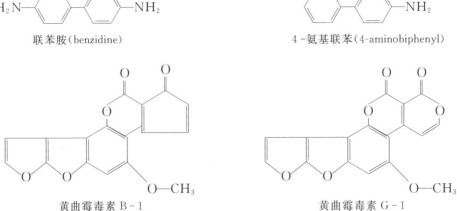

联苯胺（benzidine）

4-氨基联苯（4-aminobiphenyl）

黄曲霉毒素 B-1

黄曲霉毒素 G-1

在芳香胺类中主要的致癌物质有甲、乙萘胺,联苯胺,4-氨基联苯等。芳香胺致癌物一般引起膀胱癌。污染粮油及其制品的黄曲霉毒素(aflatoxin)是黄曲霉和寄生曲霉的毒性代谢产物,它是多种结构相似(含一个双呋喃和氧杂萘邻酮)的杂环化合物,目前已经分离出的黄曲霉毒素纯品有 B-1、G-1 等四种,黄曲霉毒素不仅是剧毒物质,而且是强致癌物质,能够引起肝癌。黄曲霉素中如 B-1、G-1、M-1 的二呋喃环末端双键可经代谢活化成亲电子性的环氧化物,再与生物大分子结合,其毒性、致突变性及致癌性与结构有关。

（2）持久性有机污染物

持久性有机污染物(Persistent Organic Pollutants,POPs)是指通过各种环境介质(大气、水、生物体等)能够长距离迁移并长期存在于环境,进而对人类健康和环境产生严重危害的天然或人工合成的有机污染物质。

持久性有机污染物具有以下特征:

① 长期残留性。它能够长期的在环境里存留,对于自然环境下的生物代谢、光降解和化学分解等具有很强的抵抗能力,一旦排放到环境中,它们难于被分解,因此可以在水体、土壤和底泥等环境介质中存留数年甚至数十年或更长的时间。特别是在不少持久性有机污染物的结构里含有氯原子,更增加了化合物的稳定性和在环境中的持久性。

② 生物蓄积性。持久性有机污染物容易溶解于脂肪,因而能够在脂肪组织中发生生物蓄积,可以通过食物链逐级放大。在我们的自然环境里,在大气、水、土壤里浓度可能很低,甚至我们检测不出来,但是它可以通过大气、水、土壤进入植物或者低等的生物,然后逐级放大,营养级越高蓄积越高,最后对人体造成严重的影响。

③ 半挥发性。持久性有机污染物具有一定的挥发性,能够从水体或土壤中以蒸气形式进入大气环境,决定了它可以长距离地转运,导致全球范围的污染传播,即使根本没有生产使用POPs 的地区,通过所谓的"全球蒸馏效应"和"蚱蜢跳效应"可以通过长距离的转运到达。因而全球范围内,包括大陆、沙漠、海洋和南北极地区都有可能检测到 POPs 的存在。即使在人烟罕至的北极地区生活的哺乳动物,其体内已经检测到部分的浓度较高持久性有机污染物的危害,北京大学在珠穆朗玛山脉采集到的冰川样品里也发现了 POPs 的存在。

④ 高毒性。研究表明,大多数 POPs 对人类和动物有较高毒性,包括致癌性、生殖毒性、

神经毒性、内分泌干扰特性等。近年来的研究表明,POPs 能够导致生物体内分泌紊乱、生殖及免疫机能失调、神经行为和发育紊乱以及癌症等严重疾病。二噁英化合物是典型代表之一,世界卫生组织(WHO)早在 1997 年就将二噁英列为一级致癌物,而联合国环境规划署(UNEP)列出的 12 种典型 POPs 物质中有 7 种也被列为可能的人体致癌。尽管目前关于流行病学研究的证据还不是很充足,但是已经有很多迹象表明,其对生态、对人体健康的影响是很严重的,特别是 POPs 表现出的环境激素的作用,对妇女以及通过妇女对后代产生不利影响。

如今,持久性有机污染物已经成为人类面临的又一个严峻挑战,是人类面临的一个紧迫的环境问题。在联合国环境规划署的主持下,从 1998 年以来,世界各国政府举行了一系列的官方谈判和协商,并于 2001 年 5 月达成共识,在瑞典首都斯德哥尔摩通过了《关于持久性有机污染物的斯德哥尔摩公约》(简称《斯德哥尔摩公约》),于 2004 年 5 月 17 日生效。这是继《保护臭氧层公约》和《气候变化框架公约》之后,人类为保护全球环境而签订的第三个具有强制性减排要求的国际公约。至今已有 151 个国家签署,99 个国家批准。我国全国人大常委会于 2004 年 6 月 25 日正式批准该《公约》,8 月 13 日中国政府向联合国交存了批准、接受、核准和加入书。按照该《公约》规定,2004 年 11 月 11 日正式对中国生效。目前,国内关于有机污染物尤其是 POPs 污染的基础研究和应用研究基础尚比较薄弱,研究的广度和深度都落后于发达国家。

首批列入公约受控名单的 POPs 有 12 种,艾氏剂、氯丹、狄氏剂、异狄氏剂、七氯、灭蚁灵、毒杀芬、滴滴涕、六氯代苯、多氯联苯、二噁英和呋喃。《公约》还规定所要控制的有机污染物清单是开放性的,将来可以随时根据《公约》规定的筛选程序和标准对清单进行修改和扩充。

持久性有机污染物在环境中的绝大多数反应过程均发生在环境界面上,环境界面与污染物本身的性质以及两者之间的相互作用决定了这些反应的复杂性,也决定了污染物在环境中的迁移转化规律,从而影响生物可利用性或生态毒性,并且通过食物链对人类健康产生危害。

有专家指出,在所有因人为因素每年向环境释放的污染物中,最危险的是 POPs。几十年来,有些高毒性的化学物质已经因致癌和破坏神经、生殖和免疫系统等使人类和动物死亡或患病,它们还导致了不计其数的生育缺陷。在这个世界上,每个人的体内都携带有微量的 POPs。

这些持久性有机污染物,特别是上面列出的 12 种物质在我们中国应用是比较多的。作为一个农业大国,我国在 20 世纪 60~80 年代生产和使用的主要农药品种都是属于 POPs 的有机氯农药,氯丹、七氯、毒杀芬、滴滴涕和六氯代苯 5 种 POPs 农药曾在我国生产和使用过,这些农药在土地中有相当的残留量。由于 POPs 的稳定性,它可以在环境中存在几十年甚至上百年,又由于它的生物富集性,在我国的许多地区所种植的谷类、中草药、茶叶、苹果、人参等粮食和经济作物中都存在 POPs 污染物,甚至在长春妇女的母乳中都检测出 POPs 污染物。

持久性有机污染物对人体发育的潜在威胁表现在很多方面:一类是对婴儿的出生体重的影响,可能使人类婴儿的出生体重降低,发育不良,骨骼发育障碍和代谢紊乱,这些都可能对人的一生产生影响;第二类是对神经系统,导致注意力的紊乱、免疫系统的抑制;第三类是对生殖系统的危害,已经有证据显示,POPs 与生物体损害、男性精子的减少等有直接关系;第四类是对癌症发病率的影响;有关专家正在进行这方面的研究,这些效应基本上都来源于 ED(内分泌干扰素)的内分泌干扰作用。

这 12 种持久性有机污染物可分为三大类:其中滴滴涕、六氯苯、氯丹、灭蚁灵、毒杀芬、艾氏剂、狄氏剂、异狄氏剂、七氯为有机氯杀虫剂,多氯联苯是工业化学品,而二噁英和呋喃是工业生产过程或燃烧产生的副产品。

① 杀虫剂和杀菌剂:杀虫剂包括艾氏剂(aldrin)、狄氏剂(dieldrin)、异狄氏剂(endrin)、氯丹(chlordane)、七氯(heptachlor)、灭蚊灵(mirex)、毒杀酚(toxaphene)、滴滴涕(DDT),杀菌剂指六氯苯(hexachlorobenzene),主要用于防治真菌对谷类作物种子外膜的危害。上述杀虫剂、杀菌剂都属于有机氯农药,是含氯的有机化合物,大部分是含一个或几个苯环的氯素衍生物,其中应用最为普遍的是滴滴涕。滴滴涕于 1874 年首次在德国合成,1939 年才发现具有杀虫威力,由于其药效维持时间长、杀虫范围广而在当时被认为是最有希望的农药,其后因其在防止斑疹伤寒、防治害虫等方面有着卓越贡献曾被广泛使用。

DDT 化学结构式

这类有机氯农药,杀虫效果好,但毒性大,化学性质稳定。在环境中存留时间长,不易降解(生物降解、光化学降解),易溶于脂肪中,容易在脂肪中蓄积,导致在水生生物体内富集,可达水中浓度的数十万倍。不但影响水生生物繁衍,而且通过食物链危害人体健康,许多国家已禁止使用,我国也已于 1983 年全部禁止生产和使用。

② 多氯联苯(polychlorinated biphenyls, PCBs):1929 年首先在美国合成。多氯联苯是联苯分子中一部分或全部氢原子被氯原子取代后形成的各种异构体混合物的总称,其全部异构体有 210 种。

PCBs 具有蒸气压较低、难挥发、在环境中残留期长等特性。化学性质十分稳定,不易燃烧,强碱、强酸、氧化剂难以破坏它们,有高度的耐热性、良好的绝缘性,所以 PCBs 作为绝缘油、润滑油被广泛用于变压器、电容器,还被用作各种塑料、树脂、橡胶的软化剂,以及油墨、油漆、无碳纸的添加剂,随工业废水而被排入水体。

PCBs 剧毒,不溶于水,脂溶性大,易被生物吸收,通过食物链而富集,易聚集在脂肪组织、肝和脑中,引起皮肤和肝脏损害;PCBs 可经消化道、皮肤及呼吸道进入人体,但急性毒性属低毒,国际癌症研究所将其列为人类可疑致癌物。

$1 < n < 10$

PCBs 在天然水和生物体内都很难降解,是一种很稳定的环境污染物,尽管很多国家已经禁止使用,但以往排放的 PCBs 还将在环境中残留相当长的时间。

③ 二噁英和呋喃,它们是化学品生产过程中的副产物:如多氯代二苯并-对-二噁英(PCDD)和多氯化二苯并呋喃(PCDF)。

二噁英(dioxin)的化学结构式如下：

其氯代产物为多氯代二苯并-对-二噁英(polychlorinated dibenzo-p-dioxins)，可简写为PCDDs，结构式如下：

其衍生物总和有75种之多。由于氯代原子的数量和位置不同，二噁英同类物之间在物理、化学性质和生物毒性等方面有许多差别。一般认为，低氯代的二噁英是低毒或者无毒的，对环境的影响较小。对生物和人体危害较大的是多氯代的二噁英，其中2,3,7,8-四氯二苯对二噁英(2,3,7,8-tetrachloro-dibenzo-p-dioxin；TCDD)是迄今为止所知的毒性最强的环境污染物之一。据 Helder 报道，0.1 ng/L 这样低的浓度就会抑制蛋的发育，当弯鱼暴露在 TCDD 为 2.3 mg/kg 的饵料中71天后，平均死亡率高达88%。

表 1-8　二噁英半致死量(LD_{50})的口服剂量

二苯并-对-二噁英	试　验　动　物	$LD_{50}(\mu g/kg)$
2,3,7,8-四氯代-	Guinea 猪	2
	鼠(雄性)Rat	22
	兔子	115
	鼠(Mouse)	284
1,2,3,7,8-五氯代-	Guinea 猪	3
	鼠(Mouse)	338
1,2,3,4,7,8-六氯代-	Guinea 猪	73
	鼠(Mouse)	825

Kriebel 的资料，1981

TCDD 对哺乳动物也具有较大的毒性，表现为急性、慢性和急慢性效应，在急性发作期间，肝是主要的受害器官。动物试验发现可致呼吸道、皮脂腺、肝脏、胆道、甲状腺等肿瘤和纤维内瘤，并有致癌和致突变性，IARC 把 TCDD 列为人类可疑化学致癌物。PCDDs 对人类的危害包括改变皮肤颜色、皮疹、头发过度生长、胳膊和腿的疼痛和麻木感以及肝脏的损伤，TCDD 还与某些生育缺陷相关。据报道，在美国 Alsea 附近的 Oregon 地区，从1972到1977年每年的6月到7月份，怀孕妇女的自然流产率增高，可能是附近森林中经常使用2,4,5-T农药引起的。在越南的 Orange 地区森林中施用 PCDDs，引起出生的孩子生理缺陷。

PCDDs 不是商业性的产品，也无任何应用价值，它是农药生产过程中的副产品，如在合成2,4,5-T 中会生成2,3,7,8-TCDD 这一副产品。

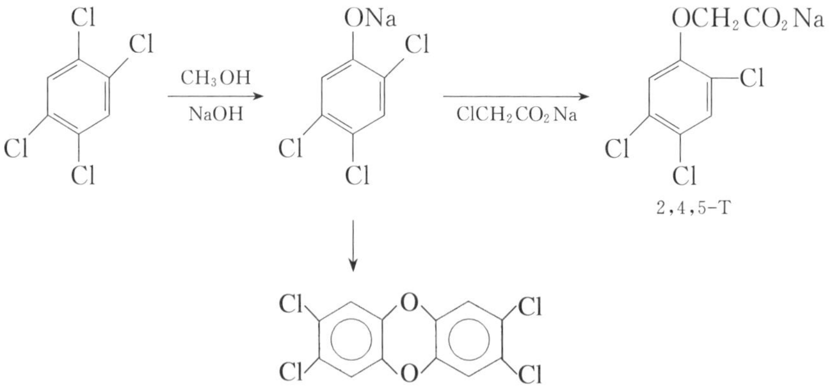

2,4,5-T

TCDD

由于 2,4,5-三氯代酚是生产一系列农药的化学原料,所以 PCDDs 可以在许多这类农药中出现。另外有证据表明,PCDDs 还可通过三氯代酚或其衍生物的燃烧而产生。PCDDs 通常存在于化工厂废水、皮革制品厂和木材加工厂废水或废水处理厂的排水中,进入水环境,或通过农药的使用以及城市废弃物的焚烧进入环境。

PCDDs 还可能从下列一些化学反应中生成:

① 二噁英氯化

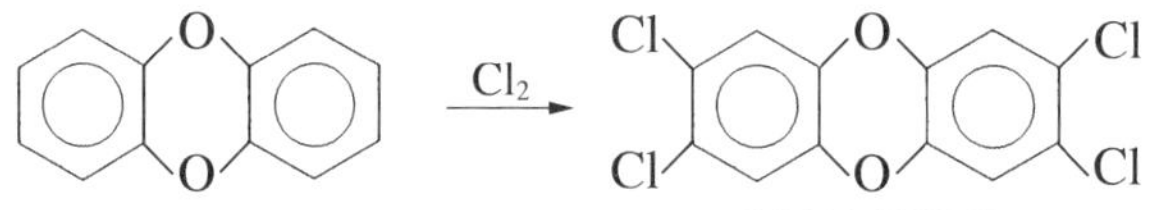

2,3,7,8-TCDD

② 邻苯二酚和氯代硝基苯缩合

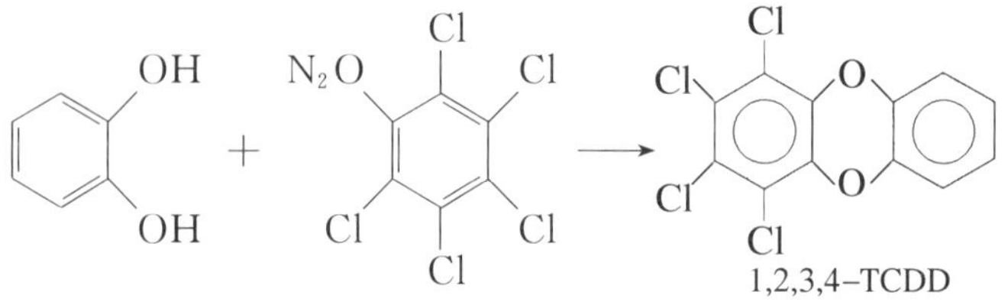

1,2,3,4-TCDD

③ 三氯酚钠热解

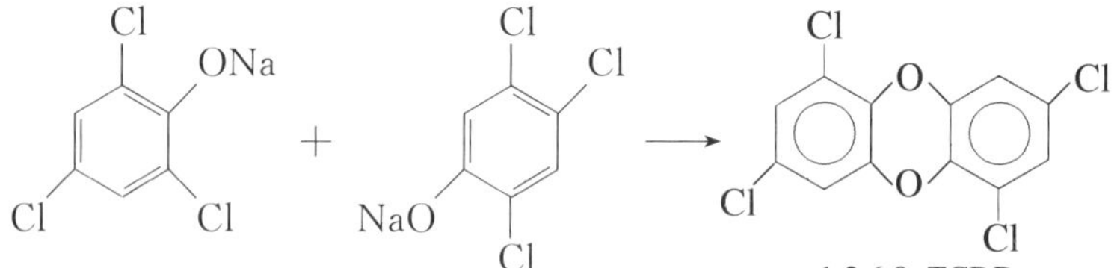

1,3,6,8-TCDD

④ 一些化合物的光解

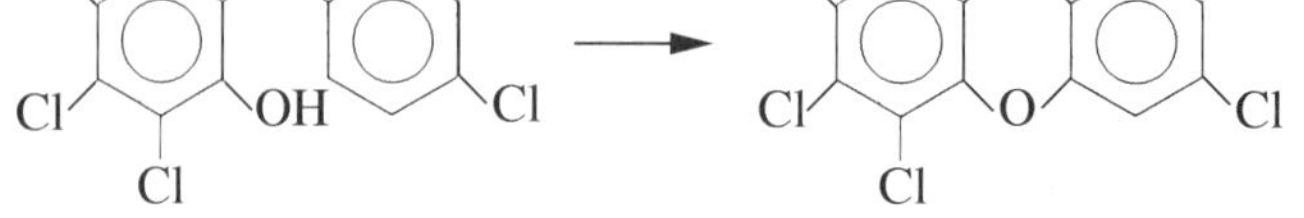

1,2,3,8-TCDD

PCDDs 性质与氯代农药比较接近,难溶于水、易溶于类脂化合物,容易被土壤矿物表面吸附,化学和生物降解过程相当缓慢,易于在水生生物体中积累。

在实验室的沉积物-水体系中,厌氧条件下 TCDD 的半衰期约为 600 天,Helling 等报道在实验室中,把 TCDD 加到湿土壤中半衰期约为一年,也有人报道土壤中 TCDD 的半衰期大于 10 年。PCDDs 可通过化学反应而进行降解,在土壤中由于上层土粒的遮盖而使光线不能到达土壤下层,因而有较长的半衰期。

PCDDs 在水中的浓度比较低,如 TCDD 的辛醇-水分配系数为 42.4,但由于富集作用,水生生物体内的浓度可以达到相当高的数值(见表 1-9)。暴露 30 天后,水中 TCDD 的平衡浓度为 50×10^{-6} μg/L,而在水蚤中 TCDD 的浓度高达 2.4 μg/L。蚊子幼虫也可以富集 TCDD,体内浓度可达水中浓度的 2 800～9 200 倍。

表 1-9　2,3,7,8-TCDD 的一些生物富集系数(BCFs)

生　物	暴露时间(天)	BCFs
藻	30	2 000～18 600
浮　萍	30	1 200～5 000
蜗　牛	30	1 400～47 100
水　蚤	30	7 800～48 000
蚊　鱼	3	1 000～63 300
鲇　鱼	6	2 000～27 900

引自 Isenseet 和 Jones 的资料,1975

在越南的森林中由于使用 PCDDs,在其下游采集的尖嘴鱼和鲇鱼体内,TCDD 残留物的浓度达到 70～810 ppt,人体脂肪中 TCDD 残留物的浓度可高达 57 ppt。

由于 PCDDs 在环境中的稳定性,光解可能是环境中去除 PCDDs 的有效途径之一,但 PCDDs 在水相中光解反应速度很慢,而且局限于一、二氯代取代物。最近国内有报道说,二氧化钛可有效地催化多氯代二噁英的光解。

二噁英对生态环境的破坏和对人体健康的毒害早有报道。1976 年 7 月 10 日,意大利塞维索的伊克梅萨化工厂逸出三氯苯酚,其中含有剧毒化学品二噁英(TCDD),造成严重的环境污染,很多人中毒,事隔多年后,当地居民中畸形儿比例仍高于其他区域。

1999 年 2 月,比利时养鸡业者发现母鸡产蛋率下降,蛋壳坚硬,肉鸡出现病态反应。经研究发现,这是由于比利时九家饲料公司生产的饲料中含有致癌物质二噁英。据悉,此种饲料已出售给比利时的 400 多家养鸡场和 500 多家养猪场,并已输往德国、法国、荷兰。据调查,比利时某些养鸡场肉鸡体内二噁英含量高于正常极限的 1 000 倍。事件发生后,美国、日本、新加坡、韩国、中国大陆、中国香港、中国台湾等国家和地区纷纷禁止从欧洲进口畜禽类和乳制品,这是近年来世界上影响最大的污染事件之一。

(3) 放射性物质

指铀、钍、镭、铯等放射性物质(radioactive material)散放出来的射线。自然环境中放射性的辐射源,有天然的和人工的两大类,天然辐射来自宇宙射线和水域矿床中的射线,天然辐射源所产生的总辐射水平称为天然放射性本底,它是判断环境是否受到放射性污染的基本基准。人工辐射源主要来自下列途径:核爆炸的沉降物,核工业生产过程中的排放物,包括核燃料生产过程、核反应堆运行过程、核燃料后处理过程中的排放物,医用诊断、治疗射线源,以及分析和测试设备、生活消费品、建筑材料中所含有的放射性物质等。

由于核试验、核燃料生产和核电站的快速发展,散发于环境中的放射性污染物日趋增加。如铀矿开采提炼的废水和废物中含有天然放射性物质铀和镭,核电站反应堆排出的废气、废物中有 ^{41}氩、氚、^{85}氪、^{131}碘、^{133}氙等放射性物质;核爆炸产生的放射性物质有 ^{89}锶、^{90}锶、^{137}铯、^{131}碘、^{14}碳和 ^{239}钚等。环境放射性物质进入人体主要有三条途径:消化道吸入,呼吸道吸入和皮肤、黏膜等侵入。放射性物质对人体除了外照射,还会通过空气和食物进入人体积累在器官里,如 ^{90}锶在骨骼里,^{131}碘在甲状腺里,产生长期内照射。达到一定照射剂量出现的即时效应是头痛、厌食、神经和消化系统症状,继而白细胞和血小板减少等。超剂量长期作用可产生远期效应如肿瘤、白血病和遗传障碍等。

(4) 环境激素

环境激素(environment hormone)是指由于人类的生产和生活而释放到环境中的、对动物和人体内原本营造的正常激素功能施加影响,从而影响内分泌系统的化学物质,通称为"外源性干扰内分泌的化学物质"(以区别于生物体本身分泌的激素)。

目前已有 70 多种人工合成的化学物质(以及它们的衍生物)显示出不同程度的雌激素活性,干扰生物的内分泌,被初步确认为环境激素类物质,其中除了少数几种重金属(镉、铅、汞)外,其余的都是有机物,包括农药、多氯联苯、增塑剂、塑料以及药厂生产的避孕药和雌性激素等(见表 1－10)。随着新的合成物质的出现和研究工作的发展,还会不断发现新的环境激素类物质。

表 1－10　环境激素类物质按用途分类表

类　型	外源性干扰内分泌的化学物质
除草剂	2,4,5-三氯联苯氧基乙酸、2,4-二氯联苯氧基乙酸、杀草强、莠去津、甲草胺(草不绿)、除草醚(NIP)、草克净、塞克嗪、塞克津、西玛津、氟乐灵、茄科宁、阿脱拉津、阿米唑(ATA)
杀虫剂	六六六(BHC)、对硫磷、甲萘威(西维因)、氯丹及氯丹氧化物、羟基氯丹、超九氯、滴滴滴(DDD)、滴滴涕(DDT)、滴滴伊(DDE)、三氯杀螨醇、狄氏剂、异狄氏剂、硫丹、七氯、环氧七氯、马拉硫磷、甲氧滴涕、灭多威(万灵)、1,2-二溴代-3-氯丙烷(DBCP)、一六〇五、胺甲萘、艾氏剂、八氯茨烯(毒杀芬)、开蓬(十氯酮)、二高甲基磷、戊酸酯、青戊菊酯、过甲基磷、氯氰菊酯、氯菊酯(苯醚氯菊酯)、五氯苯酚(PCP)、灭蚁灵、甲氧氯、涕灭威
杀菌剂	六氯苯(HCB)、代森锰锌、代森锰、代森锌、乙烯菌核利、福美锌、苯菌灵、苯来特、硫丹Ⅰ(Ⅱ)、烯菌酮
防腐剂	五氯酚(PCP)、三丁基锡(TBT)、三苯基锡(TPT)

类 型	外源性干扰内分泌的化学物质
塑料增塑剂及各种塑料用品	邻苯二甲酸双(2-乙基)己酯(DEHP)、邻苯二甲酸苄酯(BBP)、邻苯二甲酸二正丁酯(DBP)、邻苯二甲酸双环己酯(DCHP)、邻苯二甲酸双二乙酯(DEP)、己二酸二辛酯、己二酸双-2-乙基己酯、邻苯二甲酸二丙酯、联苯酚 A、苯乙烯、多氯联苯类(PCBs)、多溴联苯类(PBBs)、氯化维尼龙
除污剂、洗涤剂	$C_5 \sim C_9$ 烷基苯酚、壬基苯酚、4-辛基苯酚
芳香剂	4-乙酚、苯酮(二苯甲酮)
染料	烷基酚、4-(亚)硝基甲苯、2-萘酚、2,4-二氯苯酚、阿咪唑、3-氨基1,2,4-三唑
涂料	三丁基锡(TBT)、三苯基锡(TPT)
化妆品材料	苯酮、防酸剂 BHA、羟苯、邻苯二甲酸酯
副产物	二噁英类、呋喃类、苯并[a]芘、八氯苯乙烯、对硝基甲苯、苯乙烯二(或三)聚体
医用药物	己烯雌酚(DES)、酞酰亚胺基哌啶(催眠药)
重金属	镉及其配合物、铅及其配合物、汞及其配合物
其他用途的化合物	双酚 A、甲基汞、表面活性剂、氟里昂、食品添加剂

孙胜龙，《环境激素与人类未来》，化学工业出版社，2005

　　环境中的环境激素类物质种类繁多、来源各样。各种农药、除草剂、涂料、洗涤剂、表面活性剂、染料、芳香剂的大量使用，塑料制品、食品、药品、化妆品中添加剂的释放、扩散，动植物分泌，垃圾焚烧，空气挥发等都是重要来源。

　　环境激素对生物和人体的侵入和伤害主要是通过下述途径：

　　（1）大气环境中的环境激素

　　垃圾焚烧中产生的二噁英、合成树脂及加工过程中的可塑剂、施加在农田中的农药的挥发都是室外空气中环境激素的来源。建筑材料、壁纸、地板、家具中散发的甲醛、用于木料的防腐剂、为防治白蚁使用的杀虫剂、熏蚊蝇用的化学药剂都是室内环境激素的来源。

　　（2）水环境中的环境激素

　　空气中的二噁英等环境激素由雨水冲刷进入水环境，工厂排出的污水，污染地表水和地下水，化工厂、实验室、医院排出的含有大量化学品的污水，垃圾填埋的渗出液等其中含有的环境激素，或随水流移动，或沉入底泥，或进入水生生物体内富集。

　　人类使用的自来水管道防护膜中含有的联苯酚 A，塑料水管中的添加剂都有可能溶解在水中进入饮水者体内。

　　（3）食品中的环境激素

　　谷类、蔬菜、水果生产中使用的农药残留通过食物进入人体内。防腐剂、保鲜膜、食品添加剂中可能含有多种环境激素,在人类饲养的牲畜和家禽的饲料中添加的生长激素、杀菌药物所含有的环境激素都可能通过食物进入人体。

环境激素能对动物及人体内的激素类物质发生作用,影响内分泌系统正常生理功能的作用机理主要包括以下几个方面:一是与动物体内激素或人体内激素竞争靶细胞上的受体,并直接与雌激素受体结合;二是与其他核心受体结合,从而影响到雌激素作用功能,且对生物体内分泌的雌激素产生阻碍作用;三是通过与其他受体结合或影响信号传导途径,从而影响内分泌系统和其他系统的互动作用,从而产生不良影响。

环境激素的危害是多方面的:

环境激素对生物的危害表现在性机能减弱、性器官异化等方面,如鱼和水鸟雌雄同体、雄性化、生殖器官异常等。

环境激素对人体形态的影响表现在促进或抑制人体生长激素的分泌,使人体形态异常,特别高大或特别瘦小。

环境激素对生殖系统的影响使孩子早熟、变性要求增加、多胎现象多发以及不孕,并导致精巢癌、睾丸停留症、乳腺癌、子宫内膜以及婴儿疾病的产生和多发。

环境激素对生物基因的影响会导致动物畸变、人体畸变、器官增多(减少)、出现残疾人群等现象。

环境激素对人体的危害还会导致免疫系统受损,产生各种疾病,引发癌症,其对生物中枢神经的影响还会导致精神抑郁症的发作和自杀现象。

环境激素对生态环境和生物体及人体的严重危害引起了世界范围的关注,治理环境激素污染的研究正在展开。开发绿色化学,加强污染治理;进一步健全环境法规的制定和执行;提高大众的社会意识和环境保护意识,关注个人的行为,拒绝环境激素对人体的影响。人类正在采取各种积极的措施来制止和抑制环境激素的产生和蔓延。

1.3 绿色化学及其研究

1. 绿色化学的提出

人类在社会发展和科技进步中,需要从地球环境中获得各种各样的资源,除了天然物质以外,还合成了大量新的化合物,目前,依靠对物质结构的了解,人类的化工生产技术已经发展到了一个新的高度,各种自然界所不存在的结构复杂的新型材料、药物等都源源不断地合成出来,与此同时,化工生产过程中产生的废弃物、有毒有害物质也大量排放进入环境,带来严重的环境污染,能源和资源的短缺也日益困扰着人们。

回顾环境保护和污染治理的历史,人类的观念是逐渐改变的,认识是逐步提高的。

最早的观念是依靠"稀释废物"来防治环境污染,人们认为只要把废气、废水和废渣加以稀释就可改变它们的危害性,这是由于对化学污染物对生态环境和生物健康的危害缺乏认识的原因,同时也没有一定的规则来限制这种排放。

后来的观念是"控制和管理",由于对废弃的化学品对环境的危害有了较为清晰的了解,限制废物浓度和排放量的规定日益完善,关于废气、废水和废渣必须先治理再排放的法律严格执行的结果导致对终端控制的重视,对三废排放的一系列终端控制技术如控制烟尘、中和废水、填埋固体废弃物、回收重金属、探索综合利用等广泛应用于环境化学污染物治理的各个方面。

　　然而,人类逐渐发现,仅仅依靠开发更有效的终端污染控制技术对环境的改善仍然是有限的,把注意力集中到对原始污染的预防对消除污染更有效。也就是利用化工原理,改变反应过程。20 世纪 80 年代,美国提出了"废物最小化"观念,绿色化学就是重新设计化工合成的过程和方法,以实现不再使用有毒有害的物质,不再产生废物,不再处理废物,从源头上阻止环境化学污染。

　　R. T. Anastas 和 J. C. Waner 曾提出绿色化学的 12 条原则,这 12 条原则目前为国际化学界所公认,它也反映了近年来在绿色化学领域中所开展的多方面的研究工作内容,同时也指明了未来发展绿色化学的方向。图 1-1 概括出绿色化学研究的主要领域。

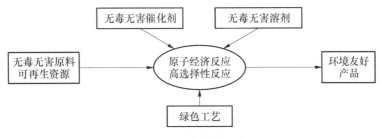

图 1-1　绿色化学示意图

2. 绿色化学的研究方向

绿色化学的研究主要是围绕化学反应、原料、催化剂、溶剂和产品的绿色化开展的。

(1) 开发绿色反应,提高原子利用率

　　在化学合成特别是有机合成中,减少废物的关键是提高选择性问题,即选择最佳反应途径,使反应物原子尽可能多地转化为产物原子,最大限度地减少副产物,才会真正减少废物的生成。美国著名有机化学家 Trost 在 1991 年首先提出了原子经济性(Atom economy)的概念,认为高效的有机合成应最大限度地利用原料分子的每一个原子,使之结合到目标分子中(如完全的加成反应:A+B = C),达到零排放。原子经济性可用原子利用率来衡量,我们把原子利用率定义为:

$$原子利用率 = \frac{期望产品的摩尔质量}{化学方程式中按计量所得物质的摩尔质量} \times 100\%$$

化工生产上常用的产率或收率则是用下式表示:

$$产率或收率(\%) = \frac{目的产品的实际质量}{应得目的产品的理论质量} \times 100\%$$

可以看出:原子经济性与产率或收率是两个不同的概念。

原子经济性的反应有两个显著优点:一是最大限度地利用了原料;二是最大限度地减少了废物的排放,减少了环境污染,适应了社会要求,是合成方法发展的趋势。

荷兰有机化学家 R. A. Sheldon 根据自己 20 多年的工作经验提出了环境因子和环境商的概念,用以衡量化工产品生产过程中对环境造成的影响。

相对于每种化工产品而言,期望产品以外的任何物质都是废物,环境因子(E-因子,

environmental factor)是指每生产 1 kg 期望产品的同时所产生的废物的量：

$$E\text{-因子} = \frac{\text{废料重(kg)}}{\text{产品重(kg)}}$$

E-因子值越大，化工生产所产生的废物的量就越大，其对环境的影响就越大。表 1-11 是不同化工生产部门生产中环境所能接受的 E-因子的大小。

表 1-11 不同化工生产部门的 E-因子

工业部门	产品(吨)	E-因子	工业部门	产品(吨)	E-因子
炼　油	$10^6 \sim 10^8$	~ 0.1	精细化工	$10^2 \sim 10^4$	$5 \sim 50$
基本化工	$10^4 \sim 10^6$	$< 1 \sim 5$	制　药	$10^1 \sim 10^3$	$25 \sim 100$

R. A. Sheldon CHEMTECH,1994;24(3):38

从表中可以看出，精细化工和制药工业的 E-因子较大，这是由于在这些化工生产中涉及了较多的步骤，并在纯化产品时使用了较多的无机盐来进行中和，结果化工生产步骤越多，所加试剂越多，产生的废料也越多，对环境的危害也越大。因此，减少合成步骤，开发无盐生产工艺，将有助于降低这些生产部门的 E-因子。

废物对环境的污染程度还与该废物的物理、化学性质及其在环境中的毒性行为有关。要更为精确地评价一种化工合成方法对环境的影响，在考虑废物的排放数量的同时，还必须考虑废物的环境效应，可以用环境商（EQ）(environmental quotient)来作为综合评价指标：

环境商 $EQ = E \times Q$

式中 E 为 E-因子，Q 为根据废物在环境中的行为所给出的对环境不友好度。如我们把无害的 $NaCl$、K_2SO_4 等的 Q 定为 1，则根据毒性不同，重金属离子的盐类的 $Q = 100 \sim 1\,000$。不同部门、不同地区、不同生产领域的 EQ 可能不同，但其相对大小还是可以作为化学合成和化工生产中选择合成路线、生产过程和生产工艺的重要考虑因素，对寻求绿色生产具有一定的意义。

开发新的原子经济反应与符合绿色化学要求的有机合成结合起来，发展成为绿色化学中最活跃的合成方法。在选择合成的途径时，除了考虑理论产率外，还应考虑和比较不同途径的原子利用率，这是生产过程对环境效应的又一评价标准。在化工生产中要尽量减少化学反应的步骤，从原料到产品尽可能做到直达，在生产过程中尽可能不采用那些对产品的化学组成来说没有必要的物料。

如环氧乙烷生产中，经典的氯代乙醇法化学产率虽然可达到 100%，但其原子利用率只有 25%，生产1 kg环氧乙烷会产生 3 kg 的副产物；而使用石油催化新方法，只要一步反应就能直接得到产物，其原子利用率达到了 100%，产率高达 99%！新方法对环境的友好度明显地超过了旧方法。

经典氯代乙醇法：

$$CH_2 = CH_2 + Cl_2 + H_2O \longrightarrow ClCH_2CH_2OH + HCl$$

$$ClCH_2CH_2OH + Ca(OH)_2 \longrightarrow H_2C\underset{O}{\overset{\frown}{}}CH_2 + CaCl_2 + H_2O$$

总反应：

$$C_2H_4 + Cl_2 + Ca(OH)_2 \longrightarrow C_2H_4O + CaCl_2 + H_2O$$

分子量　44　　　111　　18

$$原子利用率 = \frac{44}{173} = 25\%$$

现代石油化学工艺：

$$CH_2{=}CH_2 + \frac{1}{2}O_2 \xrightarrow{\text{催化剂}} H_2C\underset{O}{\overset{\frown}{}}CH_2$$

$$原子利用率 = 100\%$$

又如有机物苯酚和丙酮都是常用的化工原料,以前丙酮要通过淀粉发酵制取,而苯酚是用钠熔融法得到,都要产生相当量的废料,要是使用异丙苯和氧反应,经过两步温和的反应就能得到苯酚和丙酮,原子利用率可达 100%。

$$C_6H_5{-}\underset{CH_3}{\overset{CH_3}{\underset{|}{\overset{|}{C}}}}{-}H + O_2 \longrightarrow C_6H_5{-}\underset{CH_3}{\overset{CH_3}{\underset{|}{\overset{|}{C}}}}{-}O{-}O{-}H$$

$$C_6H_5{-}\underset{CH_3}{\overset{CH_3}{\underset{|}{\overset{|}{C}}}}{-}O{-}O{-}H \longrightarrow C_6H_5OH + (CH_3)_2CO$$

Hoffmann-La Roche 公司开发抗帕金森病药物 lazabemide 1,采用传统的合成线路,从 2 -甲基 - 5 -乙基吡啶出发,历经 8 步合成,总产率只有 8%,而使用钯催化羰基化反应,从 2,5 -二氯吡啶出发,仅一步反应就能得到 lazabemide 1,其原子利用率达 100%,产率达 65%,生产规模可达 3×10^6 kg。

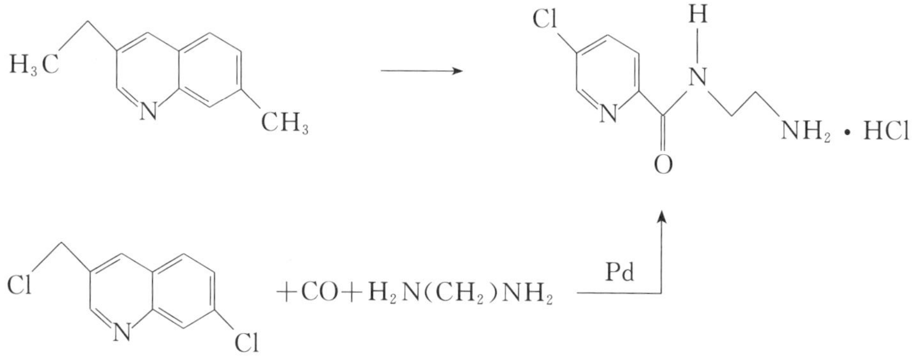

（2）使用无毒无害的原料

在现有化工生产中仍在使用的一些剧毒化学品如光气、氢氰酸等应尽可能用无毒无害的原料来代替。氨基甲酸酯是一类重要的化工原料,传统的方法是用光气作原料来合成:

$$RNH_2 + COCl_2 \longrightarrow RN=C=O$$

$$RN=C=O + R'OH \longrightarrow RNHCO_2R'$$

Riley 和 McGhec 研究了用二氧化碳和胺直接生产异氰酸酯和氨基甲酸酯的新方法:

$$RR'NH + CO_2 \longrightarrow RR'NCO_2^- H_2N^+ RR'$$

$$RR'NCO_2^- H_2N^+ RR' + \quad \diagup\!\!\!\diagdown\!\!\!\diagup X \quad \xrightarrow{PdL_4} \quad \diagup\!\!\!\diagdown\!\!\!\diagup O_2CNRR'$$

杜邦公司也报道了采用一氧化碳将胺直接羰基化而合成异氰酸酯的新工艺,并已工业化。Tundo 报道了用二氧化碳代替光气生产碳酸二甲酯的新方法。为了代替剧毒的氢氰酸原料,Monsanto 公司使用无毒无害的二乙醇胺,经过催化脱氢,开发了安全生产氨基二乙酸钠的化工新工艺,改变了以往用氢氰酸、氨和甲醛为原料的二步合成路线。国外还报道了由异丁烯生产甲基丙烯酸甲酯的新合成路线,取代了以氢氰酸和丙酮为原料的丙酮氰醇合成方法。又如甲基化中常用的硫酸二甲酯,具有剧毒和致癌性,Tundo 成功地用碳酸二甲酯代替,反应式为:

$$PhNH_2 + (CH_3O)_2CO \xrightarrow{GL-PTC} PhNHCH_3 + CH_3OH + CO_2$$

其中 GL - PTC 为气液相转移催化剂。

而碳酸二甲酯以前用光气合成,现在已可用一氧化碳为原料合成:

$$2CH_3OH + CO + \frac{1}{2}O_2 \longrightarrow (CH_3O)_2CO + H_2O$$

(3) 选用无毒无害的催化剂

在化学合成中使用催化剂(catalyst),可以改变化学反应的途径,降低反应的活化能,从而提高产率,降低能耗。实际上,催化剂在考虑和选择原子利用率高、E-因子小的零排放(zero release)(或低排放)、无盐(或低盐)、对环境友好的合成方法时具有重要的作用。20 世纪 70 年代以来,化学家们对许多传统的化工合成方法进行改革,寻找新型有效的催化剂,以减少对环境的污染,实现绿色化学的目的。如下所示即为乙酸生产新旧工艺的对比,新方法(Monsanto 法)原料成本低,步骤简单,一步完成,原子利用率达 100%,属于低排放无盐工艺。目前世界年产乙酸 500 万吨,其中二分之一是由该方法生产的。

Kolbe 法(1845 年):

$$C \xrightarrow{FeS} CS_2 \xrightarrow{Cl_2} CCl_4 \xrightarrow{赤热管} Cl_2C=CCl_2 \xrightarrow[H_2O/O_2]{h\upsilon} Cl_3CCO_2H \xrightarrow{电解} CH_3CO_2H$$

Monsanto 法(1971 年):

$$CH_3OH + CO \xrightarrow{Rh 基、I-促进剂} CH_3COOH$$

催化剂对环境的影响也不容忽视,如目前烃类烷基化反应中使用的氢氟酸、硫酸、三氯化铝等液体酸催化剂对设备腐蚀严重,危害人体健康,产生废液、废渣,污染环境。国外正从分子筛、杂多酸、超强酸等新型催化材料中大力开发固体酸烷基化催化剂。异丁烷与丁烯的烷基化工艺中原使用的氢氰酸或硫酸催化剂,据国外报道也可用新开发的负载型磺酸盐/SiO_2 催化剂所代替。

(4) 使用无毒无害的溶剂

由于当前广泛使用的有机溶剂一般都是挥发性有机化合物(VOC),对环境产生有害影响,许多溶剂已列入禁止或限制使用范围,西欧发达国家在许多生产行业中都规定了有机溶剂的限制使用和最高允许排放量。研究无毒无害溶剂的工作正在开展,其中最活跃的是开发超临界流体(SCF),超临界流体是指处于超临界温度及超临界压力下的流体,是一种介于气态与液态之间的流体状态,其密度接近于液体(比气体约大 3 个数量级),而粘度接近气态(扩散系数比液体大 100 倍左右),而超临界二氧化碳流体(温度临界点为 311℃,压力临界点为7 477.79 kPa)由于其临界温度与压力适中、来源广泛、回收方便、无毒等特点受到重视。还有水和近临界水作为溶剂以及采用无溶剂的固相反应等也得到广泛研究。

(5) 发展绿色工艺

所谓绿色工艺(green technology),是指工业生产中对污染物低排放(或零排放)的生产工艺。

① 发展闭路循环生产,把有可能造成污染的物质封闭在生产系统内,不排出污染物,无废水排出。如维尼纶厂利用薄膜蒸发将含硫酸 12%、甲醛 1.2% 的废水浓缩回收用于生产而不排出。苏联从 1976 年起,在有色冶金系统的大企业里,实行了供水和排水完全闭路系统的无废水排放的新工艺;美国、日本、丹麦已开始使用无水造纸;法国在探索生产纸浆不用水的新工艺。

② 研究和应用无污染或少污染的新工艺。

如造纸工业用无公害氧蒸煮法、亚铵法代替碱蒸煮法;制革工业用酶法脱毛代替烧碱脱毛;氯碱工业用电渗析法(electrodialytic method)代替汞极电解;电镀工业用无氰电镀(cyanideless electroplanting)或微氰电镀代替有氰电镀;美、日等国把真空电镀法和阴极真空镀法结合起来,创造出"离子化静电电镀法",这种新工艺不出废液,速度快,质量好,无污染。

再如有机合成工业在用乙基蒽醌法生产过氧化氢时,用氧气氧化乙基蒽醇,分离出过氧化氢后,用金属钯作催化剂,通入氢气,把乙基蒽醌还原为乙基蒽醇再循环使用,整个过程只消耗了氢气和氧气,是典型的零排放例子。

化学合成技术的发展和提高,使化工生产从"人工合成"向"天然合成"的方式发展,将成为对环境友好的、接近自然界生产方式的真正意义上的绿色工艺。

③ 回收副产品中的有用原料。

尽量将流失在三废(废气、废水、废渣)中的副产品(原料或成品)加以分离,就地回收,既可降低生产成本,增加经济效益,又可大大降低废水中物质的浓度和数量,减轻污水处理负担。如造纸工业中,可从漂白液中提取 NaCl,从黑液中提取碱木素、二甲亚砜、松节油等副产品再加以利用。

我国是一个人口大国,我国的自然资源是比较缺乏的,从绝对量来说不算少,但从人均资源量来算,落后于世界上许多国家,特别是与我国经济发展的需要比较,还存在着很大的差距(见表1-12)。

表1-12　我国主要矿产资源拥有储量与我国经济发展阶段需求量的比值

主 要 矿 种	拥 有 储 量	与2020年需求量之比	与2050年需求量之比
铁	50亿吨	1.37	0.47
原 煤	6 097亿吨	16.4	5.67
石 油	23亿吨	0.42	0.13
天然气	2 461亿立方米	0.123	0.027
铀	70 000吨	0.602	0.135

(6) 开发和生产绿色产品

绿色产品,或指环境友好产品,是指产品在使用过程中和使用后不会危害生态环境和人体健康,产品具有合理的使用功能及使用寿命,产品易于回收、利用和再生,报废后易于处置,在环境条件下容易降解。

如为日常生活使用生产的包装材料,可以进行再利用,例如用再生纸作购物袋,用布作的购物袋可重复使用,用再生塑料制造各种容器,不但可节约宝贵的资源,还可以减少固体废弃物的排放。

目前大量使用的聚苯乙烯发泡塑料快餐盒,使用以后成为垃圾,在自然条件下,需数百年方能降解,对环境带来严重的影响。为了加速它的自然降解,我们生产时可以在其中加入光敏剂、化学助剂等,使其在使用后几个月内即分解成无害物质。

随着绿色化学作为学科前沿方向的逐步形成,在短短的时间内,通向绿色化学的各种途径已隐约可见。但是化学工作者的努力只是初步的,在一条合成路线中,绿色可能只是局部的。绿色化学的真正发展需要对传统的、常规的合成方法的方方面面进行全面的从观念上、理论上和合成技术上的发展和创新。这种需求既是对合成化学的挑战,更是对合成化学革命性的发展提供的前所未有的机会。

3. 绿色化学研究的发展

绿色化学是环境战略重点的一次创新性转移,是人们对环境问题由被动反应转为主动行动的一次认识飞跃。绿色化学的发展,涉及到有机合成、催化化学、生物化学、分析化学等化学分支学科,它既为化学的应用开拓了新的广阔的方向,又为化学学科理论和实践的发展提供了机遇,绿色化学已成为化学发展的新的推动力,21世纪化学的主要发展领域之一。美国化学界把"化学的绿色化"作为迈入21世纪化学进展的主要方向之一。美国"总统绿色化学挑战奖"则代表了在绿色化学领域取得的最高水平和最新成果,自1996年以来每年颁发了"学术奖"、"小企业奖"、"变更合成路线奖"、"变更溶剂/反应条件奖"、"设计更安全化学品奖",一批获奖成果已应用于有机合成和化工生产,产生了良好的效果。

我国制定了"科教兴国"和"可持续发展"战略,并在1992年世界环境与发展大会之后,编制了《中国 21 世纪议程》的政府白皮书,郑重声明走经济与社会协调发展道路的决心。面对国际上兴起的绿色化学与清洁生产技术浪潮,有关部门和机构也开展了相应的行动。近年来,我国在绿色化学方面的研究也逐渐活跃。中国科学院化学部确定了《绿色化学与技术》的院士咨询课题,召开了"工业生产中绿色化学与技术"研讨会;1995 年中国科学院化学部组织了《绿色化学与技术——推进化工生产可持续发展的途径》院士咨询活动,对国内外绿色化学的现状与发展趋势进行了大量调研,并结合国内情况,提出了发展绿色化学与技术、消灭和减少环境污染源的七条建议,并建议国家科技部组织调研,将绿色化学与技术研究工作列入"九五"基础研究规划。1997 年由国家自然科学基金委和中国石油化工总公司联合资助的"九五"重大基础研究项目《环境友好石油化工催化化学与化学反应工程》正式启动,项目涵盖基础性研究、技术可行性的初步探索和技术可行与经济合理性的重点探索三个层次,开展采用无毒无害原料、催化剂和"原子经济"反应等新技术的探索研究,为解决现有生产工艺存在的环境问题奠定基础。同年,为实施科教兴国战略,实现到 2010 年以及 21 世纪中叶我国经济、科技和社会发展的宏伟目标而制定的《国家重点基础研究发展规划》,亦将绿色化学的基础研究项目作为支持的重要方向之一,国内有关单位已经积极组织申请立项,一些院校也纷纷成立了绿色化学研究机构。

第二节 环境化学研究的内容和特点

1962 年,美国生物学家莱切尔·卡逊(Rachel Carson)写了《寂静的春天》(*Silent Spring*)一书,描述了化学农药对环境的污染和毁灭生物的恶果,引起了人们对环境污染的注意。1969 年,国际科联设立了环境问题科学委员会(Scientific Committee on Problem of the Environment,SCOPE);美国《化学文摘》(CA)从 1971 年开始在"环境"主题下收录环境化学文摘,随后即以每年 100 篇的速度递增,1990 年已达 2 033 篇;1972 年联合国环境规划署(United Nations Environment Program,UNEP)成立后制定了一系列与环境化学有关的研究与监测计划,包括全球环境监测系统(Global Environmental Monitoring System,GEMS)和国际潜在有毒化学品登记(International Register of Potentially Toxic Chemicals,IRPTC);1989 年国际纯粹与应用化学联合会(IUPAC)制订了"化学与环境"研究计划;1995 年,对平流层臭氧化学及其机理研究作出杰出贡献的 Paul Crutzen(荷兰)、Mario Molina(墨西哥)和 F. Sherwood Rowland(美)获得了当年的诺贝尔化学奖,这是诺贝尔化学奖第一次进入环境化学领域。

在运用化学理论和方法来研究环境问题的基础上,发展形成了环境化学。

环境化学作为一门学科起源于 20 世纪 50 年代,1972 年由美国密执安大学化学系首先提出。

一方面环境化学是在无机化学、有机化学、分析化学、物理化学、化学工程学基础上研究环境中的化学现象,可以认为它是一个新的化学分支学科。

另一方面环境化学又是从保护自然生态和人体健康的角度出发,将化学与生物学、气象学、水文地质、土壤学等进行综合,逐渐发展了新的研究方法、手段、观点和理论,因而它又是环境科学的一个核心分支学科。

环境化学研究什么,这是研究环境化学首先要明确的问题。

环境化学研究的对象应该是自然环境中的化学污染物质及其在环境中的变化规律,而不是普通的化学物质,否则就不能区别于普通化学,所谓污染物质应该是最终能产生有害生态效应的物质。然而污染物质的确定是有一个过程的,不是所有的化学物质都是污染物,也不能说目前对环境无害的普通化学物质就一定不会发展为污染物,特别是人类源源不断合成的新的化学物质进入环境以后给环境带来的影响更不是马上可以确定的,因此我们必须以发展和变化的观点来看待污染物质及其对环境的影响。随着环境研究的深入,发现自然界的微量气体,如甲烷、萜烯,对流层中稳定而曾经认为无害的化学物质如 CO_2、N_2O、氟氯烃(CFCs)等,不仅会引起全球气候变化,而且在进入平流层后会导致臭氧层耗损而危及人类生存。

我国国家自然科学基金委员会把环境化学定义为:研究化学物质在环境介质中的存在、化学特性、行为和效应及其控制的化学原理和方法的科学,它是化学科学的一个重要分支,也是环境科学的核心组成部分。

环境化学是在化学科学基本理论和方法的基础上,以化学物质(主要是污染物)引起的环境问题为研究对象,以解决环境问题为目标发展起来的一门新兴学科。它的主要研究内容和任务是:研究化学物质在环境介质中的存在、化学行为及其对环境(生态系统)和人体健康产生影响的途径、机制和风险,探讨缓解或消除它们已造成的影响或防止可能发生影响的方法和途径。

要掌握环境污染的水平和可能造成的危害,就必须弄清化学污染物进入环境后的存在形态及其运动规律,同时还必须准确测定它们的含量。因此,形成了环境污染化学和环境分析化学两个重要分支,此外,对消除污染物的化学原理研究,即所谓污染防治化学或称环境工程化学,也属于环境化学的重要分支。

环境化学包括以下分支学科:

　　环境分析化学
　　　　环境有机分析化学
　　　　环境无机分析化学
　　大气、水体、土壤环境化学
　　　　大气环境化学
　　　　水环境化学
　　　　土壤环境化学
　　污染生态化学
　　污染控制化学
　　　　大气污染控制化学
　　　　水污染控制化学
　　　　土壤污染控制化学

1. 环境分析化学

要得知化学污染物在环境中的本底和污染现象,必须运用化学分析的技术取得各种数据,为环境中污染物化学行为的研究、环境质量的评价、环境污染的预测、预报以及为治理污染等提供科学依据。所以环境分析化学是环境科学研究和环境保护必备的重要手段。

　　环境分析化学运用近代物理化学方法监测和追踪污染物的含量及其分布,研究污染物的存在形式及其结构。

　　环境中污染物通常成分复杂,测定时干扰因素多,因此要求分析方法具有高选择性和特效性。

　　由于污染物浓度低(10^{-6}g/g、10^{-9}g/g 甚至 10^{-12}g/g 级)要求方法具有高灵敏度和准确性。

　　由于环境物质千变万化,要求分析方法有良好重现性和测定的连续性。近代分析方法如离子选择性电极、极谱法、光度法、色谱法、电子能谱、质谱法、波谱法、放射性分析法等,以及自动连续监测和卫星遥感等新技术在环境分析中也大量应用。

　　2. 大气、水体、土壤环境化学

　　研究化学污染物质在大气、水体和土壤中的形成、迁移、转化和归宿过程中的化学行为和效应。化学污染物的范围已经扩展到那些过去认为无害的化学物质如二氧化碳、甲烷、氧化亚氮等温室气体和氟氯烃(chlorofluorocarbons)、哈龙(halon)等臭氧层耗损物质、化学营养物、信息物等。

　　大气污染化学是研究有重要影响的化学物质(颗粒物、硫氧化物、氮氧化物、碳氧化物、碳氢化合物和臭氧等)在大气环境中的性质、化学行为和化学机制的科学,涉及地面、对流层和平流层存在的多种化学物质。

　　水污染化学主要是在溶液平衡理论(酸碱、沉淀与溶解、氧化还原、配合与离解)基础上,研究化学物质在水环境中的存在(包括浓度、形态和分布)、行为(包括迁移、转化及其归宿)与效应(包括环境效应和生态效应)。特别是对重金属、农药等污染物在水体中的存在与化学转化的研究。

　　土壤环境化学研究农用化学品等化学物质在土壤环境中的迁移、转化和归宿及其对土壤化学变化和人体健康的影响。

　　3. 污染生态化学

　　研究化学污染物质引起生态效应的化学原理过程和机制,宏观上研究化学物质在维持和破坏生态平衡中的基本化学问题,微观上研究化学物质和生物体相互作用过程的化学机制,如对环境化学物质和生物体及不同环境介质之间相互作用的研究,为有害化学物质的筛选、评价及其危险性预测提供科学依据。

　　4. 污染控制化学

　　研究与污染扩展有关的化学机制和工艺技术中的化学基础性问题,以便最大限度地控制化学污染,为开发经济、高效的污染控制技术,发展清洁生产提供科学依据。

　　利用物理或化学的方法和原理,来净化处理及回收利用废水、废气和废渣中的化学污染物。从工业三废的单项处理技术,逐渐向利用物理、化学和生物等方法相结合的综合治理技术方向发展。从单个污染治理向某个水系或地区进行综合防治方向发展。从消极治理向改革工艺、减少排放方向发展。

　　能源引起的污染,特别是燃烧煤引起的大气污染已被重视。目前应着重研究控制烟尘、二氧化硫、氮氧化物污染和燃料脱硫、脱硝和煤的液化、气化,同时开展新化学能源和无害燃料方面的研究。从保护水资源着眼,实现废水中重金属和难分解物质的回收利用。从处理工厂废渣入手,探索综合利用的化学方法。

环境化学作为一门新兴的学科,在研究对象和任务方面有别于普通的化学学科,在研究方法上也有其特点。

环境化学的研究对象是化学污染物和环境背景物(天然物质)构成的多组分综合体系,这个体系是个开放体系,时刻有物质流和能量流,所受的影响复杂多变,除了化学因素外,还有物理因素(光照、辐射等)、生物因素、气象、水文、地质、地理条件等,因而在探讨和研究污染物变化规律和影响危害时,不能仅从单一因素考虑,而应综合多方面的因素考察,才能得出符合实际的结论。如重金属汞的污染,除了考虑化学转化外,还有微生物和酶作用下的转化。氮氧化物的大气污染,不但要考虑它本身的化学变化,还要考虑光照和地形地势的条件。有机物和农药在环境中的转化,不仅要注意光解和化学降解作用,还要注意生物降解作用。

由于环境化学研究的对象是有关环境中的化学变化,而环境本身是各种复杂因素的综合体,因此具有综合性的特点,它不但和环境科学的其他分支学科(如环境生物学、环境医学、环境工程学等)有紧密的联系,而且和自然科学的其他学科(如地球化学、物理学、生态学、气象学、数学等)有紧密的联系,甚至与社会科学学科(如经济学、法学、管理学等)也有相当的联系。

环境化学的另一特点是化学污染物在环境中的含量极低,一般只有 $10^{-6} \sim 10^{-9}$ g/g(痕量级),甚至 $10^{-9} \sim 10^{-12}$ g/g(超痕量级),如已测定出太平洋中心上空大气中铅的含量为 1×10^{-9} g/L,南北极则低于 5.5×10^{-10} g/L,雨水中汞的平均含量为 2.0×10^{-10} g/L,人体中铀的平均含量为 1×10^{-9} g/g。环境污染物分布范围广,处于不断的迁移与转化之中,具有多种不同的化学形态,这就要求环境监测和分析所用技术和方法必须灵敏、准确、选择性好、速度快、自动化程度高。

此外,环境中的微量污染物往往在固液、气固、液气界面上发生转化,因而必须注意研究其有关的界面胶体化学特性。如 SO_2 在液滴表面的氧化,$\cdot OH$ 和 $HO_2 \cdot$ 自由基所参与的非均相氧化,水体中化学污染物质在天然颗粒物表面上的界面化学行为,其吸附、絮凝、沉降和迁移过程决定着污染物的去向和归宿。

第三节　环境生态学基础和物质循环

环境是指以人类为主体的外部世界,即人类赖以生存和发展的物质条件的整体,它也是人类开发利用的对象,它凝聚着社会因素和自然因素。所以,我们的环境可分为社会环境和自然环境两大类。

社会环境是指人们生活的社会经济制度和上层建筑的环境条件,即为构成社会的经济基础及其相应的政治、法律、宗教、艺术、哲学的观点和机构等。它是人类在物质资料生产过程中,共同进行生产而结合起来的生产关系的总和。

自然环境,是指环绕于我们周围的各种自然因素的总和,它包括大气、水、土壤、生物和各种矿物资源等。在环境科学中,以人或人类作为主体,其他的生命物质和非生命物质都被视为环境要素,它是人类生存发展的基础,也是人类开发利用的对象。目前环境科学所讨论的环境问题,主要指的是自然环境。我国的环境保护法规定:"本法所称环境是指:大气、水、土地、矿藏、森林、草原、野生动物、野生植物、水生植物、名胜古迹、风景游览区、温泉、疗养区、自然保护区、生活居住区等。"

3.1　环境的自然圈层

自然环境(natural environment),按空间尺度大小,可划分为不同层次,如居室环境、聚落环境、城市环境、区域环境直至全球环境、宇宙环境等。按构成要素,可划分为水环境、大气环境、土壤环境等。从生态学角度还可划分为陆生环境、水生环境、森林环境、草原环境等。按其范围来分,可分为全球与区域环境。全球环境是由大气圈、水圈、岩石圈和生物圈四个圈层组成。从其成因来分,可分为原生环境和次生环境。次生环境是指人类加工改造的环境部分。区域环境一般包括原生环境与次生环境两个因素。

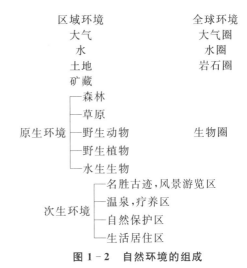

图 1-2　自然环境的组成

* 资料来源:牛文元,《自然地理新论》,科学出版社,1981

1.　岩石圈(lithosphere)

地球大致可分成地壳(earth crust)、地幔(earth mantle)和地核(earth nucleus)三个同心圈层。地壳是指从地表以下几公里至 30~40 公里的一层,称为岩石圈。它的厚度很不均匀,大陆所在地方,地壳比较厚,尤其是山脉下更厚。海洋所在地方,地壳比较薄,最薄的地壳不到 10 公里。

地球形成过程中,在炽热温度下,地球上的物质均呈液态,大部分未及氧化的单质铁(混有一些其他金属)由于密度大,逐渐沉入地球中心而形成铁核心,而呈液态的熔融盐原生岩(硅酸盐及铝硅酸盐,由 FeO、MnO 与 SiO_2、Al_2O_3 在原始地球高温下,熔融形成)飘浮在铁核心上面阻止了铁核心的进一步氧化,熔融盐逐渐冷却后,即形成地壳。

表 1-13　地球的组成和质量

范　围	组　　成	质量 ($\times 10^{21}$ t)	质量(%)	厚度(km)	容积 ($\times 10^{22}$ km³)
地　球		5 976 000	100	6 371	108 300
地　核	铁镍合金	1 876 000	31.5	3 471	17 500
地　幔	硅质材料,铁和锰的硅化物	4 056 000	67.8	2 870	89 200
岩石圈	沉积岩、变质岩等	43 000	0.7	30(平均)	1 500
水　圈	海洋、河流、湖泊、冰川、地下水等	1 410	0.024	3.8(平均)	137
大气圈	氮、氧、二氧化碳、水蒸气、稀有气体	5	0.000 09	15(平均)	
生物圈	动植物、微生物等	0.001 6	0.000 000 03	2	

岩石圈的元素以 O、Si 为主,还包括稀有气体外的所有元素,大多数化学元素(V、VI组共39 个,见表1－14)平均含量在 0.000 1%～0.01%之间。

表 1－14　地球岩石圈中化学元素的分布

组别	平均含量(重量%)	元素数目	元素
I	>10(20～50)	2	O, Si
II	10^0～10^1	6	Al, Fe, Ca, Mg, Na, K
III	10^{-1}～10^0	4	Ti, P, H, C
IV	10^{-2}～10^{-1}	9	Mn, S, F, Ba, Sr, V, Cr, Zr, Cl
V	10^{-3}～10^{-2}	14	Ni, Rb, Zn, Cu, Co, Ce, Y, La, Nd, Sc, N, Li, Ga, Nb
VI	10^{-4}～10^{-3}	25	Pb, B, Th, Sm, Gd, Pr, Dy, Er, Yb, Hf, Br, Cs, Sn, As, Be, Ar, U, Ge, Mo, Ho, He, Eu, Tb, W, Ta
VII	10^{-5}～10^{-4}	8	Lu, Tl, I, In, Tm, Sb, Cd, Se
VIII	10^{-6}～10^{-5}	5	Ag, Hg, Bi, Ne, Pt
IX	10^{-7}～10^{-6}	4	Pd, Te, Au, Os
X	10^{-8}～10^{-7}	3	Re, Ir, Kr
XI	10^{-9}～10^{-8}	1	Xe
XII	10^{-10}～10^{-9}	1	Ra

A・A・别乌斯,《环境地球化学》,科学出版社,1982

通常把某物质含量的天然水平称为地球化学背景值(geochemical background value),它反映了环境要素在自然界存在和发展过程中,本身原有的化学组成特征。但目前由于人类活动的影响,实际上是指相对不受直接污染情况下环境要素的基本化学组成。而某种化学元素的含量和地球化学背景值之间的偏差称之为"地球化学异常"(geochemical anomaly)。把元素在地壳中的含量称为丰度,它表示地壳中各元素的相对平均含量,称为该元素的"克拉克值"。无论是丰度(abundance),还是克拉克值,通常用 ppm 或克/吨表示。

2. 大气圈(atmosphere)

地球的外圈是一层空气,这一层空气称为大气圈,根据大气的温度、成分和其他物理性质,可将大气圈分为四个层次:对流层、平流层、中间层和热层。

大气圈中绝大多数元素是呈气态的原子和分子,其中也有以化合态存在。大气圈的主要成分是 N_2 和 O_2,N_2、O_2、Ar 及 CO_2 占有大气总量的 99.99%,一系列微量组分(主要是稀有气体及 H_2)也是大气的恒定组分。除恒定组分外,大气中也存在大量临时性的异常组分,它们来自火山活动和生物圈的生命活动,近代则主要来自人类的生产和生活活动。大部分的高浓度的大气异常组分对动植物的生长产生不利影响,因此属于大气的污染物。属于大气异常组分的还有由于各种作用而进入大气层的粉尘颗粒,它们是:

(1) 来自大陆的尘粒(化学组分可能近似黄土组分);

(2) 来自海洋表层的可溶盐的尘粒;

(3) 火山爆发喷出的火山灰;

(4) 偶然性来源的粉尘(主要来自宇宙尘,每天到达地球的宇宙尘为 10^{-7}g/cm^2);

（5）人为的工业粉尘（燃料燃烧）。

3. 水圈（hydrosphere）

水圈是指地球上被水和冰雪所占有或覆盖而形成的圈层。地球上的水以气态、液态和固态三种形式存在于空中、地表和地下以及生物体内，海洋、湖泊、河流、沼泽的水体和地下水构成地壳的水圈。地球上的水循环是形成水圈的动力，在水循环的作用下，把特征不同的水体联系起来形成水圈，并与大气圈、岩石圈、生物圈之间进行各种形式的水交换。

水圈的总质量约为 $1.41×10^{18}$ 吨，占地壳总量的 7%，为地球总量的 0.2%，海水是水圈中最主要的组成部分，约占水圈总量的 97.41%，大陆水仅占水圈不到 3%，其中大部分储存在南北两极和山峰的冰雪中，流动的淡水仅为 0.009%。

地球上大量的水不能被人类直接使用，而可供使用的淡水分布也是极不均匀的。

天然水的化学组成表现出自然界中物质的复杂性，由于天然水含有可溶性气体，可溶性盐类及各类有机物，这些组分的种类及其性质、含量不同而使天然水的组成、性质有很大区别。

4. 生物圈（biosphere）

生物圈是指地球上有生命活动的区域及其居住环境的整体总和，是生活在大气圈、岩石圈和水圈中的生物活动的地方，生物圈是一个复杂的开放系统，是一个生命物质与非生命物质的自我调节系统，它是生物界和水、大气、岩石三个圈层长期相互作用的结果。

生物圈包括岩石圈的上部、水圈和大气圈的下部，在此范围内，几乎到处都有生物体的分布。由于水是生物生存所必需的条件，而波长小于 290 nm 的短波辐射可引起生物的死亡，所以一般认为平流层中的臭氧层（距地面 15～35 km）就是生物圈的最高极限，实际上生物仅存在于对流层中（距地面 10 km 左右），生物圈的下限在海洋中至少与海洋底部一致，在深海的底部不仅有微生物的存在，而且大型生物也可以生存。陆地生物圈的下限平均在大地水准面以下 3～4 公里的地方，此界限与最简单的有机体生活的最高温度相一致。

生物圈存在的基本条件是：能够得到足够的能量，以供应生命活动的需要，地球上生物圈的能量来源自太阳能；存在可被生物利用的液态水，所有的生物都含有大量水，没有水就没有生命；要有适宜生命生存和活动的温度条件；能提供生命物质所需的各种营养元素，包括氧、氮、碳、钾、钠、钙、铁等。

生物体是一系列复杂的有机物，由糖类、蛋白质、脂肪以及金属有机化合物等组成。在对大量（6 000 种以上）动物和植物分析的基础上，发现生物体内含有 60 多种化学元素，其中 O、C、H、N、Si、P、S、K、Na、Mg、Cl、Fe 等是构成生物体的特征元素，它们的总重量占生物体总重的 99% 以上，剩下总量的百分之一是各种微量元素。

表 1-15 是地壳、海水和人体中含量最多的 20 种元素的组成比较。人体内元素含量高低的次序与地壳差别较大，而与海水中元素含量高低的次序较接近。生命起源于海洋，原始生命起源于原始海洋，因此在海洋环境中发展起来的原始生命在其组成中含有的元素就主要来自海洋本身丰度较大的元素。在生物体的长期进化过程中，逐渐由海洋走向陆地，其体内元素的组成虽然也经历了环境的变迁而产生了变化，然而仍保持了基本的遗传性。人类是生命发展的最高阶段，它是通过植物—动物—人发展而来的，因而人体内元素的组成也同样反映了这种发展的过程。

表 1 - 15　地壳、海水和人体中含量最多的 20 种元素的组成比较

元　　素	地壳（ppm）	元　　素	海水（ppm）	元　　素	人体（ppm）
O	4.66×10^5	O	8.75×10^5	O	6.28×10^5
Si	2.77×10^5	H	1.08×10^5	C	1.94×10^5
Al	8.13×10^4	Cl	1.90×10^4	H	9.3×10^4
Fe	5.00×10^4	Na	1.05×10^4	N	5.1×10^4
Ca	3.63×10^4	Mg	1.35×10^3	Ca	1.4×10^4
Na	2.83×10^4	S	885	S	6.4×10^3
K	2.59×10^4	Cu	400	P	6.3×10^3
Mg	2.09×10^4	K	380	Na	2.6×10^3
H	1.40×10^3	Br	65	K	2.2×10^3
P	1.05×10^3	C	28	Cl	1.8×10^3
Mn	950	Sr	8.0	Mg	4.0×10^2
F	625	B	4.0	Fe	50
Ba	425	Si	3.0	Si	40
Sr	375	F	1.3	Zn	25
S	260	N	0.5	Rb	9
C	200	Li	0.17	Cu	4
Zr	165	Rb	0.12	Sr	4
V	135	P	7×10^{-2}	Br	2
Cl	130	I	6×10^{-2}	Sn	2
Cr	100	Ba	3×10^{-2}	I	1

　　有人曾将人和苜蓿草所含元素的种类和含量进行了测定对照（见表 1 - 16 人体和苜蓿的元素组成），结果发现，两者体内的元素种类大体相同，不仅如此，在人体所含的 11 种常量元素中，苜蓿草中除了钠以外，其他含量也高于万分之一，而且其含量高低次序也基本相同。这不能说是巧合，只能说是自然发展规律所决定的。由此也有助于进一步证明了生命起源于海洋，以及人类是由原始生命—植物—动物进化而来的。

　　因此一种元素能否在生物体内存在及其含量是多少，主要取决于两点——生物能否得到和生物能否利用，前者取决于生物所处的地球化学环境而后者又更多地取决于化学元素本身的性质。

　　迄今为止，在人体内已经发现了 60 余种元素，但不能因此说组成人体的只有这 60 余种元素，由于测试手段的限制，一些含量很低的元素尚未测出。可以肯定，随着分析测试技术的发展，更多的元素踪迹还可能在人体内发现。

　　在地球演化过程中，原始大气圈与原始地壳差不多同时形成，约在 45 亿年前左右，水圈的形成约在 40 亿年前左右，而生物的出现，生物圈的形成则较晚，约在 30 亿年以前，而人类的出现距今仅有 100 万～200 万年。

表 1-16　人体和苜蓿的元素组成

元　素	苜蓿中含量(ppm)	人体中含量(ppm)	元　素	苜蓿中含量(ppm)	人体中含量(ppm)
O	7.79×10^5	6.28×10^5	Br	0.5	2
C	1.13×10^5	1.94×10^5	Sn	—	2
H	8.7×10^4	9.3×10^4	Mn	3.6	1
N	8.3×10^4	5.1×10^4	I	0.025	1
Ca	5.8×10^3	1.4×10^4	Al	25	0.5
S	1.0×10^3	6.4×10^3	Pb	—	0.5
P	7.1×10^3	6.3×10^3	Ba	—	0.3
Na	—	2.6×10^3	Mo	1.0	0.2
K	1.7×10^4	2.2×10^3	B	7.0	0.2
Cl	7.0×10^2	1.8×10^3	As	—	0.05
Mg	8.0×10^2	4.0×10^2	Co	0.02	0.04
Fe	27	50	Cr	—	0.02~0.04
Si	93	40	Cd	—	—
Zn	3.5	25	Se	—	—
Rb	4.6	9	Li	—	0.03
Cu	2.5	4	V	—	0.03
Sr	—	4	Ni	—	0.04

B. Mason, *Principles of Geochemistry 3rd ed.*, Wiley (1966)

（注：关于各种元素含量测定的数据有众多的报道，由于取样和测定方法的不同，在数据上不尽一致，但总的趋势还是比较一致的。）

生物圈的物质不像大气圈的物质分布那样均匀，并且处于不断变化的状态，生物圈物质的质量与其他地球圈层相比是微不足道的，它们的相对质量之比为：

生物圈：1

大气圈：300

水圈：691 000

3.2　环境生态学基础

1. 生态系统的组成和结构

生态学(ecology)是研究生物与其生活环境之间相互关系的科学。一个生物物种在一定范围内所有个体的总和在生态学中称为种群(population)；在一定的自然区域中许多不同种的生物的总和则称为群落(community)。生态系统(ecosystem)是指生物群落(biotic community)和非生物环境之间形成的一个功能整体，是生物与非生物两部分构成的不断进行物质与能量交换的相对稳定的系统。生态系统是一个很广的概念，任何生物群落与其环境组成的自然体都可以视为一个生态系统，大至一片海洋、一个大洲，小至一条河流、一块草地，都是一个生态系统，城市、水库、公园、农田等也构成了人工生态系统。小的生态系统组成大的生态系统，简单的生态系统构成复杂的生态系统，地球上形形色色的生态系统合成为生物圈。生物圈本身就是一个无比复杂的生态系统,是地球上所有生物(包括人类在内)及其生存环境的总体。

任何一个生态系统,都是由生物和非生物环境两大部分组成的。

生物部分:

(1)生产者(producer)。主要是绿色植物以及一些光合细菌(photochemical synthesis bacteria),即能利用简单的无机物制造食物的自养生物(autotrophic organism),绿色植物通过光合作用(photosynthesis)把二氧化碳、水和无机盐转化成有机物质,把太阳能以化学能的形式固定在有机物质中,这些有机物是生态系统中其他生物维持生命活动的食物来源。因此,绿色植物是整个生态系统的物质生产者。此外,光合细菌也能把无机物合成有机物。如硝化细菌(nitrifying bacteria)能将氨氧化成为亚硝酸和硝酸,并利用氧化过程中释放的能量,把二氧化碳和水合成为有机物。

(2)消费者(consumer)。属于异养生物(heterotrophic organism),主要是那些以其他生物或有机质为食物的动物,也包括某些腐生或寄生的菌类。除生产者以外的所有生物都是消费者,它们直接或间接以植物为食物。根据其食性可区分为:草食动物(herbivore),又称一级消费者;肉食动物(carnivore),以草食动物为食的动物称二级消费者,或称一级肉食者,以一级肉食者为食的动物称为三级消费者,或称二级肉食者;杂食动物(omnivore),既是一级消费者,又是二级消费者或三级消费者;寄生者(parasite),是特殊的消费者,寄生在其他动、植物身体上,靠吸取宿主营养为生;腐生动物(scavengers),以腐烂的动植物残体为食。

(3)分解者(decomposer)。又称还原者(reducer),也属于异养生物,主要是各种微生物,包括某些原生动物和腐食动物(如食枯木甲虫、白蚁、蚯蚓和某些软体动物等)。它们以动植物的残体和排泄物中的有机物质作为维持生命活动的食物来源,并把复杂的有机物分解为简单化合物,最终成为无机物质,归还到环境中,供生产者再度吸收利用。分解者在生态系统的物质循环和能量流动中具有重要意义。大约90%的陆地初级生成物都需经分解者分解归还大地,再经传递作用,输送给绿色植物进行光合作用。

非生物部分:

非生物环境是生态系统中生物赖以生存的物质和能量的源泉及活动的场所。包括太阳辐射能,参加物质循环的无机物(如 O_2、CO_2、H_2O、Ca^{2+}、K^+、PO_4^{3-} 等)以及连接生物和非生物成分的有机物(如蛋白质、糖类、脂类和腐殖质等)。

生态系统的组成可归纳成如图1-3所示。

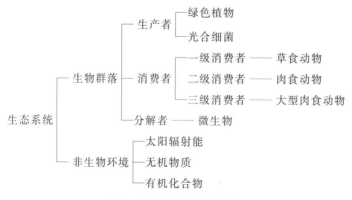

图 1-3 生态系统的组成

一个生态系统中的各种生物彼此互相由食物关系而连接起来,形成食物链(food chain)。例如兔子吃草,狐狸吃兔子,老虎又吃狐狸,可以表示为草→兔子→狐狸→老虎。食物链一般包括若干个环节,每个环节可作为一个营养级(trophic level),而能量沿着食物链从一个营养级流动到另一个营养级。能量沿着太阳→生产者→消费者→分解者的途径流动,在这个过程中,能量不断散失。

消费者并不全都是在一个营养级中,草食者兔子是一级消费者,吃兔子的狐狸属于二级消费者,而吃狐狸的老虎则属于三级消费者。一般说来,食物链的环节不会超过五个,因为能量在沿食物链营养级流动时不断减少,流经几个营养级后,所剩下的能量已不足以再维持一个营养级的生命了。

在生态系统中,一种消费者常常不是只吃一种食物,而同一种食物又可能被不同的消费者所食。因此,各食物链又相互交错地连结在一起而形成复杂的食物网(food web)。

2. 生态系统的能量流动

能量在生态系统中,沿着食物链(网),在各个营养级之间进行单向的传递,食物链上的每一营养级都把前面一个营养级获得能量的一部分,用于维持自己生存和繁殖,然后把剩余的能量传递到后一营养级。能量顺着营养级顺序向后递减,前一级能量只能维持后一级少数生物需要,越向后,生物数目越少,形成一种金字塔形的营养级关系,称为能量金字塔(energy pyramid)。(见图1-4)

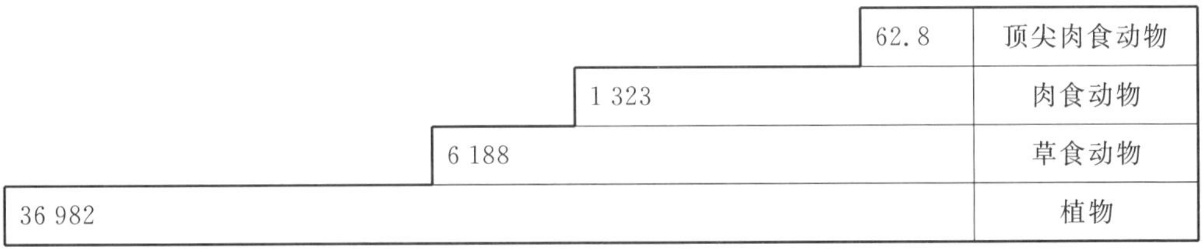

62.8	顶尖肉食动物
1 323	肉食动物
6 188	草食动物
36 982	植物

泉水生态系统,净生存量[kJ/(m² · a)]

图1-4 能量金字塔

通常后一级食物产量只等于或小于前一级的十分之一,称为"百分之十定律"(law of ten percent)。R. L. Lindeman经过大量观察计算在1942年提出,动物营养级间能量转换效率最高不超过20%,作保守估计为10%,这一理论解释了生态系统能量(或生物量)的金字塔现象,由于营养级每上升一级能量就损失90%,因此生态系统的营养级不超过Ⅴ级。据有人估计,海洋生态系统生产1 000千克浮游藻类,才能供养100千克无脊椎动物,后者又只够维持10千克鱼生存,而10千克鱼只能使人增加1千克体重。

3. 环境的化学物质循环

化学物质在生态系统中的流动,称之为生物地球化学循环(biogeochemical cycle),简称为物质循环。

人类和生物生存的生物圈是在大气圈、水圈和岩石圈的交会处,在太阳能的推动下,圈层里进行着能量的流动和物质的循环。生态系统的能流和物流,既密切相关,又有本质区别。能流沿食物链营养级向顶部方向流动,以热的形式吸收消耗,是单向的流动;而物流是循环的,从非生物环境到生物有机体内,再返回到非生物环境中,形成生物小循环和地球化学大循环。现代人类大规模的生产活动和消费活动,从自然界获取大量生存资源,又将大量废弃物还给自然界,从而参与了自然界的能量流动和物质循环过程。这种参与破坏了原有物质的动态平衡,并引起物质循环的障碍(物质的积累)从而出现环境污染问题。因而了解物质循环的规律对研究环境化学来说是必要的。

水循环(hydrologic cycle):

水不但单独构成一个独立的地球化学圈,而且也是生物圈中主要的组成部分。

生命诞生于海洋,任何生物机体大部分由水组成,自然界各种化学变化多在水中进行,人类的生产和消费活动离不开水。

自然界的水储量巨大,分布广泛,在太阳能和地表热的作用下,地球表面的水不断被蒸发成水蒸气,水分还可通过植物叶面的蒸腾(transpiration)作用进入大气。大气中的水蒸气遇冷又凝结为雨、雾等返回地面。这样的水循环在全球范围内(大循环)和各个地区内(小循环)不停地进行着。

水的自然循环是依靠其气、液、固三态易于转化的特性,借助太阳辐射和重力作用提供转化和运动能量来实现的。

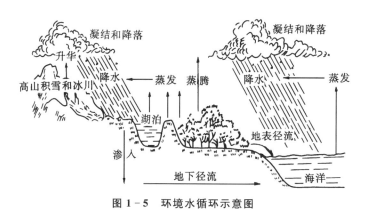

图 1-5 环境水循环示意图

李惕川,《环境化学》,中国环境科学出版社,1990

水循环为生态系统中物质和能量的交换提供了基础,给物质间的化学反应提供了适宜的场所,成为物质传递的能量纽带。水参加的植物光合作用,既制造了维持生命的必需食品——糖类,同时又为生命呼吸提供必需的氧气,此外,水还能起调节气候、清洗大气和净化环境的作用。

水循环系统除了受到气象条件(温度、湿度、风速、风向等)和地理条件(地形、土壤、地质、植被等)自然因素影响外,人类活动也能不断改变原自然环境而影响水循环的过程。例如建筑水库、开凿河道、开发地下水等会改变水的径流路线、分布和运动状况;发展农业或砍伐森林会引起水的蒸发、下渗、径流等过程的变化。人类生产和生活排出的化学污染物,以各种形式进入水循环,并随循环而迁移、扩散,如排入大气中的二氧化硫和氮氧化物形成酸雨,污染地面水和土壤。土壤和工业废弃物经雨水冲刷,其中的化学污染物随径流和渗透进入水循环而扩散。

碳循环(carbon cycle):

碳是构成有机物质的中心元素,也是构成地壳岩石和矿物燃料(煤、石油、天然气)的主要成分。在地球各个圈层中碳的循环,主要是通过二氧化碳来进行的。在大气中 CO_2 的含量很少,仅为 $58\,000 \times 10^{12}$ mol,大量的 CO_2 溶解在大洋的海水中,大约为 $2\,900\,000 \times 10^{12}$ mol,是空气中 CO_2 含量的 50 倍,但是,最大量的碳是以碳酸盐沉积物的形式存储在地壳内,其总量达 $1\,700\,000\,000 \times 10^{12}$ mol(见表 1−17)。

表 1−17　碳循环中的活动库和储存库

	库容(10^{12} mol)		库容(10^{12} mol)
活动库		储存库	
作为溶液中的 CO_2 或 CO_3^{2-}		作为碳酸盐	
大气圈	58 000	碳酸盐沉积物	1 700 000 000
海洋表层	43 000	作为有机碳	
深海层	2 900 000	化石燃料	830 000
作为有机碳			
陆地有机体	38 000		
陆地腐烂的有机物	58 000		
海洋有机体	830		
海洋腐烂的有机物	250 000		
总的活动库	3 347 830	总的储存库	1 700 830 000

A・N・斯特拉勒等,《环境科学导论》,科学出版社,1983

全球碳循环以下列方式进行:

(1) 大气和生物圈之间的碳循环。

绿色植物吸收大气中的 CO_2 以及根部吸收的水分通过光合作用转化为葡萄糖和多糖(淀粉、纤维素等),并放出氧气。

植物体内的碳化合物经过食物链传递成为动物体内的碳化合物,植物和动物的呼吸作用将体内的部分碳转化成二氧化碳排入大气。

动植物死亡后,残体内的碳经微生物分解后转化为二氧化碳排入大气。

上述这一循环约需 10~20 年。

(2) 大气和海洋之间的二氧化碳交换,是一个在气—水界面进行的溶解与解吸平衡过程。

上述两种碳的流动与交换过程数量达每年约 1 000 亿吨(以碳计)以上,且都属于较快的碳循环过程。

(3) 碳酸盐岩石(石灰岩、白云石和碳质页岩)的形成和分解。

(4) 矿物燃料(煤和石油)的形成和分解。

后两种碳的自然循环属缓慢形式,需时往往以亿万年计。

由于人类活动特别是矿物燃料的燃烧量大幅度增加,排放到大气中的二氧化碳浓度增大,这就破坏了自然界原有的平衡,可能导致气候异常,还会引起海水中的酸碱平衡和碳酸盐溶解平衡的变化。

氮循环(nitrogen cycle):

氮是构成蛋白质及生物有机体的重要元素,它在环境中含量大而且变动量小的三种存在形式是：大气中的氮气(N_2)，海水中的溶解氮，沉积物中的有机氮，其余形态的氮则处于不断的复杂变化、流动和交换过程中。

表 1-18　氮循环中的活动库和储存库

	库容(10^{12} mol)		库容(10^{12} mol)
活动库		储存库	
作为无机氮		作为 N_2	
土壤	10 000	大气	270 000 000
海洋	7 100	海洋	1 400 000
作为有机氮		作为形成岩石的矿物	
陆地有机体	870	沉积岩	290 000 000
海洋有机体	69	地壳岩石	1 000 000 000
腐烂的有机体	120 000		
活动库总量	138 039	储存库总量	1 561 400 000

A·N·斯特拉勒等，《环境科学导论》，科学出版社，1983

大气中除含有大量分子态氮（3 900 亿吨）外，还含有少量化合态氮如 NH_3（2 800 万吨）、NO 和 NO_2（610 万吨）等。后者在云、气溶胶粒子和雨滴中转化为 NH_4^+ 和 NO_3^-，并随雨、雪降落地面。大气中的 N_2 和 O_2 下雨时可在雷电作用下发生电离，生成硝酸盐并经雨水带进土壤供生物利用，称之为大气固氮，但其量很少。

大气中丰富的分子态氮（占空气 78%）不能为植物所直接利用，只有极少数专一化程度很高的有机体（如酶类和微生物）才能把游离态氮转化为化合态氮而固定下来（硝基或氨基酸），氨基酸联结在一起形成蛋白质。动物食用植物后获得氮（转化为动物蛋白质），动植物死亡后，残体被微生物分解成 NH_3、NH_4^+ 和 NO_3^-，又回到土壤和水体中，被植物再次利用。

土壤中的一部分硝酸盐在反硝化细菌（denitrifying bacterium）的反硝化作用下还原为游离氮或 N_2O 而返回大气，参与了氮的全球循环。

$$C_6H_{12}O_6 + 6KNO_3 \xrightarrow{\text{反硝化细菌}} 6CO_2 + 3H_2O + 6KOH + 3N_2O$$

（有机物）　　（氧化剂）

$$5C_6H_{12}O_6 + 24KNO_3 \xrightarrow{\text{反硝化细菌}} 30CO_2 + 18H_2O + 24KOH + 12N_2$$

大量种植豆科植物可以进行生物固氮（biological nitrogen fixation）。另外，火山爆发时，喷射出的岩浆，也可固定一部分氮，为岩浆固氮。然而利用上述方法固氮不能满足人类的需要，工业固氮是人为的通过工业生产的方法把大气中的 N_2 固定下来，合成氨或铵盐作为氮肥供植物利用。

另一方面，人类活动如矿物燃料的燃烧、汽车尾气的排放等产生的氮氧化物进入环境在阳光作用下引起光化学烟雾以及大量使用化肥、过量的硝酸盐排入水体，引起江河湖海水体富营养化,将污染大气和水体环境。

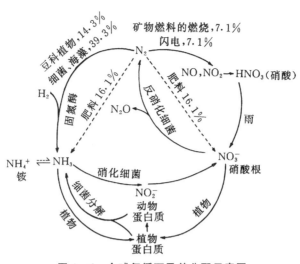

图 1－6　全球氮循环及其分配示意图

G. S. Thomas M. S. William,*Chemistry of the Environment*,Prentice-Hall, Inc. , 1996

磷循环(phosphorus cycle):

磷是生命必需的元素之一,磷是细胞内生化作用的能量——高能磷酸键存在所必不可少的重要元素。高能磷酸键存在于腺苷二磷酸(ADP)和腺苷三磷酸(ATP)的分子内。光合作用产生的糖类,只有磷酸化才能使生成的碳有效地固定。可以说,没有腺苷磷酸分子,没有磷元素的参与就没有生命活动。

岩石和土壤中的磷酸盐经风化淋溶而进入河流,然后汇入海洋并沉积海底,直至地质变迁成为陆相而再次参加循环,故一次循环需数万年。

生态系统中磷的循环:由来自磷酸盐矿、有机残体的各类磷酸盐以可溶性磷酸盐的形式进入环境。可溶性磷酸盐被植物吸收,动植物死亡后,各种有机残体经还原者分解又使磷酸盐返回到土壤,供生物体吸收利用。

生物体对磷的需求量极大,而可溶性磷酸盐主要留在土壤表层。它们随雨水沿湖泊、江河的径流输送入海,其中除少量鸟类及鱼类能使部分磷重返土壤外,其余的磷进入海洋沉积,不能继续参与陆地磷的循环,以致造成磷循环的不完全而引起"缺磷"状态的出现。人类每年必须开采磷矿石用来补偿磷循环的不足。

目前人类大量开发和利用磷酸盐矿物以大量生产化肥和洗涤剂,其结果使相当量的磷的化合物参与环境中的磷循环,造成水体中含磷量升高,导致水体的富营养化,使水生植物生长过盛。

硫循环(sulfur cycle):

硫在生物体中含量很少,但作用很大。硫以硫键联结着蛋白质分子,成为蛋白质不可缺少的基本组成元素。

陆地和海洋的硫以 H_2S、硫化物和硫酸盐的形式参与硫的环境循环;大气中的硫(SO_2、

H_2S)主要来自矿物燃料的燃烧、火山爆发、海水散发以及生物分解过程中的释放,这些硫化物通过降水、沉降、表面吸收等作用,进入土壤,回到陆地和海洋。

生物体所需要的硫,主要来自无机的硫酸盐,部分从氨基酸和半胱氨酸中获得,生物体中的硫以巯基(—SH)的形式结合。它们在细菌作用下分解、矿化,在厌氧条件下还原成硫化物释放。生物残体中的硫经过土壤微生物活动,转化成可溶性盐类被植物吸收,或返回土壤和大气,可再次进入植物体,形成陆地生态系统中硫的循环。如果随地表径流进入海洋,这部分硫就沉积在海底而不能再返回陆地参加循环。

工业革命以来,由于大量燃烧煤、石油等化石燃料,大量硫化物的释放引起大气中二氧化硫浓度的急剧增加,加大了硫在自然界的循环量,并造成了全球范围的环境污染问题,其中特别是烟雾和酸雨,正成为破坏生态环境的主要杀手。

4. 生态平衡

在任何一个正常的生态系统中,能量流动和物质循环总是不断地进行着,但在一定时期内,生产者、消费者和分解者之间内部都保持着一种动态的平衡,这种平衡状态就叫生态平衡(ecological balance)。在自然界的生态系统中,这种平衡还表现为生物的种类和数量的相对稳定。那么自然的生态系统为什么能保持这种动态平衡呢?这主要是由于生态系统内部具有自动调节的能力,在生态系统的发展演变中,依靠内部组成部分之间和外部环境之间的相互联系、相互作用,通过不断调整系统内部的结构和功能而逐步实现生态系统的动态平衡。生态系统中能量流动和物质循环可以通过多渠道进行,当某一渠道受阻,其他渠道可以起补偿作用,当某一部分出现了机能的异常现象,就可能被其他部分的调节所抵消。例如环境的自净能力,就是对化学污染物质污染局部环境的调节。这种自我调节能力是生态系统自身所具有的,是生态系统本身的性质所决定的,生态系统组成的多样性和能量流动、物质循环的复杂性,对这种自我调节能力有着很大的影响。但是一个生态系统的调节能力再强,也是有一定限度的,超出了这个界限,调节就不会再起作用,生态平衡就会遭到破坏,通常把这一界限称为阈值(threshold limit value,TLV)。阈值的大小取决于生态系统的成熟性,一般说生态系统种类越多,组成成分越多样,营养结构越复杂,能量流动和物质循环的途径越复杂,生态系统的稳定性越大,抗击外界变化能力越强,其阈值就越高;而一个简单的生态系统,成分越单调,结构越简单,其调节能力越小,阈值就较低。

生态系统受到外界冲击时,若冲击能力超过阈值时,将导致环境的破坏,生态系统崩溃,这时生态系统的营养结构被破坏,食物链断裂,系统内物质循环和能量流动中断,最终导致生态系统瓦解。

造成生态平衡破坏的原因既有自然因素,又有人为因素。自然因素包括火山爆发、地震、海啸、洪水、雷击、火灾等,由这一类原因引起的生态平衡的破坏称为第一环境问题,也叫原生环境(primary environment)问题。

人类是生态系统中最活跃、最积极的因素,人类的许多生产、生活活动强烈地影响着自然生态环境。人类对自然资源不合理的开发利用,特别是缺乏科学预见不顾子孙后代的掠夺式开发,往往引起森林破坏,水土流失,河流干涸,水源枯竭,草原荒芜,土地盐碱化、贫瘠化、沙漠化,气候异常等恶果。随着工农业生产的发展,大量化学污染物质进入生态系统。目前由于汽车排放尾气中的氮氧化物和碳氢化合物在光照下发生的光化学烟雾污染；由于矿物燃料燃烧造成的大气中二氧化碳浓度增大而形成的温室效应问题；由于硫氧化物和氮氧化物大量排放造成的酸雨污染；由于喷气式飞机排放的氮氧化物和大量使用氟氯甲烷类制冷剂而造成的地球高空平流层臭氧层的破坏；由于氮磷化合物过量排放进入水体造成的水体富营养化；由于各种有毒有害重金属和有机农药大量排放造成的水污染问题；由于有毒物质沿食物链和营养级传递，在生物组织内富集而对人类造成的环境激素危害等等已经对全球的生态环境造成了严重的威胁，严重影响着人类社会的发展。由此所引起的生态平衡的破坏称为第二环境问题，又称次生环境(secondary environment)问题。

人类在开发自然、社会发展方面取得了伟大的胜利，但与此同时，由于人类不合理地开发和利用自然资源，任意排放各类废弃物，也造成人类生存的地球、大气、水和土壤环境的污染和地球生态平衡的破坏。

本章思考题和练习题

1. 重金属在生物体内是如何富集的？
2. 有机化合物在水生生物体内的富集是通过什么方式进行的？有哪些影响因素？
3. 为什么我们必须以发展和变化的观点来看待污染物质及其对环境的影响？
4. 绿色化学的研究包括哪些方面？
5. 原子利用率和化工生产中的产率有何区别？
6. 为什么说地球上的生命起源于海洋，有什么证据？
7. 为什么生物体内的元素组成与海水中的元素组成比较相近？
8. 生态环境中的分解者在物质循环中起了什么作用？
9. 为什么要研究生态环境中的物质循环？
10. 环境化学研究的对象和内容是什么？
11. 为什么我国环境保护工作不能走先污染后治理的道路？
12. 你认为我国当前迫切需要控制的环境污染物有哪些？

第二章　大气环境化学

大气环境化学是环境化学的主要组成部分之一。它的主要任务是以化学为基础,研究大气中化学污染物的迁移、化学转化和归宿,从而对大气污染的控制、治理及大气质量评价提供一定的科学依据。

人类及其他生物生活在大气的下层。外层空间辐射的大部分宇宙射线及太阳发射的高能电磁辐射均为大气所吸收,从而保护了包括人类在内的一切生物免受高能辐射的危害。大气提供生命必需的氧气及植物呼吸所需的 CO_2。人可以 5 周不吃东西,5 天不喝水继续生存,但不可以 5 分钟不呼吸空气。在太阳能作用下,水从海洋转移到陆地,在这个过程中,大气担负着冷凝的作用。洁净的大气是生物生存的必要条件。

第一节　大气的组成和结构

1.1　大气的组成

大气圈的主要成分是空气,另外还有少量水汽、尘粒和其他微量杂质。

表 2-1　清洁干燥大气的组成及其总质量数

化 学 成 分	体 积 浓 度	总质量数(10^6 t)	化 学 成 分	体 积 浓 度	总质量数(10^6 t)
氮气(N_2)	78.09%	4 220 000 000	氧化亚氮(N_2O)	0.25 ppm	1 700
氧气(O_2)	20.94%	1 290 000 000	一氧化碳(CO)	0.1 ppm	540
氩气(Ar)	0.93%	72 000 000	氙(Xe)	0.08 ppm	2 000
二氧化碳(CO_2)	0.033%	2 700 000	臭氧(O_3)	0.025 ppm	190
氖(Ne)	18.18 ppm	70 000	二氧化氮(NO_2)	0.001 ppm	9
氦(He)	5.24 ppm	4 000	一氧化氮(NO)	0.006 ppm	3
甲烷(CH_4)	1.4 ppm	4 600	二氧化硫(SO_2)	0.002 ppm	2
氪(Kr)	1.14 ppm	16 200	硫化氢(H_2S)	0.002 ppm	1
氢(H_2)	0.5 ppm	290	氨(NH_3)	0.006 ppm	2

陈德钧等,《大气污染化学》,机械工业出版社,1988

空气的主要成分是氮(78.09%)、氧(20.94%)、氩(0.93%),三者共占整个空气的99.9%,

空气中的 CO_2 含量只占 0.035%,另外还有一些稀有气体(He、Ne、Kr、Xe)和 CH_4、NO_2、SO_2、CO、NH_3、O_3 等,总共也不过占据 0.1%。

大气中的水汽主要来自江河湖海等水体、土壤和植物中水分的蒸发,大部分集中在低层大气中,含量最多不超过低层大气总量的 4%。一般情况下,空气中水汽含量随高度增加而减少,是大气中随地区、季节和气象等含量变化较大的成分,也是天气变化和大气污染中的重要因素。

大气中的固体悬浮粒子主要来自宇宙尘埃、岩石风化、火山喷尘、植物花粉、工业烟尘和海浪飞逸溅入大气的水滴蒸发后形成的盐粒等,粒径较大者称降尘,几小时可落到地面,粒径小的(小于 $10\ \mu m$)称飘尘,可在大气中飘荡数年之久。

1.2　大气的结构

大气的总质量 3.9×10^{15} 吨,只有地球总质量的百万分之一。由于重力的作用,大气质量的垂直分布很不均匀,其质量的一半集中在离地面 5 km 以下,90% 集中在 30 km 以下。

根据大气物理性质(温度、扩散速度、电子密度等)垂直分布的特征,可将大气圈分为许多层次。以温度随高度的分布,将大气层自下而上分为:

对流层(troposphere)

平流层(stratosphere)

中间层(mesosphere)

热层　(thermosphere)

表 2－2　标准大气的压力和温度

距地面高度(公里)	压力(千帕斯卡)	温度(K)	距地面高度(公里)	压力(千帕斯卡)	温度(K)
0	101.3	288	80	0.001	180
1	88.9	282	90	2.0×10^{-4}	180
2	79.5	275	100	3.0×10^{-5}	210
5	54.0	256	110	7.0×10^{-6}	257
10	26.5	223	120	3.0×10^{-6}	350
12	19.4	217	130	1.0×10^{-6}	534
15	12.1	217	140	7.0×10^{-7}	714
20	5.5	217	150	5.0×10^{-7}	893
25	2.5	222	175	2.0×10^{-7}	1 130
30	1.2	227	200	1.0×10^{-7}	1 236
40	0.3	250	300	2.0×10^{-8}	1 432
50	0.08	271	400	4.0×10^{-9}	1 487
60	0.02	256	500	1.0×10^{-9}	1 500
70	0.006	220			

R・A・贝利,H・M・克拉克,J・P・费里斯等,《环境化学》,武汉大学出版社,1987

1. 对流层

对流层是大气圈的最下层,其厚度在中纬度附近为$10\sim12$ km,在赤道附近为 $16\sim18$ km,

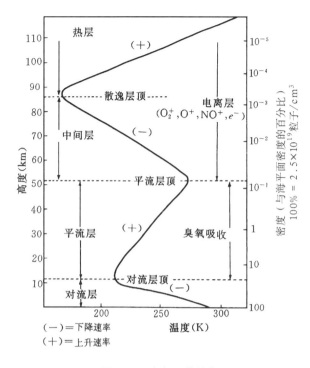

图 2-1　大气层的结构

G. S. Thomas, M. S. William, *Chemistry of the Environment*, Prentice-Hall, Inc., 1996

在两极附近为 8～9 km。其厚度还与季节有关,夏季较厚,冬季较薄。

对流层特点:

(1) 气体密度大。对流层的厚度虽然不及整个地球大气圈的百分之一,但大气总质量的 75%,水汽的 90% 以上都集中于对流层。因此,主要的天气现象(云、雾、降水等),化学污染物的产生和变化等,都发生在对流层里。对流层与人类的关系最密切,人类通过下列途径将大量物质排入对流层:如城市、工业和交通运输排放的气体和微粒;燃烧农作物残渣的烟尘,草原、森林火灾的烟尘等。

(2) 气温随高度增加而下降。高度大约每上升 100 m,温度平均降低 0.6℃,所以对流层上部的气温为零下 50℃ 左右。其原因与地面热辐射有关。

(3) 空气强烈的上下对流。由贴近地面的空气受地面热辐射的影响而膨胀上升,上部冷空气下沉所造成。在垂直方向上形成强烈的对流。近地面空气中的热量、水汽和污染物质通过对流向上层输送,这种空气对流对地面污染物的扩散稀释是有利的。但如果由于气象、地形等因素影响而形成下冷上热的逆温层(inversion layer)时,污染物则难以扩散而容易造成污染事件。

2. 平流层

平流层处于地面上 12～50 km 的区域。

平流层的温度分布由下而上逐渐升高,平流层顶的温度可达到最高值(273 K)。平流层的大气稳定,没有对流现象,空气水平移动占显著优势,这是由于上热下冷的温度分布所致。平流层的大气是稳定的,污染物进入此层,往往随着气流随地球旋转而运动,甚至可停留多年,如在离地面 20 km 处发现的一层 $(NH_4)_2SO_4$ 气溶胶便是著名的例子。大气稳定的特征使污染物进入平流层后容易造成较大的全球性影响。

平流层的空气比对流层干燥且要稀薄得多,水汽和尘埃的含量甚微,因而很少出现天气现象。

在平流层中高度为 15～35 km 范围内,形成厚度约 20 km 的一层 O_3(臭氧)层,由于臭氧有吸收太阳光中短波辐射的能力,这种吸收能量转变成热,致使平流层气温随高度增加而增加。

由于超音速飞机和宇航业的发展,排放出大量 CO 和 NO 等还原性气体,形成对臭氧层的破坏。

3．中间层

距地面 50～85 km 范围称中间层。

这一层的空气更加稀薄，气温随高度的增加而降低，至中间层顶(85 km 左右)，气温可降低到$-63℃$～$-103℃$(中纬度上空)，这与臭氧浓度减小有关。

4．热层

在高度 85～500 km 的区域内。

这一层气体温度随高度增加而迅速升高，至 300 km 高度处，温度可高达 1 000℃以上。

由于紫外线和宇宙射线的作用强烈，使热层和中间层空气分子发生电离，形成带电离子，因而又将 60～1 000 km 高度范围，叫做电离层(ionosphere)。

电离层又可细分为 D、E、F 三个区：

D 区(60～90 km)：主要发生 NO 的离解。

E 区(90～120 km)：主要发生 O_2 的离解。

F 区(120 km 以上)：O、O_2 和 N_2 都发生离解。

这种高空中原子和分子氧和氮强烈吸收太阳辐射中的远紫外部分(波长小于 200 nm)的能量，并将能量变成热是热层气温增高的主要原因。

大气的温度分布与大气的化学组成有着密切关系，二者都是太阳辐射穿过大气被吸收的结果。

1.3 大气能量吸收与发射

环境中物质的循环伴随着能量的交换与传递。

大气中的全部能量都来自太阳的辐射。太阳表面温度高达 6 000 K，具有非常强烈的辐射能力，不断地以电磁辐射形式发散能量。太阳辐射光谱按波长大小可主要分为三个区：紫外区、可见光区和红外区。紫外区包括 X 射线、γ 射线，只占太阳辐射总能量的 9％；可见光约占 40％，红外部分约占 50％，其余部分约占 1％。(见图 2-2)

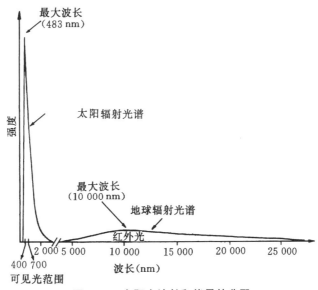

图 2-2 太阳光波长和能量的分配

辐射光的波长 λ（一周期的长度）、频率 υ（每秒的周期数）和能量 E 之间满足下面的关系：

$$E = h\upsilon = \frac{hc}{\lambda} \qquad \left(\upsilon = \frac{c}{\lambda}\right)$$

随着波长的增加，频率依次下降，能量也依次下降。

波长的单位，常用毫米（mm）、微米（μm）、纳米（nm）表示。

紫外光区波长为 $10 \sim 400$ nm。

可见光区波长为 $400 \sim 800$ nm。

红外光区波长为 $0.8 \sim 2\,000$ μm。

大气中的物质如 N_2、O_2、O_3、水蒸气、二氧化碳、尘埃等，对太阳辐射有吸收和散射作用，致使太阳辐射在穿过大气时被减弱，只有一部分能到达地面。

大气中的 N_2、O_2 和 O_3 能选择吸收太阳辐射中的高能量光子（短波辐射）而引起分子解离：

$$N_2 + h\upsilon \longrightarrow N + N \qquad\qquad \lambda < 120 \text{ nm}$$

$$O_2 + h\upsilon \longrightarrow O + O \qquad\qquad \lambda < 240 \text{ nm}$$

$$O_3 + h\upsilon \longrightarrow O_2 + O \qquad\qquad \lambda = 220 \sim 290 \text{ nm（强烈吸收）}$$

$$\lambda = 290 \sim 320 \text{ nm（少量吸收）}$$

显然，波长小于 290 nm 的太阳辐射由于 N_2、O_2、O_3 的吸收而不能到达地面，$290 \sim 320$ nm范围的辐射也被减弱。

波长 λ(cm)——→递减

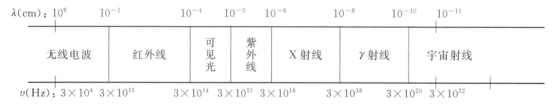

频率 υ(Hz)——→递增

能量 E ——→递增

大气中的水蒸气和二氧化碳分子能将 $800 \sim 2\,000$ nm 的长波辐射（红外线部分）几乎完全吸收掉。这样，只有波长为 $300 \sim 800$ nm 的可见光波基本上不被大气分子吸收，它们能透过大气到达地面，这部分约占太阳辐射总能量的 40% 左右。

穿过大气到达地面的太阳直接辐射和大气分子、微粒的散射辐射，一部分被地面反射，一部分被地面吸收。

地面和大气吸收了太阳较短波长的辐射，又由于本身具有一定温度而向外辐射，由于地面和大气的温度远远低于太阳的温度，因而它们辐射的电磁波比太阳辐射的波长长得多，可发射出波长为 4 μm 的辐射（红外线部分），最大波长可达 10 μm 以上。故通常把太阳辐射称为短波辐射，而把地面和大气的辐射称为长波辐射。

大气圈各层温度随高度的变化规律，与大气组成及其对太阳和地球辐射的吸收、反射密切相关,近地面大气集中了大部分 CO_2、H_2O 和尘粒,吸收地面长波红外辐射而增温,这一效应随高度增加而减弱,形成对流层气温随高度增加而递减的现象。

由于离地面 $15\sim35$ km 范围内存在臭氧层,O_3 吸收 $220\sim320$ nm 短波紫外辐射致使平流层气温随高度增加而递增(上部优先吸收)。

平流层上限至 85 km 处的中间层,空气稀薄,气温又随高度增加而降低。

高出地面 85 km 以上的热层,由于 N_2、O_2 对小于 240 nm 波长的太阳辐射的吸收,而引起温度迅速升高。

第二节　大气污染物与污染源

大气中含有几十种不同物质,一般把由 N_2、O_2、稀有气体等恒定组分和 CO_2($0.02\%\sim0.04\%$)、水蒸气(4% 以下)等可变组分所组成的大气叫做"清洁空气",而将含有来自天然源或人为源的一定浓度的不定组分(NO_x、硫氧化物、CO、颗粒物、碳氢化合物)的大气叫做"污染空气"。

通常的大气污染物质(如 NO_x、SO_2)在大气中的含量(本底值)很低,不足以对人类产生危害作用。

世界卫生组织(World Health Organization,WHO)给大气污染下的定义是"室外的大气中若存在人为造成的污染物质,其含量与浓度及持续时间可引起多数居民的不适感,在很大范围内危害公共卫生并使人类、动植物生活处于受妨碍的状态。"

表 2-3　主要污染物在大气中浓度的比较(ppm)

组　　分	清洁空气	污染空气	组　　分	清洁空气	污染空气
CO	0.1	$40\sim70$	O_3	0.02	0.5
SO_2	0.000 2	0.2	CO_2	320	400
NO_x	0.001	0.2	NH_3	0.01	0.02
CH_4	1.5	2.5			

环境科学大辞典编辑委员会编,《环境科学大辞典》,中国环境科学出版社,1991

但是随着人类频繁的生活和生产活动,特别是近代科学技术的迅速发展,工农业生产随之发展,其结果给人类带来幸福的同时也产生了大气污染物,大气圈则成了人类重要的倾废场所之一。进入大气的污染物,当其浓度超过了自然界自身的净化能力时,就造成了大气污染。污染了的大气对人类健康、动植物的生长、城市设施及名胜古迹的保护均有不同程度的影响,生态环境被破坏,并造成严重的经济损失。

第一次经仔细研究报道的重大大气污染事件是 1930 年 12 月 $1\sim5$ 日在比利时马斯河谷发生的大气污染。该地区集中有钢铁冶炼、火力发电、化肥、炼锌及硫酸制造等工业。它们向大气排放大量的污染物,加上生活用煤燃烧时产生的污染物,在当时的天气条件下,使河谷地区上空大雾笼罩,污染物经久不散,污染气体浓度愈积愈大,造成 63 人死亡,许多居民出现胸疼、呼吸困难等症状。此事件中的污染元凶是硫的氧化物。此后世界上大气污染重大事件不断发生,引起了人们对大气污染的关注和研究。

2.1 大气污染源

大气污染源(pollution source)分为自然源和人工源。

自然源。来源于自然界的生命活动或其他自然现象。如大气中的一些萜类(terpene)有机污染物[指$(C_5H_6)_n$一类链状或环状烯烃,在自然界广泛存在于树脂等物质中],是针叶树的叶或花向大气发射的一类碳氢化合物;火山爆发可向大气排放大量的颗粒物及含硫气体化合物;森林火灾是大气中一氧化碳及二氧化碳的自然源;海水水花喷洒出含氯化物及硫酸盐等的微细水滴。

人为源。人类生活及生产活动产生大量污染物,危害严重的大气污染物主要来自人为源。

1. 工业污染源

由火力发电厂、钢铁厂、化工厂及农药厂、造纸厂等各种工矿企业在生产过程中排放出来的烟气,含有烟尘、硫氧化物、氮氧化物、二氧化碳及炭黑、卤素化合物等有害物质。如烟炱燃烧不完全产生的极细颗粒;冶炼厂烟尘中含有大量金属氧化物极细颗粒等。

2. 交通运输污染源

飞机、汽车、船舶排出的尾气中含 NO、NO_2、二氧化硫、碳氢化合物、CO、铅氧化物、苯并[a]芘、多环芳烃等。由于汽车汽缸结构不好,燃烧不完全,以及使用汽油抗爆剂四乙基铅($[Pb(C_2H_5)_4]$)等,在燃烧排放的尾气中,含有大量污染成分。含铅汽油是为了提高汽油的辛烷值以及防止汽油在内燃机中燃烧时发生爆震现象而向汽油中加入 0.2%~0.5%的四乙基铅。其中汽油中的铅在燃烧时转化为氧化铅微粒,使汽车尾气中含铅量高达 $20\sim25\ \mu g/m^3$。

无铅汽油(lead-free gasoline)中以甲基叔丁基醚(methyl tert-butyl ether,缩写为MTBE)取代四乙基铅,工业上通常是以甲醇和裂解石油 C_4 馏分中的异丁烯作为原料在催化剂作用下合成,主要反应为:

$$CH_3OH + (CH_3)_2CCH_2 \longrightarrow (CH_3)_3COCH_3$$

MTBE 的辛烷值高,沸点 55.2℃,与水互溶,能与汽油以任何比例混溶而不形成共沸物,是一种优良的高辛烷值汽油添加剂和抗爆剂,能改善汽车的启动和加速性能,降低汽油消耗,并能减少汽车尾气中的 CO 和多环芳烃的排放。

3. 生活污染源

在生活中燃烧化石燃料用于取暖和加热食物等排放出大量污染物。

煤的主要成分是碳、氢、氧及少量硫、氮等元素,此外还含有其他微量组分,如金属硫化物或硫酸盐等。

煤中含硫量随产地不同差异较大(约在 0.5%~5%左右)。其中一部分硫元素与煤中主要化学成分结合而存在,大部分则以硫铁矿及硫酸盐的形式存在。当煤燃烧时,这些硫元素主要转化成二氧化硫随烟气排入大气,是大气中硫氧化物的主要来源。

4. 农业污染源

喷洒农药、杀虫剂、杀菌剂形成极细液滴,成为大气中的颗粒物,或从土壤表面挥发进入大气。使用化肥,产生的氮氧化物在土壤微生物的反硝化作用下形成 N_2O,进入对流层成为温室气体,进入平流层能破坏臭氧层。据测算,施用化肥的土壤,释放出的 N_2O 为未施用化肥的 2～10 倍。在工业化国家,牲畜和化肥产生的氨的排放量占总排放量的 80%～90%。焚烧农业垃圾会放出高浓度的 CO、CO_2 和 NO_x 及其他一些气体,而水稻耕作和牲畜是释放甲烷的主要来源。

大气污染所波及的范围较广,按其影响程度通常可分为下列几种:

局部性污染(local pollution):污染影响范围局限在污染源排出的局部地区,如某个工厂烟囱排出废气或排出污水造成的影响。

地方性污染:污染范围仅在有限的区域内,如一个工业区、一个城镇及附近地区。如印度博帕尔农药厂事件。

广域性污染:污染影响范围可扩展到较为广阔的地区,如大工业城市及附近地区,对国土范围较小的国家,污染影响有时可波及数国。如英、法、德等国的大气污染物,造成了斯堪的纳维亚半岛各国的酸雨危害。

全球性污染(global pollution):严重的大气污染,它造成全球性的大气污染,如矿物燃料燃烧产生的二氧化碳和颗粒飘尘,可造成全球性的大气污染。1992 年菲律宾皮纳图博火山大爆发,喷发出大量尘埃、颗粒物,形成冷凝核心,导致全球气温下降。

2.2　大气污染物

1. 一次污染物和二次污染物

常见大气污染物(pollutant)见表 2－4。

表 2－4　常见大气污染物

污　染　物	一　次　污　染　物	二　次　污　染　物
含硫化合物	SO_2、H_2S	SO_3、H_2SO_4、硫酸盐、硫酸酸雾
氮氧化物	NO、NH_3	N_2O、NO_2、硝酸盐、硝酸酸雾
碳化合物	CO、CO_2	
碳氢化合物	C_1～C_5 化合物	醛、酮、过氧乙酰硝酸酯
卤素及其化合物	F_2、HF、Cl_2、HCl、$CFCl_3$、CF_2Cl_2	
氧化剂		O_3、自由基、过氧化物
颗粒物	煤尘、粉尘、重金属微粒、石棉气溶胶、酸雾、纤维、多环芳烃	
放射性物质	铀、钍、镭等	

一次污染物(primary pollutant)是指由污染源直接排放入大气的污染物。二次污染物(secondary pollutant)又称继发性污染物,是排入环境中的一次污染物在大气环境中经物理、化学或生物因素作用下发生变化或与环境中其他物质发生反应,转化而形成的与一次污染物物理、化学性状不同的新污染物。如二氧化硫在大气中被氧化成硫酸盐气溶胶,汽车尾气中的

一氧化氮、碳氢化合物等发生光化学反应生成的臭氧、过氧乙酰硝酸酯等,大气中常见的一次污染物和二次污染物见表2-4。二次污染物的形成机制往往很复杂,二次污染物一般毒性较一次污染物强,其对生物和人体的危害也要更严重。

2. 挥发性有机污染物

近年来,大气中挥发性有机污染物对环境的影响日益引起人们的重视。挥发性有机污染物是具有高蒸气压和低水溶性的一类有机化合物,简称为VOCs(Volatile Organic Compounds),一般来说是指室温下饱和蒸气压超过了133.32 Pa的有机物,其沸点在50℃至260℃之间,在常温下有部分以蒸气的形式存在于空气中,它的毒性、刺激性、致癌性和特殊的气味,会影响皮肤和黏膜,对人体产生急性损害。一般条件下根据有机污染物的挥发速率可将挥发性有机污染物分为四类:极易挥发性有机物(VVOCs)、挥发性有机物(VOCs)、半挥发性有机物(SVOCs)和与颗粒物或颗粒有机物有关的有机物(POM)。挥发性有机污染物包括挥发性的醚类、酮类、硝基类有机物、卤化有机化合物、烃类等。半挥发性有机物包括有机氯农药、PCBs、有机磷农药、多环芳烃类、氯苯类、硝基苯类、苯胺类、苯酚类等。由于它们一般都有毒性而且具有挥发性,因此,它们不仅会破坏水生生态环境,而且还会给周围的大气环境造成一定的危害。

空气中挥发性有机污染物的种类繁多,来源广泛。(1)建筑装饰、装修材料中除了本身释放出有机污染物外,还含有因建筑装修需要而加入的作为添加剂使用的许多有机化合物,在常温下即可向室内释放VOCs,使室内挥发性有机物污染加剧。这些材料主要有油漆、油漆溶剂、木材防腐剂、涂料、胶合板等。办公用品、生活日用品也是VOCs的重要来源,越来越受到人们的关注。(2)人类活动产生的VOCs,人类吸烟同样是VOCs的一个重要来源,专家测定了香烟烟雾中的挥发性有机物,共检出78种,这些挥发性有机污染物主要是低分子量有机物。此外,人类自身的新陈代谢也是室内VOCs的一个来源,微生物也可产生多种VOCs。日常生活中使用的清洁剂、化妆品和洗涤剂以及烹饪过程等都会释放出挥发性有机污染物。(3)室外来源:汽车尾气、工业污染物的释放和燃料的燃烧都能产生许多VOCs,它们进入室内造成室内VOCs的污染。由燃油汽车引起的室内空气污染主要是产生少量的橡胶基质和较多的烷烃及烷基苯。另外,意外失火也可产生大量的VOCs。(4)生产活动产生的VOCs,这些污染物来源于印染、制药、农药生产、化工等企业排放的废水。

常见的挥发性有机化合物包括:

(1)苯系物:苯系物通常包括苯,甲苯,乙苯,邻、间、对二甲苯,异丙苯,苯乙烯八种化合物。除苯是已知的致癌物以外,其余七种化合物对人体和水生生物均有不同程度的毒性。苯系物的工业污染主要来自石油、化工、炼焦生产的废水。同时,苯系物作为重要溶剂和生产原料有着广泛的应用,在油漆、农药、医药、有机化工等行业的废水中也含有较高含量的苯系物。

(2)挥发性卤代烃:挥发性卤代烃主要指三卤甲烷(即三氯甲烷、一溴二氯甲烷、二溴一氯甲烷及三溴甲烷)及四氯甲烷等挥发性卤代烃。挥发性卤代烃广泛用于化工、医药及实验室,其废水排入环境,污染水体。这些化合物沸点较低,易挥发,微溶于水,易溶于醇、苯、醚及石油醚等有机溶剂。各种卤代烃均有特殊气味并具有毒性,可通过皮肤接触、呼吸及饮水进入人体。

(3)氯苯类化合物:氯苯类化合物的物理化学性质稳定,不易分解,在水中的溶解度很小,易溶于有机溶剂中。这类化合物具有强烈气味,对人体的皮肤、结膜和呼吸器官产生刺激。进入人体内有蓄积作用,抑制神经中枢,严重中毒时,会损害肝脏和肾脏。氯苯类化合物的主要污染来源是染料、制药、农药、油漆和有机合成等工业排放的废水。

（4）邻苯二甲酸酯类:邻苯二甲酸酯类又称肽酸酯。一般为无色透明的油状液体,难溶于水,易溶于甲醇、乙醇、乙醚等有机溶剂。可通过呼吸、饮食和皮肤接触直接进入人和动物体内。其毒性随着分子中醇基碳原子数的增加而减弱。工业上,肽酸酯类主要用作塑料制品的改良性添加剂(增塑剂)。随着工业生产的发展及塑料制品的大量使用,肽酸酯已成为全球最普遍的一类污染物。我国优先污染物黑名单中包括邻苯二甲酸二甲酯、邻苯二甲酸二正丁酯和邻苯二甲酸二辛酯。

（5）有机氯农药:如六六六、滴滴涕(DDT)等物理化学性质稳定,不易分解,残留期长,难溶于水,易溶于脂肪,并易在生物体中蓄积。有机氯农药及其降解产物对水环境污染十分严重。

（6）有机磷农药:有机磷农药的特点是毒性剧烈,但在环境中较易分解,在水体中会随温度、pH值的增高、微生物的数量、光照等增加而加快降解速度。因此,有机磷农药成为农药中品种最多、使用范围最广的杀虫剂。有机磷农药对人、畜毒性较大,易发生急性中毒,有些品种在环境中仍有一定的残留期。有机磷农药生产厂排放的废水常含有较高浓度的有机磷农药原体和中间产物、降解产物等,当排入水体或渗入地下后,极易造成环境污染。

（7）丙烯腈和三氯乙醛:丙烯腈蒸气毒性极大,可抑制细胞呼吸酶,为已知致癌物,毒性与氰化物类似。它可由皮肤吸收,并可能伴随氰化物在组织内形成。三氯乙醛是生产某些农药、医药和其他有机合成产品的原料,主要存在于农药厂排放的污水中。它影响植物细胞的正常分裂,使植物生长畸形,尤其对小麦等农作物的危害最为严重。人类饮用受三氯乙醛轻度污染的水后,中枢神经系统受到抑制作用,出现嗜睡、乏力等症状。

（8）稠环芳烃(PAHs):稠环芳烃是石油、煤等燃料及木材、可燃气体在不完全燃烧或在高温处理条件下所产生的,稠环芳烃是环境中重要的致癌物之一。已证实,在稠环芳烃化合物中许多种类具有致癌或致突变作用。如接触含稠环芳烃较多的煤焦油和沥青的作业工人,可发生职业性致癌。致癌物中有蒽、苯并芘、苯并蒽、二苯并蒽、二苯并芘等,还有多种是属于助促癌剂如萤蒽、芘、苯并芘等。

（9）二噁英类:多氯代二苯并-对-二噁英(PCDDs)和多氯代二苯并呋喃(PCDFs)通常被称为二噁英类化合物。它们都是三环氯代芳香化合物,侧位(2,3,7,8-位)被氯取代的那些化合物具有很强毒性,其中2,3,7,8-四氯代二苯并噁英(TCDD)是目前已发现的最毒的有机化合物之一。二噁英类化合物有很强的致癌、致畸、致突变效应和生殖毒性,已被列入干扰内分泌的环境激素类物质。

（10）多氯联苯:多氯联苯(PCBs)是一组化学稳定性极高的氯代烃类化合物。由于其在环境中不易降解,其进入生物体内也相当稳定,故一旦通过食物链富集而侵入肌体就不易排泄,而易聚集在脂肪组织、肝和脑中,引起皮肤和肝脏损害。

（11）有机锡化合物:有机锡化合物的通式为 $R_xSnX(x<4)$,R 为烷基或苯基,X 可以是其他官能团如卤族元素等。它主要作为添加剂而存在于农药、船体外油漆、PVC 塑料稳定剂等商品中,其中三丁基锡来源于由船体外涂料释放的 TBT 及其降解的中间体 DBT(二丁基

锡)与 MBT(单丁基锡),其中 TBT 和 TP_hT(氢氧化三苯烯)对许多水生生物有毒害作用,对贝类的毒性强而且可以蓄积在鱼、贝类等生物体中,通过食物链对人类的健康产生影响。

挥发性有机污染物与人类健康密切相关,一般对人体危害较大的室内常见的 VOCs 有芳香烃(苯、甲苯、二甲苯、正丙基苯、1,2,4−三甲基苯、联苯、间/对−二甲苯、苯乙烯)、脂肪烃(环己烷、甲基环戊烷、己烷、辛烷等)、卤代烃、含氧烃(吡啶、甲基吡啶、尼古丁)、萜烃、醇、醛、酮和酯等。室内挥发性有机污染物对人体的污染基本可分为三种主要类型:气体和其他感觉效应(如刺激作用)、黏膜刺激和其他系统毒性导致的病变、基因毒性和致癌性。

研究表明暴露在高浓度挥发性有机污染物的工作环境中可导致人体的中枢神经系统、肝、肾和血液中毒,个别过敏者即使在低浓度下也会有严重反应,通常情况下表现的症状有:眼睛不适,感到赤热、干燥、砂眼、流泪;喉部不适,感到咽喉干燥;呼吸困难、气喘、支气管哮喘;头疼、难以集中精神、眩晕、疲倦、烦躁等。

第三节　大气光化学反应

污染物在大气中的化学转化,除常规热化学反应之外,更多的是与光化学反应(photochemical reaction)有关,即往往是由光化学反应引发所致。

3.1　光子的能量与分子能级

1. 光子的能量

光具有波粒二象性,光的衍射、干涉等现象说明光具有波动性,而光电效应等又说明光具有粒子性,光是携带着能量的粒子——光量子(简称光子)。

每个光子具有的能量 $\varepsilon = h \cdot \upsilon = \dfrac{hc}{\lambda}$

其中　　h:Plank 常数,为 6.62×10^{-34} J·s;

c:光速,为 2.998×10^{10} cm/s;

λ:光子的波长,单位为 cm;

υ:光子的频率,单位为 Hz;

ε:每个光子的能量,单位为 J。

1 mol 光子具有的总能量为:$E = N_0 \cdot h \cdot \upsilon = \dfrac{N_0 \cdot h \cdot c}{\lambda}$,式中 N_0 为阿伏加德罗常数 6.02×10^{23}/mol,E 的单位常用 kJ/mol。试计算波长为 700 nm 可见光的能量。

$\lambda = 700$ nm $= 700 \times 10^{-9}$ m $= 7 \times 10^{-5}$ cm

$$\varepsilon = \frac{h \cdot c}{\lambda} = \frac{6.62 \times 10^{-34} \text{ J} \cdot \text{s} \times 2.998 \times 10^{10} \text{ cm/s}}{7 \times 10^{-5} \text{ cm}} = 2.83 \times 10^{-19} \text{ J}$$

每摩尔光子能量:$E = \dfrac{N_0 hc}{\lambda} = 6.02 \times 10^{23}$/mol $\times 2.83 \times 10^{-19}$ J $= 170.7$ kJ/mol。

随着波长的增加,光子的能量减小。

表 2-5　不同能量光的波长

波长(nm)	能量(kJ/mol)	区域范围	波长(nm)	能量(kJ/mol)	区域范围
100	1 194.4	紫外线	700	170.7	可见光
200	597.2	紫外线	1 000	119.4	红外线
300	398.4	紫外线	2 000	59.7	红外线
400	298.9	可见光	5 000	23.9	红外线
500	239.1	可见光	10 000	11.9	红外线

由于一般化学键的能量在 170 kJ/mol 以上,所以 $\lambda < 700$ nm 的可见光和紫外光能引起光化学反应,而 700 nm 以上的红外线则属于低能光,是不能引起光化学反应的。

2. 分子运动和分子能级

运动着的分子是具有能量的,一个分子的能量至少包括分子的平动、分子的转动、分子的振动、分子内电子的运动。

分子的平动是一种与光辐射不相互作用的自由运动,这里不作讨论。

其余三种运动的能量水平差别是显著的,分子转动能很小,分子振动能较大,电子运动的能量最高。

三者的共同特点是能量水平的变化都是不连续的(量子化的),即能量只能沿特定的能级变化。这些能级的值与分子运动的类型、分子中键的强度、键角、键的种类和键距等因素有关。

3. 分子的转动和振动能级

分子转动是一种低能态运动,分子转动能级间的能量差很小,一般在 5 kJ/mol 以下,相当于波长为 25 μm 以上的远红外光子的能量,即分子吸收远红外光后可引起分子转动由低能态向高能态转变。

表 2-6　单个水分子振动频率

从基态向高态跃迁时的量子数			吸收频率(cm^{-1})
υ_1	υ_2	υ_3	
0	1	0	1 594.59
1	0	0	3 656.65
0	0	1	3 755.79
0	2	0	3 151.4
0	1	1	5 332.0
0	2	1	6 874
1	0	1	7 251.6
1	1	1	8 807.05
2	0	1	10 613.12
0	0	0	11 032.36

υ_1:对称伸缩振动,υ_2:弯曲振动,υ_3:非对称伸缩振动

O. Hutzinger,《环境化学手册》(第一分册),中国环境科学出版社,1987

　　分子振动能级间的能量差较大,一般为 5～10 kJ/mol,相当于波长为 1～25 μm 的近红外光子的能量水平,即分子吸收 1～25 μm 的红外光能时,分子内原子间振动由低能态激发到高能态。

　　4. 分子的电子能级

　　在原子中电子只能在一定能级的原子轨道上运动,正常情况下电子总是尽先在能量低的轨道上运动,吸收一定波长的光子后就可能进入更高能级的轨道上去。一般外层价电子激发到邻近更高的能级上需吸收 200～700 nm 的光子,即原子中的电子能级间的能量差,大部分与可见光(400～700 nm)和紫外光(<400 nm)具有的能量相当。

　　大多数物质的分子是原子以共价键的方式结合而形成的,即由原子轨道重叠形成分子轨道,价电子由原子轨道转移到分子轨道上绕整个分子运动。不同的重叠方式构成了不同能量水平的电子运动的成键轨道。

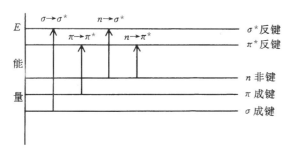

图 2－3　分子中的电子能级

　　如一氧化碳分子中的电子,可以分成三种主要类型:

　　(1) σ 电子。

　　(2) π 电子。

　　(3) 未参与成键的孤对电子,称非键电子或 n 电子。

　　一氧化碳分子中的上述 σ、π(成键轨道)和 n 轨道,虽然能量不同($\sigma < \pi < n$),然而都属于相对能量较低的基态轨道。当分子接受到能量合适的光子时,电子就会由基态的 σ、π 和 n 轨道被激发到平时空着的能量较高的 σ^*、π^* 等反键轨道上去,这种分子状态被称为激发态。分子中电子(轨道)能级间的能量差比分子的振动和转动能级的能量差要大得多,一般为 100～2 000 kJ/mol,这相当于波长小于 700 nm 的可见光和紫外光的光子所具有的能量。也就是说,只有紫外线或可见光才能将分子中的 σ、π 和 n 电子激发到 σ^*、π^* 轨道上去。

　　$\sigma \rightarrow \sigma^*$ 能级差最大,吸收波长小于 150 nm 的远紫外线;

　　$\pi \rightarrow \pi^*$ 和 $n \rightarrow \sigma^*$ 居中,吸收波长大于 180 nm 的光子;

　　$n \rightarrow \pi^*$ 能级差最小,吸收波长大于 280 nm 的光子。

　　当电磁辐射透过某一物质时,该物质分子会选择吸收合适波长的辐射使其转动、振动和电子的能级提高,由于电子能级的能量差较大,只有紫外光和可见光等高能短波辐射才能使价电子激发到高能态,从而使整个分子处于不稳定的激发态,发生化学键的断裂和重组。

3.2　光化学反应原理

　　1. 光化学反应原理

　　在光化学反应中,分子吸收光子以后变成激发态分子:

$$A + h\upsilon \longrightarrow A^*$$

　　吸收光子后的激发态分子是不稳定的,它可能发生下述变化:

（1）发生离解：$A^* \longrightarrow B + C$

（2）与其他分子碰撞反应：$A^* + B \longrightarrow C$

（3）与惰性物质碰撞，返回基态：$A^* + M \longrightarrow A + M$

（4）发出荧光，返回基态：$A^* \longrightarrow A + h\upsilon$

光化学反应的速率表达式可表示为：$\dfrac{d[C]}{dt} = -k[C]$

k 为光化学反应的速率常数，它往往与光化学反应的量子产率成正比，即 $k = K_a \cdot \Phi$。

一个分子吸收一个光（量）子后可以生成一个产物分子，也可以通过链锁反应，形成好多个产物分子，但在很多情况下也有可能吸收好几个光量子，才产生一个产物分子，可见不同的光化学反应有不同的效率。这种光化学反应的效率通常用量子产率 Φ（quantum efficiency）表示，即

$$\Phi = \frac{形成产物的分子数}{吸收的光量子数}$$

或写为 $\Phi = \dfrac{光化学反应速度}{吸收光子} = \dfrac{\dfrac{d[x]}{dt}}{Ia}$

其中，$[x]$ 为产物 X 的浓度（单位体积分子数目）

$\dfrac{d[x]}{dt}$ 为单位时间和单位体积内形成产物 X 的数目

Ia 为单位时间和单位体积内反应物吸收光子的数目

假设下面反应为特定的初始反应（不考虑其他次级反应的发生）：

$$NO_2 + h\upsilon \longrightarrow NO_2^* \longrightarrow NO + O$$

$$\Phi_{NO} = \frac{\dfrac{d[NO]}{dt}}{Ia}$$

或 $\Phi_{NO} = \dfrac{-\dfrac{d[NO_2]}{dt}}{Ia} \approx 0.9$

实际上反应中形成的原子态氧还可与 NO_2 发生次级反应：

$NO_2 + O \longrightarrow NO + O_2$　　此时 $\Phi_{NO} = 2 \times 0.9 = 1.8$

当上述初始反应在有 O_2 存在时有时还会发生下面的热化学反应：

$O_2 + O + M \longrightarrow O_3$　（迅速）（M 为惰性碰撞分子）

$O_3 + NO \longrightarrow NO_2 + O_2$（迅速）

由于此反应使 NO 返回为 NO_2，故此时的量子产率势必小于仅考虑初始反应的量子产率，即 $\Phi_{NO} < 0.9$。

由于光化学反应大多比较复杂，往往包含一系列反应，因而 Φ 值变化幅度很大，小的可接近于零，而大的可高达约 10^6。

如光引发的氢与氯生成 HCl 的反应：

$$Cl_2 + h\upsilon \longrightarrow 2Cl \qquad\qquad (1)$$

$$Cl + H_2 \longrightarrow HCl + H \qquad\qquad (2)$$

$$H + Cl_2 \longrightarrow HCl + Cl \qquad\qquad (3)$$

$$Cl + Cl \longrightarrow Cl_2 \qquad\qquad (4)$$

其中(2)(3)可交替进行,形成链式反应。反应中一个 Cl_2 分子只要吸收一个光子生成氯原子,随后可有大量氯分子参加反应,生成大量 HCl 分子,其 Φ 值可达 10^6。

在外界条件(温度、压力)一定时,量子产率 Φ 主要决定于反应物性质和吸收光的波长。图2-4显示 NO_2 光离解反应(初始反应)的量子产率随吸收光子波长变化而变化的关系。在 $300 \sim 370$ nm 之间,Φ_{NO} 约为 0.9,超过370 nm时 Φ_{NO} 迅速下降,超过 420 nm 时,就不再发生光分解反应了,这是由于 O 与 NO 之间的键能为 305.64 kJ/mol,相当于 400 nm 波长光所具有的能量。

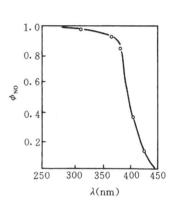

图 2-4 NO_2 光解反应量子产率和波长的关系

2. 光化学反应速度与日照强度的关系

对于一般光解初始反应:

$$A + h\upsilon \longrightarrow A^* \longrightarrow C \quad (A^* \text{ 为激发态分子})$$

已知 $\Phi_C = \dfrac{\dfrac{d[C]}{dt}}{Ia} = \dfrac{-\dfrac{d[A]}{dt}}{Ia} \qquad\qquad (1)$

令 v 为反应速度

$$v = -\frac{d[A]}{dt} = k[A] = \Phi_C \cdot Ia \quad (k \text{ 为速度常数}) \qquad (2)$$

由光吸收的比耳-朗伯(Beer-Lambert)定律可导出

$$Ia = I_0\,\varepsilon_\lambda[A] \qquad\qquad (3)$$

代入(2)式得 $v = k[A] = \Phi_C I_0 \varepsilon_\lambda[A]$

$$k = \Phi_C I_0 \varepsilon_\lambda$$

式中:I_0 为入射光(日照)强度

ε_λ 为物质 A 对波长为 λ 的光的摩尔吸收系数

波长一定时,Φ_C、ε_λ 为常数,故物质 A 在单位浓度时的光解速度,即速度常数 k,主要决定于日照强度 I_0。

日照强度(辐射强度)(radiation intensity)随太阳光射到地面的角度不同而变化。太阳光线与地面垂线的夹角叫做天顶角(以 Z 表示),正午太阳光垂直地面时 $Z = 0°$,日出和日落时 $Z = 90°$。

显然,处于最大日照强度附近的小时数是决定底层大气光化学反应速度最重要的因素。

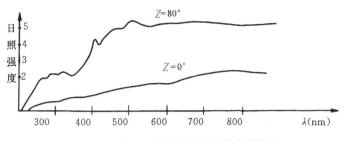

图 2-5 地面日照强度和波长分布的关系
李恂川主编,《环境化学》,中国环境科学出版社,1990

物质发生光化学反应必须要选择合适波长的光,以保证有足够大的摩尔吸收系数 ε_λ,同时要有足够大的辐射强度 I_0,才能使光离解的初始反应有足够大的速率常数(典型的是 $10^6 \sim 10^9/s$)。否则由于激发态寿命很短,它可能通过高速的光物理过程而返回基态,从而使光化学反应的量子产率过低,甚至难以观察到。

3.3 污染大气中重要的光化学反应

由于高层大气中的 N_2、O_2 特别是平流层中的 O_3 层对于波长小于 290 nm 光的近乎完全吸收,故底层大气中的污染物主要吸收 $300 \sim 700$ nm(相当于 $398 \sim 167$ kJ/mol 能量)的光线。

表 2-7 对可见光($300 \sim 700$ nm)的主要吸收和非吸收物质

吸光物质	NO_2、SO_2、HNO_3、烷基硝酸酯($RONO_2$)、HNO_2、烷基亚硝基酯($RONO$)、醛、酮、过氧化物($ROOR'$)、O_3、硝基化合物、酰基亚硝基酯、过氧亚硝基酯、硝酸酯等
非吸光物质	N_2、O_2、H_2O、CO、CO_2、NO、SO_3、H_2SO_4、碳氢化合物、醇、有机酸等

1. NO_2 的光解

NO_2 吸收 $300 \sim 400$ nm 范围内光而光解:

$$NO_2 + h\upsilon \longrightarrow NO + O \qquad 300 \sim 370 \text{ nm} \qquad \varPhi = 0.9$$

$$400 \text{ nm} \qquad \varPhi = 0.4$$

420 nm 以上波长的光不能使之分解。

2. 硝酸和烷基硝酸酯的光解

$$HNO_3(HONO_2) + h\upsilon \longrightarrow NO_2 + \cdot OH\ (羟基自由基)$$

$$RONO_2 + h\upsilon \longrightarrow NO_2 + RO \cdot\ (烷氧自由基)$$

上述反应对 300 nm 以上的光吸收程度很小,因此意义不大。

3. 亚硝酸和烷基亚硝基酯的光解

$$HNO_2(HONO) + h\upsilon \longrightarrow NO + \cdot OH$$

$$RONO + h\upsilon \longrightarrow NO + RO \cdot$$

吸收 300～400 nm 光时发生上述光解,是大气中仅次于 NO_2 光解的最重要的光解初始反应。

4. 醛的光解

最重要的是甲醛(CH_2O)和乙醛(CH_3CHO)的光解。它们吸收小于 313 nm 的光子后发生如下反应:

甲醛 $\quad CH_2O + h\upsilon \longrightarrow H_2 + CO \qquad \Phi = 0.2$

$\qquad\qquad\qquad\qquad \longrightarrow H + HCO \qquad \Phi = 0.8$

乙醛可能的光解过程是:

$$CH_3CHO + h\upsilon \longrightarrow CH_4 + CO \longrightarrow \cdot CH_3 + HCO$$

$$\longrightarrow CH_3CO + H \cdot$$

5. 过氧化物和臭氧的光解

烷基过氧化物在 300～700 nm 范围内有微弱吸收,发生如下光解:

$$ROOR' + h\upsilon \longrightarrow RO \cdot + R'O \cdot$$

臭氧在 220～290 nm 范围有强吸收,在 290～320 nm 范围有少量吸收,而在 450～700 nm 范围仅有微弱吸收。

三个波段的反应都是 $O_3 + h\upsilon \longrightarrow O_2 + O$

但前两者生成的产物都处于电子激发态,后者则处于电子基态。

第四节　污染大气中的自由基反应

在大气污染物的初始光解反应的产物中,几乎都包含有自由基,如 $\cdot OH$、$\cdot OH_2$、$RO \cdot$、$H \cdot$、$HCO \cdot$、$CH_3 \cdot$、$CH_3CO \cdot$ 等,其中 $\cdot OH$ 自由基是氧化能力最强的化学物种,几乎能使所有的有机物氧化。20 世纪 60 年代末从光化学烟雾形成机制的研究中确认了自由基的存在。现已证实自由基广泛存在于大气中,被称为大气中的"活性粒子"。它们的性质特别活跃,能够引发一系列反应,参与很多污染物的化学转化过程,导致生成各种各样的二次污染物。如大气光化学反应主要就是通过自由基链式反应进行的。近年来,自由基在大气化学反应中的重要性被确认,自由基反应已成为大气化学反应过程的核心反应,对于酸雨和光化学烟雾的形成以及大气污染变化过程有重要影响。自由基反应的研究已经成为大气环境化学研究的一个重要领域。

4.1　自由基的形成和反应

1. 键的断裂和自由基(free radical)的形成

在外界能量(光、电、热等)的作用下,分子中的化学键可按对称的或不对称的两种方式裂解:

$$\overline{A} : B \xrightarrow{\text{能量}} A^+ + B^- \qquad \text{不对称裂解}$$

$$A \overset{\lfloor}{\cdot} B \xrightarrow{\text{能量}} A \cdot + B \cdot \qquad \text{对称裂解}$$

当分子的化学键发生不对称裂解时,一对电子转移到其中一个原子上,而形成正、负离子。

对称裂解时,成键的一对电子平均分给两个原子或原子团,这种由对称裂解生成的带单电子的原子或原子团称为自由基。自由基因缺少一个电子而非常活泼,它能立即夺取其他分子中的成键电子而游离出新的自由基来,或与其他自由基结合而形成较稳定的分子。这一强烈的夺取电子倾向和结合力,是自由基具有很强的氧化能力和化学活性的原因。

2. 自由基反应

凡是有自由基生成或由自由基诱发的反应都叫做自由基反应(free radical reaction)。甲烷与氯在光照下发生的反应就是一种自由基反应。Cl_2 分子在光照作用下对称裂解成两个 Cl 的自由基,它立即夺取甲烷中的氢,又产生游离的甲基自由基,游离的甲基自由基再与 Cl_2 分子作用,而生成产物 CH_3Cl:

$$Cl_2 \xrightarrow{h\upsilon} 2Cl\cdot$$

$$Cl\cdot + CH_4 \longrightarrow \cdot CH_3 + HCl$$

$$\cdot CH_3 + Cl_2 \longrightarrow CH_3Cl + Cl\cdot$$

生成的游离氯原子,又可和甲烷反应,而使反应继续进行。光解初始反应中产生的各种自由基,往往能诱发和参与许多其他的反应。

自由基反应在分子的哪一部分发生是由能量所决定的。当分子的某处化学键最易断裂,即键能(离解能)最小时,则反应将优先在该处发生。

R—O—O—R烷基过氧化物分子中O—O单键键能为 143 kJ/mol,C—O 单键键能为 350 kJ/mol,R 中的 C—C 单键键能为 344 kJ/mol,C—H 单键键能为 415 kJ/mol,因而在 O—O 键处优先断裂,生成两种烷氧基的自由基。

$$R—O—O—R' \xrightarrow{h\upsilon} RO\cdot + R'O\cdot$$

由于自由基是中性原子($O\cdot$、$Cl\cdot$、$H\cdot$ 等)或原子团($\cdot CH_3$,$\cdot OH$ 等),因而所处介质的极性(电性质)对其影响不大,故自由基反应在气相中或在液滴、固体微粒表面上都可以进行。

4.2　大气中主要自由基的来源

大气中自由基的种类繁多,其中最重要的是 $\cdot OH$ 自由基,它能与大气中各种微量气体反应,几乎控制了这些物质的氧化和去除过程,其次是 $HO_2\cdot$ 自由基,此外 $\cdot CH_3$,$CH_3O\cdot$ 和 $CH_3O_2\cdot$(甲基过氧自由基)等在大气中也比较活跃。

1. $\cdot OH$ 自由基的来源

(1) $HONO \xrightarrow[\lambda < 400\ nm]{h\upsilon} \cdot OH + NO$

(2) $H_2O_2 \xrightarrow[\lambda < 300\ nm]{h\upsilon} 2\cdot OH$

(3) $O_3 \xrightarrow[\lambda < 315\ nm]{h\upsilon} O_2 + O$

$$O + H_2O \longrightarrow 2\cdot OH$$

(4) $HCHO \xrightarrow[\lambda < 313\ nm]{h\upsilon} \cdot H + HCO\cdot$

$\cdot H + O_2 \longrightarrow HO_2\cdot$

$HO_2\cdot + NO \longrightarrow \cdot OH + NO_2$

2. $HO_2\cdot$ 自由基的来源

$HO_2\cdot$ 自由基主要来自 $\cdot H$、$HCO\cdot$（甲醛光解产生）、$CH_3O\cdot$（CH_3ONO 光解产生）自由基与空气中的 O_2 作用的结果，以及 $\cdot OH$ 自由基与 H_2O_2 或与 CO 作用的结果。反应式如下：

(1) $HCHO \xrightarrow{\lambda < 313\ nm} H\cdot + HCO\cdot$
$\xrightarrow{O_2} HO_2\cdot$
$\xrightarrow{O_2} HO_2\cdot + CO$

(2) $\underset{\text{甲基亚硝酸酯}}{CH_3ONO} \xrightarrow{\lambda = 300 \sim 400\ nm} NO\cdot + CH_3O\cdot$
$\xrightarrow{O_2} HO_2\cdot + CH_2O$

(3) $H_2O_2 \xrightarrow{\lambda < 370\ nm} 2OH\cdot \xrightarrow{2H_2O_2} 2HO_2\cdot + 2H_2O$
$\xrightarrow{2CO} 2CO_2 + 2H\cdot$
$\xrightarrow{2O_2} 2HO_2\cdot$

3. $\cdot CH_3$、$CH_3O\cdot$ 和 $CH_3O_2\cdot$ 等自由基的来源

(1) $\cdot CH_3$ 主要来自乙醛和丙酮的光解：

$CH_3CHO + h\upsilon \longrightarrow \cdot CH_3 + HCO\cdot$

$CH_3COCH_3 + h\upsilon \longrightarrow \cdot CH_3 + CH_3CO\cdot$

(2) $CH_3O\cdot$ 主要来自甲基亚硝酸酯光解：

$CH_3ONO + h\upsilon \xrightarrow{\lambda = 300 \sim 400\ nm} CH_3O\cdot + NO\cdot$

(3) $CH_3O_2\cdot$ 来自 $\cdot CH_3$ 与 O_2 的作用：

$\cdot CH_3 + O_2 \longrightarrow CH_3O_2\cdot$

大气中的自由基都有多种形成途径，也可通过多种反应而消除，虽然它们很不稳定，然而由于形成与消除构成循环使它们作为中间体在大气中保持一定的浓度。虽然它们的浓度非常低（10^{-7} ppm），但它们却是大气组成中的高活性组分，在大气污染化学中占有重要地位。

自由基反应是一种快速反应，目前由于测试技术的限制和现场观测数据不足，其确切的光化学转化循环机理尚待进一步研究。

第五节 气溶胶化学

5.1 气溶胶的定义

大气中颗粒物（particulate matter）的直径范围一般为 $0.001 \sim 100\ \mu m$，大于 $10\ \mu m$ 以上颗

粒能够依其自身重力作用降落到地面,称为降尘(dust fall)。小于 10 μm 的颗粒,在空气中可较长时间飘游,称为飘尘(floating dust)。表 2-8 显示的就是不同大小的颗粒物在空间降落的速度。大气质量评价(atmospheric quality assessment)中把用标准大容量颗粒物采样器(流量在 1.1~1.7 m^3/min)在滤膜上所收集到的颗粒物的总质量称为总悬浮颗粒物(total suspended particles,TSP),作为一个重要的污染指标。在环境科学中,习惯上把颗粒物称为气溶胶(aerosol)。

表 2-8　在静止空气中的微粒沉降速度

(温度 0℃,气压 1 atm,微粒比重为 1 g/m^3)

微粒半径(μm)	沉降速度(cm/s)
<0.1	忽略不计
0.1	8×10^{-5}
1.0	4×10^{-3}
10.0	0.3
100.0	25

R·A·贝利,H·M·克拉克,J·P·费里斯等,《环境化学》,武汉大学出版社,1987

气溶胶是指液体或固体微粒均匀分散在气体中所形成的稳定体系,微粒的粒径大多是在 0.002~10 μm 范围。由于这些粒子比气态分子大而比粗尘颗粒小,因而它们不像气态分子那样服从气体分子运动规律,但也不会受地心引力作用而沉降,具有所谓胶体的性质。

气溶胶的组成十分复杂,并且变动很大。大体可分为:有机成分、无机成分两大类,无机成分还可分为水溶性成分和水不溶性成分。有机成分含量可高达 50%,其中大部分不溶于苯;可溶于苯的有机物包括脂肪烃、芳烃、多环芳烃和醇、酮、酸、酯等,但含量通常不到 10%。有一些多环芳烃对人体有很强的致癌性,如苯并[a]芘等。无机成分主要包括地壳中的各种成分以及硫酸盐、硝酸盐、氧化物等,而且含有对人体有害的汞、铅、镉等金属元素。

5.2　气溶胶的分类

按照颗粒污染物成因的不同,可将气溶胶分为分散性气溶胶(dispersed aerosol)和凝聚性气溶胶(coagulated aerosol)两类,分散性气溶胶是固态或液态物质经粉碎、喷射,形成微小粒子,分散在大气中形成的气溶胶;凝聚性气溶胶则是由气体或蒸汽(其中包括固态升华而成的蒸汽)遇冷凝聚成液态或固态微粒而形成的气溶胶。

气溶胶按凝聚状态不同又可分为:

1. 固态气溶胶——烟和尘(smoke and dust)

由矿物粉碎加工和燃料燃烧产生的固体颗粒物形成的固态气溶胶即为烟和尘。如煤烟(碳粒)、氧化铁烟粒(冶炼厂)、铅化合物烟气(汽车排气)、煤粉尘、水泥尘末、飞灰(不燃性固体微粒)、铁粉等。由于烟多由高温升华、挥发的蒸汽凝结或不完全燃烧过程形成,故粒径较小,一般在 0.1~1 μm 之间。而粉尘多由机械作用过程产生,如固体物料的输送、粉碎、研磨、装卸过程中产生的颗粒物,以及岩石、土壤风化产生的颗粒物,其粒径一般较大,通常在 $1\sim$ $76~\mu m$ 之间。

2. 液态气溶胶——雾(fog)

由液滴分散在空气中形成的液态气溶胶称为雾,大气中水蒸气过饱和时,水发生凝聚作用便会产生雾,雾的液滴直径为 $2\sim30~\mu m$,液滴数目为 $50\sim100$ 个/cm^3 时形成轻雾(mist),$500\sim600$ 个/cm^3 的形成浓雾(fog)。

3. 固液混合态气溶胶——烟雾(smog)

由固、液两种微粒分散在空气中形成的固液混合态气溶胶叫烟雾。它是一种新型污染物,具有烟和雾的两重性。由煤尘、二氧化硫和浓雾相混合并伴有化学反应形成的烟雾叫煤烟型烟雾或硫酸烟雾,由于最早在伦敦发生,所以又称为伦敦型烟雾;由碳氢化合物(一般可用 HC 表示)和 NO_x、CO 等通过光化学反应生成臭氧、过氧乙酰硝酸酯等强氧化剂,并形成浅蓝色的光化学烟雾或称为石油型烟雾,由于它最早在美国洛杉矶发现,所以又称洛杉矶型烟雾。它们统称为化学烟雾。烟雾微粒的粒径一般小于 $1~\mu m$。

5.3 气溶胶污染的危害

大气颗粒中,粒径大于 $10~\mu m$ 的降尘约占 25%,其余 75% 左右为粒径小于 $10~\mu m$ 的飘尘,清洁的大气含飘尘 $10\sim20~\mu g/m^3$,目前一般居民区大气飘尘的浓度已达 $40\sim400~\mu g/m^3$,繁华街道上空可高达 $2\sim4~mg/m^3$,工业区为 $3\sim5~mg/m^3$。

降尘可在重力作用下很快降落到地面,因此在空气中停留时间短,不易吸入,故危害不大。飘尘由于粒径小,能在大气中长期飘浮,可将污染物带到很远的地方,导致污染范围扩大,飘尘表面还往往会为大气中的化学反应提供反应床。可被吸入的飘尘因其粒径不同而滞留在呼吸道的不同部位。大于 $5~\mu m$ 的飘尘,多滞留在上呼吸道;小于 $5~\mu m$ 的多滞留在细支气管和肺泡;$0.01\sim1~\mu m$ 的飘尘在肺泡内的沉积率最高。国际标准化组织(International Standardization Organization,ISO)建议将直径小于 $10~\mu m$ 的液体或固体颗粒称为可吸入微粒(inhalable particles,IP),其测定量作为空气质量监测的一个重要指标。

飘尘由于颗粒小,表面积大,具有较强的吸附能力,一些有害物质如二氧化硫、苯并[a]芘、多环芳烃分子、亚硝胺分子、石棉纤维以及病原微生物等,均能为飘尘吸附。进入呼吸道的飘尘往往和二氧化硫、二氧化氮等产生联合作用,损伤黏膜、肺泡,引起各种呼吸道炎症和气道阻力增加,导致支气管和肺部炎症,长期作用导致肺心病死亡率增高。到达肺部的有毒物质,一方面进入血液系统或淋巴系统,影响身体各部位;另一方面可扩散转移到其他器官。

侵入人体深部组织的粒子的化学组成不同对健康产生不同危害。如硫酸雾侵入肺泡引起肺水肿和肺硬化而导致死亡。故硫酸雾的毒性比气体 SO_2 的毒性要高十倍以上。含有金属的颗粒物会造成人体中重金属的累积性慢性中毒,特别是某些气溶胶粒子,如焦油蒸气、煤烟、汽车排气等常常含有多环芳烃类化合物,进入人体后可能造成组织的癌变。

细粒子的危害较大不仅表现在可吸入性上,还由于有毒污染物在细粒子中的含量大大高于粗粒子,比如铅、汞、镍、镉、铬等有害金属元素,它们通常被富集在粒径为 $0.5\sim5~\mu m$ 的粒子中。进入人体后,在一定条件下对人体产生毒害作用。北京市大气颗粒物的成分测定结果表明,多环芳烃的 90% 集中在 3 μm 以下的颗粒物中,重金属的 50%～80% 集中在 1.5 μm 以下的细粒子中。如果空气中的氧化铬飘尘含量过高,经常呼吸这种空气,会使氧化铬蓄积在鼻黏膜上,使鼻黏膜受到损伤而失去嗅觉。

有的气溶胶粒子还具有催化性能。比如钢铁厂排放的三氧化二铁烟尘对吸附在其表面上的二氧化硫具有催化性能,使其转化为三氧化硫,和水分子结合进一步生成硫酸酸雾,硫酸酸雾的危害性远大于二氧化硫。硫酸酸雾对建筑物具有腐蚀性,还会对人的皮肤和眼睛造成伤害。

气溶胶粒子具有对光的散射和吸收作用,特别是 0.1～1 μm 粒径范围的细粒子与可见光的波长相近,对可见光的散射作用十分强烈,是造成大气能见度降低的重要原因。

当烟雾浓度很高,大气严重混浊时,能见度甚至可低至几米。能见度差不但影响交通,而且增加照明用电的燃料消耗,从而加重空气污染并形成恶性循环。同时由于辐射到地面的能量大大减少(严重时可减少 40% 以上),从而将引起一系列生物效应,如影响植物的光合作用和水生生态系统等。颗粒物的含量较高时,还将影响全球气候变化。此外,它还减少了应有的紫外线辐射,对儿童骨骼发育带来影响和损害。伦敦型烟雾会使人出现胸闷、头痛、呼吸困难等症状,年长者和平时患有肺炎、肺癌、流感及呼吸道疾病的人,死亡率会成倍增加。光化学烟雾会使人出现头痛、皮肤潮红等症状,严重者会导致心肺衰竭。

气溶胶粒子的危害还特别表现在诱使肺癌发病率的升高。有关资料表明:由于工业化的不断加剧,加拿大在 1961 年死于肺癌的人数为 2 774 人,是 30 年前的 8 倍。在近 10 年内,美国的肺癌死亡率增加了 5 倍。北京市从 1949 年到 1979 年癌症死亡率增加了 145%,其中肺癌是主要的癌症死亡原因,这与大气污染程度的不断增加有直接联系。调查发现,飘尘中所含的苯并芘是造成癌症发病率剧增的主要原因。而苯并芘主要来自于烟尘,每烧 1 kg 煤可产生 0.21 mg 苯并芘,降低肺癌发生率和死亡率的有效途径就是控制烟尘污染。

第六节　大气硫氧化物化学

6.1　大气中的硫氧化物

污染大气中的含硫化合物主要有硫化氢、二氧化硫、三氧化硫、硫酸酸雾及硫酸盐气溶胶等。

据估计,地球上全年 SO_2 的发生量超过 3 亿吨,其中人为源与天然源约各占一半。人为源主要是矿物燃料和含硫矿物的燃烧。煤的含硫量约为 0.5%～5%,石油则为 0.5%～3%,其中绝大部分为可燃性硫化物,硫在燃料中以无机硫化物或有机硫化物的形式存在。无机硫绝大部分以硫化物矿物的形式存在,燃烧时主要生成 SO_2,如:

$$4FeS_2 + 11O_2 \longrightarrow 2Fe_2O_3 + 8SO_2$$

有机硫包括硫醇、硫醚等,在燃烧过程中先形成 H_2S,如硫醇的燃烧:

$$CH_3CH_2CH_2CH_2SH \longrightarrow H_2S + 2H_2 + 2C + C_2H_4$$

生成的 H_2S 再被氧化为 SO_2:

$$2H_2S + 3O_2 \longrightarrow 2H_2O + 2SO_2$$

燃料中的硫酸盐类硫化物不参与燃烧反应,燃烧后多存留于灰烬中,称为非可燃性硫化物。

主要含硫烟气如燃煤电厂和冶金厂烟气多以大气量低浓度(含 SO_2 0.1%~0.8%)形式排放,故回收净化相当困难,已成为环境化学工程中一个具战略意义的课题。

SO_2 的天然源主要来自火山喷发,有机物分解和陆地、海洋中的微生物厌氧活动,将硫酸盐还原产生 H_2S 进入大气,H_2S 又被原子态氧、氧气和臭氧所氧化。

$$H_2S + 3O \Longrightarrow SO_2 + H_2O$$

$$2H_2S + 3O_2 \Longrightarrow 2SO_2 + 2H_2O$$

$$H_2S + O_3 \Longrightarrow SO_2 + H_2O$$

在气相中这些反应很缓慢,但在空气中的颗粒物质表面,这些反应能很快进行,由于 H_2S、O_2、O_3 均能部分溶于水,故在云雾雨滴中这些反应速度很快。H_2S 在空气中寿命很短,在转化为 SO_2 以前,仅可存在几小时。

在对流层中 SO_2 的平均值约为 $0.2\ \mu g/L$,城市空气中的浓度约可高出 1 000 倍。

二氧化硫对植物能造成严重危害,浓度低于 0.3 ppm 时即会对植物产生影响,低浓度长时间(几天或几周)的作用会抑制叶绿素的生长,使叶子慢性损伤而变黄,高浓度短时间作用可造成急性叶损伤。故在排放废气未经处理的硫酸厂或有色金属冶炼厂周围的原野上,往往常年一片枯黄色,其长期污染可使植物无法生长。

二氧化硫气体,可以穿窗入室,或渗入建筑物的其他部位,使金属制品或饰物变暗,使织物变脆破裂,使纸张变黄发脆。

二氧化硫是具有窒息性臭味的气体,低浓度 SO_2(10 mg/L 以下)的危害主要是刺激上呼吸道,较高浓度(100 mg/L 以上)时会引起深部组织障碍,更高浓度(400 mg/L 以上)时会致人呼吸困难和死亡。特别是大气飘尘和二氧化硫共存时的协同作用对人的毒性更大,这可能是由于在颗粒物表面 SO_2 易氧化成 SO_3 并进而与水蒸气形成硫酸雾的缘故,这种酸雾达 0.8 ppm 时,人即难以忍受。

大气中 SO_2 的平均停留时间约为 3~6.5 天,它主要是通过降水清除或氧化成硫酸盐微粒后再沉降或被雨水除去,此外,化学反应、植被和水体的表面吸收等都是大气 SO_2 的去除途径。

大气中的硫氧化物除 SO_2 为一次污染物外,其他均是由 SO_2 转化形成的二次污染物。SO_2 对人类健康、生态环境等有直接危害作用,但它在大气中被氧化形成的产物,危害更大,故 SO_2 在大气中如何被氧化的问题已受到重视,并广泛进行了研究。

SO_2 在大气中的氧化作用可分为均相氧化(光化学氧化)和非均相氧化(催化氧化)两大类。

6.2 二氧化硫的均相氧化

光化学氧化(均相氧化)

在纯净大气中,SO_2 的均相氧化(homogeneous oxidation)是一个非常缓慢的过程,可被忽略,而在光照或自由基作用下,它的氧化速度可以加快。

SO_2 为吸光物质,在波长 210 nm、294 nm 和 388 nm 处有三个吸收带。波长为 210 nm 的光,可以使 SO_2 发生光解,但由于波长小于 290 nm 的光,在高空已被吸收,很少到达地面,因此对流层中的 SO_2 不发生明显光解,而 294 nm 和 388 nm 波长的光,为弱吸收,光子能量不足以使硫氧键断裂,仅使 SO_2 发生光激发。

光化学中谈及原子或分子的激发态时,常使用激发三重态及激发单重态两个概念。已知每个原子或分子轨道,最多可容纳两个自旋相反的电子。基态时,大多数情况是每个轨道为 2 个电子所占据。当其中一个电子吸收了光子跃迁到较高能级的轨道时,假设其电子自旋状态不变(即与留在原基态轨道中的电子同处于自旋反向的状态),则此类激发态称为激发单重态,以 S 表示,或在原子或分子符号的左上角以"1"来标示,如 $^1SO_2$。

如果吸光跃迁的电子,其自旋状态改变,此时,激发到较高能级的空轨道上的电子与留在原基态轨道中的电子处于自旋同向状态,则此类激发态称为激发三重态,可以 T 表示,或在原子或分子符号的左上角以"3"来标示,如 $^3SO_2$。(见图 2-6 激发单重态与激发三重态)

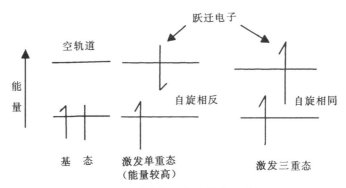

图 2-6　激发单重态和激发三重态

激发单重态的能量较相应的激发三重态为高,故可能发生系统内的 $S \longrightarrow T$ 转换。
二氧化硫进入平流层

$$SO_2 \xrightarrow[210 \text{ nm}(565 \text{ kJ/mol})]{h\upsilon} SO\cdot + O\cdot \quad 光解反应$$

$$SO_2 + h\upsilon \xrightarrow[388 \text{ nm}]{} {}^3SO_2 \quad (但其量极微)$$

$$SO_2 + h\upsilon \xrightarrow[294 \text{ nm}]{} {}^1SO_2$$

激发的二氧化硫分子,随之发生一系列的初级光物理及光化学过程:

$$^1SO_2 \longrightarrow SO_2 + h\upsilon \qquad (1)$$

$$^1SO_2 + M \longrightarrow SO_2 + M^* \qquad (2)$$

$$^1SO_2 + M \longrightarrow {}^3SO_2 + M^* \qquad (3)$$

反应(1)(2)是激发态转变为基态的过程,多余的能量为另一物质 M 所吸收,或以辐射的形式向环境发射。此处 M 也可以是基态的 SO_2 分子。

反应(3)为系统间转换,较高能量的 $^1SO_2$ 转换为较低能量的 $^3SO_2$,多余的能量被 M 吸收。反应(3)在 SO_2 的光化学氧化过程中极为重要,已证明 $^3SO_2$ 是一个寿命长、反应活性强的物种,它可与基态氧分子或氧原子作用:

$$^3SO_2 + O_2 \longrightarrow SO_3 + O$$

$$^3SO_2 + O \longrightarrow SO_3$$

SO_2 直接光激发为 $^3SO_2$ 的量极微,因此 $^1SO_2$ 经系统间转化为 $^3SO_2$,为大气中 $^3SO_2$ 提供了一个重要的生成途径。

但激发态 SO_2 与氧的氧化反应速率,实际上还是很低的,报道约为每小时 0.1% 左右。

在被氮氧化物及碳氢化合物污染的大气中,二氧化硫的氧化速率可提高。W. E. Wilson 等人进行试验,光照有氮氧化物的污染大气,发现 SO_2 的氧化速率约可提高 10 倍,其反应为:

$$NO_2 + h\upsilon \longrightarrow NO \cdot + O \cdot$$

$$SO_2 + O \cdot + M \longrightarrow SO_3 + M$$

增加光照强度,在被 NO_x 及 HC 污染的大气中 SO_2 的氧化速率可大大提高。在光化学烟雾形成的情况下,测得 SO_2 的氧化速率约为每小时 5%~10%,因此在光化学烟雾形成的大气样品中,已找不到 SO_2,因它已较快地被氧化成硫酸酸雾及硫酸盐气溶胶。这样更增加了光化学烟雾的危害性。

存在于光化学烟雾中的一些氢氧自由基、过氧自由基等均能加速 SO_2 的氧化。

$$\cdot OH + SO_2 + M \longrightarrow HOSO_2 + M^*$$

$$HOSO_2 + \cdot OH + M \longrightarrow H_2SO_4 + M^*$$

$$HO_2 \cdot + SO_2 \longrightarrow \cdot OH + SO_3$$

$$CH_3O_2 \cdot + SO_2 \longrightarrow CH_3O \cdot + SO_3$$

这种转化机制目前被认为是低层大气中 SO_2 转化的主要机制。但温度、湿度及光强等因素的影响如何,仍有待进一步研究。

6.3 二氧化硫的非均相氧化

SO_2 的非均相氧化(heterogeneous oxidation)

1. SO_2 在液滴中的氧化

大气中有大量 O_2 存在,但是 $2SO_2 + O_2 \longrightarrow 2SO_3$ 反应速率很慢,SO_2 在水中的溶解度为 $\dfrac{11.28\ g}{100\ g}$,当大气中有水存在的情况下,SO_2 溶解在悬浮于大气中的水滴中,或溶解于飘尘表面的水膜中,然后被水滴中存在的 O_2、H_2O_2、O_3 等氧化。

SO_2 在水相中的非均相氧化过程较为复杂,涉及 SO_2 在大气中迁移,通过水膜进入水滴内溶解,在液滴中扩散,电离等过程,与液滴周围 SO_2 及氧化剂的浓度,液滴的 pH 值及光照和某些金属离子的存在等因素有关。

Willex 和 Depena 研究了 SO_2 在液滴中的溶解与离解过程,提出如下反应机理:

$$SO_2(g) + H_2O(l) \longrightarrow SO_2(aq)$$

$$SO_2(aq) + H_2O(l) \longrightarrow H_2SO_3(l)$$

$$H_2SO_3(l) + H_2O(l) \longrightarrow HSO_3^-(l) + H_3O^+(l)$$

$$HSO_3^-(l) + H_2O(l) \longrightarrow SO_3^{2-}(l) + H_3O^+(l)$$

HSO_3^- 或 SO_3^{2-} 被氧化的速度较慢

$$2SO_3^{2-} + O_2 \longrightarrow 2SO_4^{2-}$$

在光照下速度可加快,其可能机理为:

$$SO_3^{2-} + h\upsilon \longrightarrow SO_3^- + e(aq) \tag{1}$$

$$SO_3^- + O_2 \longrightarrow SO_5^- \tag{2}$$

$$SO_5^- + SO_3^{2-} \longrightarrow SO_4^- + SO_4^{2-} \tag{3}$$

$$SO_4^- + SO_3^{2-} \longrightarrow SO_4^{2-} + SO_3^- \tag{4}$$

最后形成的 SO_3^- 又与 O_2 反应。但目前尚未有实验事实能证实 SO_4^- 和 SO_5^- 的存在。

当液滴的酸性增高时,氧化反应会显著减慢,这是因为 SO_2 在液滴中有下列溶解和电离平衡关系:

$$SO_2 + H_2O(l) \rightleftharpoons H_2SO_3 \rightleftharpoons H^+ + HSO_3^- \rightleftharpoons 2H^+ + SO_3^{2-}$$

增加 $[H^+]$,平衡向左移动,使 SO_2 的溶解度降低。如果大气中有足够的 NH_3 存在,则可使氧化速度大大加快。

含 NH_3 液滴中 SO_3^{2-} 浓度增大,使反应速率加快,同时 NH_3 的存在降低了液滴中 $[H^+]$,从而增大了 SO_2 的溶解度。

人们发现在含有水气的烟气中,SO_2 的氧化速度比在清洁空气里快 $10\sim100$ 倍,这是由于烟气中所含有的 Mn^{2+} 和 Fe^{3+} 的催化作用,加快了溶解在颗粒物表面水膜中的 SO_2 和 O_2 的反应速度。

Mn^{2+} 的配位催化过程:

$$SO_2 + Mn^{2+} \longrightarrow MnSO_2^{2+}$$

$$2MnSO_2^{2+} + O_2 \longrightarrow 2MnSO_3^{2+}$$

$$MnSO_3^{2+} + H_2O \longrightarrow Mn^{2+} + H_2SO_4$$

总反应可表示为：

$$2SO_2 + O_2 + 2H_2O \longrightarrow 2H_2SO_4$$

Cu^{2+} 的催化过程（电子转移）：

$$SO_3^{2-} + Cu^{2+} \longrightarrow SO_3^- + Cu^+$$

$$SO_3^- + O_2 \longrightarrow SO_5^-$$

$$SO_5^- + SO_3^{2-} \longrightarrow SO_4^- + SO_4^{2-}$$

$$SO_4^- + SO_3^{2-} \longrightarrow SO_4^{2-} + SO_3^-$$

水滴中存在的 Mn^{2+}、Cu^{2+}、Ni^{2+}、Fe^{2+}、Fe^{3+}、Co^{2+}、Pb^{2+} 等均可作为 SO_2 氧化的催化剂，加快 SO_2 氧化速度。

其催化速率比为：

$$Mn^{2+} > Cu^{2+} > Co^{2+} > Pb^2 > Na^+$$
$$12.3 \qquad 3.8 \qquad\qquad\qquad 1$$

其中又以 $MnSO_4$ 效果最好，$MnCl_2$ 较差。

2. SO_2 在颗粒物表面的催化氧化

悬浮在大气中的固体颗粒物，其组成中往往含有金属氧化物或其盐类，如 Al_2O_3、Fe_2O_3、MnO_2、CuO 等，当 SO_2 被固体粒子表面所吸附，在金属氧化物的催化作用下，会使附着的 SO_2 很快形成 SO_4^{2-}：

$$2SO_2 + 2H_2O + O_2 \longrightarrow 2H_2SO_4$$

由矿物燃料不完全燃烧产生的烟炱（smuts），是炭黑和挥发性有机物的复合颗粒物，表面积较大，能大量吸附 SO_2，对 SO_2 氧化具有催化作用。据报道用光电子能谱研究发现烟炱表面有硫酸根存在，日本学者报道过活性炭表面 SO_2 氧化速率可高达每小时 30%，不过这类干表面上的氧化过程，需要很高的温度，所以只能发生在烟道气中。

大气中的 SO_2 有多种途径氧化成 SO_3，其转化机制视具体环境而异。如在白天的低湿度条件下以光氧化为主，而在高湿度条件下，催化氧化则可能是主要的，往往生成 H_2SO_4 酸雾（气溶胶），若有 NH_3 存在，吸收在液滴中就会生成硫酸铵。

第七节　氮氧化物的化学

存在于大气中的氮氧化物有 N_2O（nitrogen monoxide）、NO（nitric oxide）及 NO_2（nitrogen dioxide）。对流层中 NO 和 NO_2 是污染气体，统称为 NO_x（氮氧化物）。

氮氧化物的天然源主要是生物源，包括下列来源：

生物死亡以后机体腐烂形成的硝酸盐，经细菌作用生成的 NO 及随后缓慢氧化产生的 NO_2。

生物源产生的 N_2O 氧化形成的 NO_x。

有机体中氨基酸分解产生的氨经·OH 自由基氧化形成的 NO_x。

氮氧化物的人为源主要来自矿物燃料在工业窑炉和汽车内燃机中的高温燃烧过程,一般产生的 NO_x 中 99% 是 NO,NO_2 仅占 1‰ 左右。表 2-9 列出的主要天然源及其源强的估算,并给出了人为源源强的估算,两者几乎各占一半。

表 2-9　氮氧化物的天然源及其源强的估算

氮氧化物的来源		源强估算(10^5 t/a)	
		Stedman(1983)	Logau(1983)
天然源	闪电	10	26
	平流层注入	3	2
	氨氧化	3	3~33
	生物质燃烧	16	39
	土壤排放	38	26
	总计	70	96~129
人为源	总计	66	108

注:a——英亩,1 英亩等于 0.405 公顷。

NO 与 NO_2 毒性都很大,NO_x 能由呼吸侵入人体肺部,对肺组织产生强烈的刺激及腐蚀作用,引起支气管炎、肺炎、肺气肿等疾病,NO_2 还能和碳氢化合物生成光化学烟雾,NO_2 又是引起酸雨的原因之一。此外 N_2O 可使平流层中的臭氧减少,导致地面紫外线辐射量增加。

大气中的 NO_x 除被土壤和植被吸收外,一般经气相或液相化学反应,最终转化成 HNO_3 和硝酸盐而去除。

7.1　大气中的 N_2O

N_2O(氧化亚氮)是自然界微生物活动的产物,由土壤中硝酸盐经细菌分解产生:

$$NO_3^- + 2H_2 + H^+ \xrightarrow{\text{细菌}} \frac{1}{2}N_2O + \frac{5}{2}H_2O$$

大气中 N_2O 含量极微,约为 0.3 mg/L。它的活性较差,在低层大气中被认为是非污染气体。

N_2O 能吸收地面热辐射,成为对全球气候变暖起重要作用的温室气体。

N_2O 扩散至平流层后,则发生光解作用

$$N_2O + h\upsilon \longrightarrow N_2 + O \qquad\qquad (1)$$

N_2O 也可与存在平流层中的氧原子反应而被清除

$$N_2O + O \longrightarrow N_2 + O_2 \qquad\qquad (2)$$

$$N_2O + O \longrightarrow NO + NO \qquad\qquad (3)$$

它对平流层中的臭氧层会发生破坏作用。

反应(3)也是存在于平流层中的污染物 NO 的天然发生源。

大气中 N_2O 的主要来源见表 2-10。

表 2-10 大气中 N_2O 的主要来源

来 源	数量(10^6 t/y)	来 源	数量(10^6 t/y)
天然土壤	6	含氮肥料	0.6~2.3
海洋与淡水	2	燃烧沼气	1~2
燃烧矿物燃料	1.9	毁林土地	0.2~0.6
闪 电	<0.1	合 计	12~15

UNEP，Environ. Date Report，1989

7.2 NO 的产生

全球 NO 的总发生量中 90% 来自天然源，主要是大气中 NH_3 的氧化和土壤中含氮物的微生物分解等。人类活动排放的 NO 仅占 10% 左右。

NO_2 主要由 NO 氧化而来，每年产生量约 5.68 亿吨。

人类活动排入大气中的 NO_x，一部分来自硝酸厂、氮肥厂、金属冶炼厂等排出的废气，而更主要的来源则是燃料高温燃烧过程。

由于汽油实际上是不含氮的，因此汽车内燃机内发生的化学反应是空气中氮和氧在高温条件下的直接化合，少量 NO 进一步氧化成 NO_2。

燃料高温燃烧时，空气中的 N_2 与 O_2 反应可以生成 NO_x。

$$N_2 + xO_2 \longrightarrow 2NO_x$$

其中：$\frac{1}{2}N_2 + \frac{1}{2}O_2 \longrightarrow NO$ (1)

$\frac{1}{2}N_2 + O_2 \longrightarrow NO_2$ (2)

	$\Delta_f H_m^\ominus$(kJ/mol)	$S_m^\ominus$	$\Delta_f G_m^\ominus$(kJ/mol)
NO	+90.25	210.6	+86.7
NO_2	+33.9	240.5	+51.8

$S_m^\ominus$(J/K·mol) N_2：191.5 O_2：205.03

生成 NO 和 NO_2 的反应的 $\Delta_r G_m^\ominus > 0$，因此常温下上述反应均不能自发进行。

根据 $\Delta G^\ominus = \Delta H^\ominus - T\Delta S^\ominus$，经计算可得到反应(1)的 $\Delta S^\ominus = 12.335$ J/K·mol，而反应(2)的 $\Delta S^\ominus = -60.28$ J/K·mol。

由于 NO 生成反应的 $\Delta H^\ominus$ 与 $\Delta S^\ominus$ 同号且都为正，当温度升高时，$T\Delta S^\ominus$ 项最终起主要作用，只要温度足够高，$\Delta G^\ominus$ 变为负值，反应就能自发进行，因此在高温燃烧时，空气中的 N_2 能

被 O_2 氧化成 NO。

由于生成 NO 的反应是吸热反应,温度越高不但可加快反应速度而且使反应的平衡常数 K_p 增大,NO 的生成率就越高。相反 NO 与 O_2 再结合生成 NO_2 的反应是放热反应,温度越高 NO_2 的生成速率越低。

生成的 NO_x 主要是由反应(1)得到的 NO,如 1 100℃时,生成的 NO_x 中,NO_2 只占总量的 0.5% 以下,其他是 NO。

这是因为 NO 进一步氧化成 NO_2 的反应:

$$NO + \frac{1}{2}O_2 \longrightarrow NO_2$$

$\Delta_r H_m^{\ominus}(kJ/mol)$	$\Delta_r S_m^{\ominus}(J/K \cdot mol)$	$\Delta_r G_m^{\ominus}(kJ/mol)$
-56.5	-72.4	-34.9

常温下此反应能自发进行,而高温时 $\Delta G^{\ominus}$ 变为正值,逆反应自发进行,NO_2 要分解,因此高温燃烧时排出的 NO_x,主要是 NO,而很少 NO_2。

表 2 - 11　温度与 NO 生成率的关系

温　　度(℃)	NO 浓度(ppm)	温　　度(℃)	NO 浓度(ppm)
20	<0.000 1	1 538	3 700.0
427	0.3	2 200	25 000.0
527	2.0		

汽车内燃机中吸入的空气与燃料(汽油)的比例不同,燃烧产生的火焰的温度就不同,空—燃比低,燃烧温度低,尾气中 CO 和 HC 多而 NO 少,空—燃比增高,NO 就随之增多,但当超过空—燃比的化学计量比时,由于过量空气使火焰冷却,产生的 NO 量又降低。

故汽车在空挡或减速时尾气中 NO 含量多在 60 ppm 以下,而在加速时可高达 1 000 ppm 以上(见表2-12),在燃煤电厂废气中的 NO 含量约为 300～20 000 ppm 范围。

表 2 - 12　通用车辆在各种不同驾驶条件下一氧化氮的排放状况

运 行 模 式	空气—燃料比	排放气流(升/分)	NO 浓度(ppm)	排放量(克/分)
空转	11.9	192	30	0.007 5
巡行 30	13.3	695	1 057	1.44
巡行 50	13.9	1 370	1 450	3.78
加速 20～45	12.7	2 570	940	4.84
减速 50～0	11.9	192	60	0.022 6

J·H·塞恩菲尔德,《空气污染——物理和化学污染》,科学出版社,1986

在火力发电厂等固定燃烧源发生的燃烧中,常使用煤炭作为燃料。煤中一般存在着含氮化合物,由于燃料中碳氮键解离能为 270～630 kJ/mol,比大气中氮气的氮氮键解离能(约 945 kJ/mol)小得多,而且氧与燃料中的氮反应所需要的活化能要比氧与分子氮反应的活化能来得低,因此燃料中的氮分子氧化生成 NO 较快,而且一般也不受燃烧条件的影响。

由此可见高温燃烧时,NO 能自发生成,NO 氧化成 NO_2 是不能自发进行的,但是,当燃烧废气排入大气中,温度很快降到常温,上述反应的自发方向发生逆转,NO 的分解和 NO 的氧化都能自发进行。

$$NO \xrightarrow{E_a} \frac{1}{2}N_2 + \frac{1}{2}O_2 \qquad ①$$

$$NO + \frac{1}{2}O_2 \xrightarrow{E_b} NO_2 \qquad ②$$

E_a、E_b 分别为反应①和②的活化能。

实际上,NO 的分解很困难,因 N—O 键键能为 628 kJ/mol,分解反应的活化能很高,分解反应速度很慢。

相对而言,NO_2 的生成反应较易进行,因 O—O 键键能为 494 kJ/mol,比 NO 中 N—O 键键能弱,反应活化能也小得多,但也仅是相对而言,实际上活化能也不小,故 NO 氧化成 NO_2 的反应也是比较缓慢的。

因此高温燃烧时,N_2 和 O_2 生成 NO 的反应占绝对优势,低温时,从热力学角度 NO 既能分解成 N_2 和 O_2,也可被氧化为 NO_2,但受到动力学(反应速度)限制(活化能 $E_b \ll E_a$),NO 氧化成 NO_2 的反应占优势。因此排入大气中的 NO 不是分解成 N_2 和 O_2,而是可能被空气中的 O_2 氧化成 NO_2。

但是,NO 被空气中的 O_2 氧化成 NO_2 的反应是一个三分子反应($2NO + O_2 \longrightarrow 2NO_2$),即在同一瞬间要有 2 个 NO 分子与 1 个 O_2 分子发生碰撞而反应。这只有在 NO 浓度比较高的情况下才有可能,如汽车排气口等排放源附近,而在通常大气环境中,NO 浓度比较低,其氧化反应是不易发生的。

一方面燃料高温燃烧排出的 NO_x 主要是 NO,而 NO_2 很少;另一方面,在对流层波长大于 290 nm 的光线照射下,NO 不发生光解,而 NO_2 可以发生光解。可见 NO_2 不但产生得少,还会因光解而不断消耗,但实际大气中 NO_2 的浓度相对来说并不低,这说明由光解消耗的 NO_2 不断得到补充,即 NO 转化成了 NO_2,而大气中的 O_2 使 NO 氧化成 NO_2 的反应速度又很慢(其速度常数值为 $k = 2.1 \times 10^{-38}$ cm^6/mol$^2 \cdot$ s),因此,大气中必然存在着 NO 向 NO_2 的其他快速转化过程。

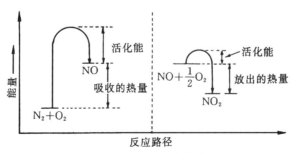

图 2-7　氮氧化物生成中的能量变化

全球 NO 的总平均浓度约为 $1\ \mu g/m^3$,NO_2 为 $2\ \mu g/m^3$。但地理位置的不同,浓度有明显差别,其幅度从小于 $0.6\ \mu g/m^3$ 到 $10\ \mu g/m^3$ 之间,城市空气中 NO_x 含量大大高出全球平均值 2 个数量级,其浓度变化受季节和气象因素影响,一般冬季高于夏季,可能是由于取暖所致。

7.3　NO_2 的形成和光解

1. 二氧化氮的形成

有人发现,在相对清洁的大气中,NO 的平均寿命约为 4 天,而在高度污染的城市大气中,NO 的平均寿命减少到只有几小时,这说明大气中的某些污染物参与了这一快速转化过程。

经研究证实 NO 氧化成 NO_2 的反应可按下式进行:

$$NO + O_3 \longrightarrow NO_2 + O_2$$

该反应速度甚快,$k = 1.7 \times 10^{-14}\ cm^6/mol^2 \cdot s\,(27℃)$。

若空气中 O_3 浓度为 30 ppb,则少量 NO 仅在 1 分钟内即全被氧化。但当 NO 比 O_3 的浓度大时,每生成 1 分子 NO_2 的同时要消耗 1 分子 O_3,则 O_3 的扩散过程成为反应的控制步骤,即可能出现 O_3 的"供不应求"的情况。

在光照下,NO 可被 $OH\cdot$、$CH_3O\cdot$、$CH_3O_2\cdot$、$CH_3COO_2\cdot$ 等自由基氧化,如自由基 $HO_2\cdot$ 在 NO 的快速氧化中的反应:

$$NO + HO_2 \cdot \longrightarrow NO_2 + \cdot OH$$

$$k = 9.7 \times 10^{-13}\ cm^3/mol \cdot s\,(27℃)$$

这一反应不但速度极快,并可由下列链式反应保证了 $HO_2\cdot$ 的不断提供。

$$\cdot OH + CO \longrightarrow CO_2 + H\cdot$$

$$H\cdot + O_2 + M \longrightarrow HO_2 \cdot + M(M\ 为\ N_2)$$

$$HO_2 \cdot + NO \longrightarrow NO_2 + \cdot OH$$

在使 NO 向 NO_2 的转化过程中,$\cdot OH$ 起了重要的链锁反应作用。消耗一个 $\cdot OH$ 又产生一个 $\cdot OH$,CO 对提供 $HO_2\cdot$ 也作了重要贡献,只要大气中有 CO 和 $\cdot OH$,就能促使 $NO \longrightarrow NO_2$ 的反应不断进行。

2. 二氧化氮的光解

NO_2 吸收波长 $300\sim400\ nm$ 的光辐射后发生光解反应:

$$NO_2 + h\upsilon \longrightarrow NO + O$$

如反应在实际污染大气中进行,光解产物中的原子态氧极具活泼性,还将进一步与许多种污染物或自由基发生极为复杂的反应。

假定 NO_2 仅在充有 N_2 的简单系统中进行短时间光解,就可能发生下面这些反应:

(1) $NO_2 + h\upsilon \longrightarrow NO + O$

(2) $NO_2 + O \longrightarrow NO + O_2$

(3) $NO_2 + O \xrightarrow{M} NO_3$

(4) $NO + O \xrightarrow{M} NO_2$

(5) $NO + NO_3 \longrightarrow 2NO_2$

(6) $NO_2 + NO_3 \xrightarrow{M} N_2O_5$

(7) $N_2O_5 \longrightarrow NO_2 + NO_3$

反应(1)、(2)、(3)、(6)是 NO_2 的消去反应,反应(1)、(2)是 NO 的生成反应,反应(4)、(5)是 NO 的消去反应。

如果 NO_2 在只含 N_2 和 O_2 的空气中进行长时间光解,除存在上述 7 个反应外,还可能发生下面一些反应:

(1) $O + O_2 \xrightarrow{M} O_3$

(2) $NO + O_3 \longrightarrow NO_2 + O_2$

(3) $NO_2 + O_3 \longrightarrow NO_3 + O_2$

(4) $2NO + O_2 \longrightarrow 2NO_2$

其中反应(1)十分重要,当 O_2 存在时 NO_2 光解将生成 O_3,所以 O_3 是 NO_2 光解产生的令人讨厌的二次污染物。

7.4 HNO₃ 和 HNO₂ 的形成

NO_x 能在大气和云雾液滴中转化为 HNO_3 和 HNO_2,污染大气中的 NO 是难溶于水的,而 NO_2 和 N_2O_5 则能在潮湿的空气中与水作用生成 HNO_3 和 HNO_2:

(1) $2NO_2 + H_2O \longrightarrow HNO_3 + HNO_2$ $k = 8 \times 10^{-39} \, cm^6/mol^2 \cdot s$

(2) $N_2O_5 + H_2O \longrightarrow 2HNO_3$ $k = 1.3 \times 10^{-20} \, cm^3/mol \cdot s$

还可能发生下面的反应:

(3) $NO + NO_2 + H_2O \longrightarrow 2HNO_2$ $k = 4.4 \times 10^{-40} \, cm^3/mol \cdot s$

从上面反应的 k 值(所列为最低值,实际数值可能要大 1~2 个数量级)可见,反应(2)是相当快的,反应(1)由于 NO_2 的水溶性较好,当 NO_2 的气液传质足够快时,此反应的作用也不能忽视。反应(3)则是一个夜间形成 HNO_2 的反应。

在白天的日光照射下,污染大气中的 ·OH 自由基和 HO_2· 自由基能将 NO_2 和 NO 氧化成 HNO_3 和 HNO_2。

(4) $HO · + NO_2 \xrightarrow{M} HNO_3$

(5) $HO · + NO \longrightarrow HNO_2$

(6) $HO_2 · + NO_2 \longrightarrow HNO_2 + O_2$

由于 HNO_2 又是重要的光吸收物质,会因光解而除去:

$$HNO_2 + h\upsilon \longrightarrow · OH + NO \qquad k = 6.45 \times 10^{-4}/s$$

从 k 值可知,其光解反应速度相当快,故白天 HNO_2 在大气中的停留时间只有 10~20 分钟。因此上述反应只有在夜间发生,才能形成 HNO_2。

上述反应生成的 HNO_2 和 HNO_3 是大气中 NO_x 的重要归宿,可以通过颗粒物吸附和降水、雨刷(rain wash)过程带到地面。

第八节　光化学烟雾

8.1　大气中的碳氢化合物

全球碳氢化合物(用 HC 表示)(hydrocarbon)每年的总产生量中,天然源几乎占了95％以上。其中最重要的是天然来源的 CH_4,约占84％,主要来源于厌氧细菌的发酵过程,如水稻田底有机质的分解释放、原油和天然气的泄漏等,其中尤以前者量为最大(见表2−13),其次是植物排出的萜烯化合物[①](占9.15％)。人为源仅占总排出的5％以下,其五大来源为:汽油燃烧(38.5％),有机物品焚烧(28.3％),溶剂蒸发(11.3％),石油蒸发和运输损耗(8.8％),提炼废物(7.1％)。

表 2−13　大气中的甲烷来源

来　　　源	数量(10^6 吨/年,碳)
反刍动物	70～100
稻田释放	70～100
沼泽地/湿地	25～70
海洋湖泊与其他生物活动场	15～35
燃烧沼气	55～100
煤矿释放	35
其他来源	1～2
合计	300～550

UNEP, Environ, Data Report, 1989

汽车废气排出的 HC 数以百(种)计,但主要是排放量相当的两类:烃类和醛类。烃类如甲烷、乙烯、乙炔、丙烯、丁烷等;醛类如甲醛、乙醛、丙醛、丙烯醛和苯甲醛等。此外还有少量芳烃和微量多环芳烃致癌物如苯并[a]芘等。

由于 CH_4 的天然排放量大,其全球平均含量高达 1.4 mg/L。其他烷烃、烯烃、芳烃、醛类等均为 μg/L 级。城市污染空气中的碳氢化合物含量除 CH_4 外大多超过背景值两个数量级。

一般碳氢化合物对人的毒性不大但一些化学活性较大的物质,如 HC 中的烯烃以及醛类等,它们在空气中的反应可能形成危害较大的光化学烟雾。

HC 从大气中去除的途径主要有土壤微生物活动,植被的化学反应、吸收和消化,对流层和平流层中的化学反应以及向颗粒物转化等。

---

① 萜烯(terpene):链状或环状烯烃类有机物,通式为$(C_5H_8)_n$,有多种异构体。自然界中萜烯广泛存在于植物中,并向大气散发。最普通的有松萜(即蒎烯,松树和松节油的主要成分)。萜烯具有两个或两个以上的双键,是大气中活性很强的碳氢化合物,能与·OH 或 O_3 等氧化剂迅速反应,生成颗粒态的气溶胶。

8.2 臭氧和光化学氧化剂

光化学氧化剂(photochemical oxidants)是由排入大气的一次污染物(NO 和 HC),在阳光作用下经一系列反应生成的二次污染物,主要包括 O_3、NO_2、过氧化氢、过氧自由基和过氧乙酰硝酸酯(PAN)等能使碘化钾溶液释放出碘分子的氧化性物质。O_3 是它们的代表,一般约占光化学氧化剂总量的 90% 以上,故常以其浓度表示光化学氧化剂的总量。

$$CH_3-\overset{\overset{O}{\|}}{C}-O-O-NO_2$$

(PAN)
(过氧乙酰硝酸酯)
(peroxyacetyl nitrate)

$$\overset{\overset{O}{\|}}{C_6H_5-C}-O-O-NO_2$$

(PBN)
(过氧苯酰硝酸酯)
(peroxybenzoyl nitrate)

O_3 在大气中的背景浓度一般在 $0.01\sim0.06$ mg/L 范围,当发生光化学烟雾时,浓度可达 $0.2\sim0.5$ mg/L,这已是一个可以伤害人类健康及生物生存的危险浓度。

O_3 对人类的危害,主要伤害人的气管及肺部,对心脏及脑组织也有一定影响。O_3 等氧化剂还对物质材料造成损害,如使橡胶老化脆裂、降低强度,使染料褪色,使织物、纸张等发脆。臭氧和 PAN 还可使植物受害。

O_3 在大气中的停留时间约为 0.25 年,依靠在植被、土壤、雪和海洋表面的化学反应而被清除。

8.3 光化学烟雾形成的化学特征

大气中的氮氧化物(NO_x)和碳氢化合物(HC)等一次污染物在阳光照射下发生一系列光化学反应,生成 O_3、过氧乙酰硝酸酯、高活性自由基、醛类、酮类和有机酸类等二次污染物。人们把参与反应过程的这些一次污染物和二次污染物的混合物(气体和颗粒物)所形成的烟雾污染现象,称为光化学烟雾(photochemical smog)。

光化学烟雾最初是在美国洛杉矶发现的。洛杉矶三面环山一面环海,容易形成逆温层,使大气污染物难以扩散,且光照强烈,加上工业、交通运输发达,大气污染严重,1946年在这里发生了首次光化学烟雾污染事件。20 世纪 50 年代以来,在日本、加拿大、联邦德国、澳大利亚、荷兰、美国的一些城市及我国的兰州西固地区也都发生过光化学烟雾污染事件。

光化学烟雾是在强日光、低湿度条件下形成的一种强氧化性和刺激性的烟雾。一般发生在相对湿度较低的夏季晴天,高峰出现在中午或刚过中午,夜间消失。光化学烟雾呈白色雾状(有时带紫色或黄褐色),使大气能见度降低并且具有特殊的刺激气味。光化学烟雾中的臭氧、PAN、甲醛和丙烯醛等,刺激眼睛和喉咙黏膜,引起头痛和呼吸道疾病,严重的会危及生命,而且烟雾具氧化性,还能危害植物,使橡胶开裂,金属腐蚀等。光化学烟雾的形成受气候条件、地理条件及污染物的连续排放情况及化学反应性质多种因素的影响。

表 2-14　伦敦型烟雾与洛杉矶型烟雾的比较

		伦　　敦　　型	洛　　杉　　矶　　型
概况 污染源 污染物 燃料		发生较早(1873 年),已出现多次 工厂、家庭取暖燃烧煤炭时排放 颗粒物、SO_2、CO_2、硫酸酸雾等 煤、燃料油	发生较晚(1946 年),有光化学反应发生 汽车排气为主 HC、NO_x、O_3、PAN、醛、酮等 汽油、煤气、石油
气候 条件	季节 温度 湿度 日光	冬 低($-1\sim4℃$) 高(85%以上) 弱	夏、秋 高($24\sim32℃$) 低(70%以下) 强
臭氧浓度 出现时间 视野 毒性		低 白天夜间连续 $0.8\sim1.6$ km 以内 对呼吸道有刺激作用,严重时可致死亡	高 白天 <100 m 对眼和呼吸道有刺激作用,O_3 等氧化剂有 强氧化作用,严重时可致死

李惕川,《环境化学》,中国环境科学出版社,1990

　　美国加利福尼亚大学生物有机化学教授哈根–斯密特(Haggen-Smit)1951 年 9 月在第十二次国际应用化学会议上首先提出光化学烟雾形成的理论。他认为洛杉矶烟雾主要是由汽车排放尾气中的碳氢化合物(HC)和 NO_2 在强阳光作用下发生光化学反应而形成的。随之对洛杉矶污染大气化学成分的变化规律进行了实际测定和人工模拟实验。

　　由于光化学烟雾是发生在开放而复杂的自然大气体系中,其影响因素如气象条件、地理形势、污染物的连续排放状况以及大气中发生的化学反应都会影响它的发生,为了了解大气环境中所发生的化学反应,环境工作者在实验室中利用烟雾箱(smog chambers),以紫外线辐照初始污染物(如氮氧化物和烃)来模拟大气化学反应过程,图 2-8 即为根据美国环境保护局的 S. L. Kopczynski 在烟雾箱进行的实验数据所绘制的各种气态物质在空气中的浓度随照射时间变化示意图。

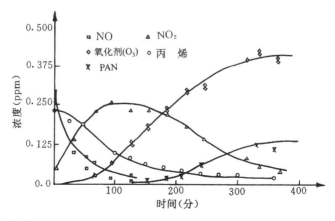

图 2-8　烟雾箱中各种气态物质在空气中的浓度随照射时间变化示意图

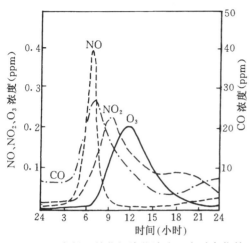

图 2 - 9 洛杉矶某些污染物浓度一小时变化的实测情况(1965 年 7 月 19 日)

既然汽车尾气是光化学烟雾的主要污染源,因此,可以预料在某种程度上污染水平应与交通量有关。图 2 - 9 是洛杉矶 1965 年 7 月 19 日一天之内,某些一次及二次污染物每隔一小时的实测含量变化情况。

由图上明显可见到,污染物的浓度变化与交通量和日照等气象条件有密切关系。CO 和 NO 的浓度最大值出现在上午 7 时左右,即一天中车辆来往最频繁的时刻,HC 的浓度也有类似的变化(图上未标出)。值得注意的是 NO_2 的高峰值要比 NO、CO 的高峰值推迟了 3 小时,而 O_3 峰值推迟 5 小时出现。同时 NO 和 CO 的浓度随之相应降低,这说明 NO_2 和 O_3 并非一次污染物,而是日光照射下光化学作用产生的二次污染物,傍晚车辆虽也较频繁,但 NO_2 和 O_3 却不再出现明显峰值,这是由于阳光太弱,已不足以发生光化学反应而生成烟雾了。

由图 2 - 8 与图 2 - 9 可见,尽管后者还有气象因素和污染连续源的影响,但两者所发生的化学反应过程是类似的,即 NO_2 的分解,NO 被氧化,HC 的氧化,O_3、PAN 等氧化剂的生成,是光化学烟雾形成过程的基本化学特征。

8.4 光化学烟雾形成的反应机制

发生在实际大气中的化学反应要远为复杂得多,但通过光化学烟雾模拟实验,可以初步确定在光化学烟雾形成过程中,HC 和 NO_x 相互作用主要包含有以下基本反应过程:

(1) NO_2 的光解是光化学烟雾形成的主要起始反应(提供自由基,引发链式反应)。

$$NO_2 + h\upsilon \longrightarrow NO + O \qquad\qquad (1)$$

$$O + O_2 \longrightarrow O_3 \qquad\qquad (2)$$

但此时产生的 O_3 要消耗在氧化 NO 上而无剩余,因此没有积累起来。

$$NO + O_3 \longrightarrow NO_2 + O_2 \qquad\qquad (3)$$

所以要产生光化学烟雾就需要有碳氢化合物。

(2) 碳氢化合物(HC)、一氧化碳(CO)被 · OH、O、O_3 等氧化,产生醛、酮、醇、酸等产物以及重要的中间产物——RO_2 ·、HO_2 ·、RCO · 等自由基。

$$HC + O \xrightarrow{O_2} RO_2 · \qquad\qquad (4)$$

$$HC + O_3 \longrightarrow RO_2 · \qquad\qquad (5)$$

$$HC + · OH \xrightarrow{O_2} RO_2 · \qquad\qquad (6)$$

以丙烯的氧化为例：

$$CH_3CH = CH_2 \xrightarrow[\substack{O \\ O_2 \\ \cdot OH}]{} \begin{cases} CH_3CH_2CHO + CH_3CH_2 \cdot + HCO \cdot \xrightarrow{O_2} CH_3CH_2O_2 \cdot \\ HCHO + CH_3CHOO \cdot \\ CH_3CH(OH)CH_2 + CH_3CHOHCH_2O_2 \cdot \end{cases}$$

（3）过氧自由基引起 NO 向 NO_2 转化，并导致 O_3 和 PAN 等氧化剂的生成，自由基的传递形成稳定的最终产物，使自由基消除而终止反应。

$$RO_2 \cdot + NO \longrightarrow NO_2 + RO \cdot \quad (RO_2 \cdot 包括 HO_2 \cdot) \quad (7)$$

由于上述反应（7）使 NO 快速氧化成 NO_2，从而加速 NO_2 光解［反应（1）］，使二次污染物 O_3 不断积累［反应（2）］。由于此时 O_3 不再消耗在氧化 NO 上，故在大气中 O_3 浓度大为增加。

$$\cdot OH + NO \longrightarrow HNO_2 \qquad\qquad (8)$$

$$\cdot OH + NO_2 \longrightarrow HNO_3 \qquad\qquad (9)$$

$$RO_2 \cdot + NO_2 \longrightarrow PAN \qquad\qquad (10)$$

由 $RO_2 \cdot$（如丙烯与 O_3 反应生成的双自由基 CH_3CHOO）与 O_2 和 NO_2 相继反应生成过氧乙酰硝酸酯（PAN）类物质。

$$CH_3—CH—O—O + O_2 \longrightarrow CH_3—CO—O—O \cdot + \cdot OH$$

$$CH_3—CO—O—O \cdot + NO_2 \longrightarrow CH_3—CO—O—O—NO_2(PAN)$$

产生主要光化学污染物（NO_2、O_3、醛类、PAN 等）的上述基本化学反应，可以认为是大大简化了的光化学烟雾形成的反应机理。

依照上面的机理，对城市的光化学烟雾的形成可作如下的解释：清晨，有污染源及汽车排出的 NO_x 和 HC 化合物存在于大气中，由于 NO 在黑夜里已经进行氧化，日出后有一部分 NO_2 存在于大气中，NO_2 光解产生 O，随后一系列反应相继发生，产生 O、O_3 及 $\cdot OH$ 自由基，这三种物质可以使 HC 氧化生成许多自由基，其中大部分生成过氧自由基（ROO $\cdot$、ROCOO $\cdot$），将 NO 转变为 NO_2，自由基的产生代替了 O_3，使 NO 转变成 NO_2，这样 O_3 不再消耗，而愈积愈多，O、O_3 与 NO 参与 HC 的光化学反应，生成一系列二次污染物，如醛类、PAN 等，与一次污染物混合形成光化学烟雾。

当 CO 以 100 ppm 或更大浓度存在时，已发现它能加速 NO 氧化为 NO_2 的过程，促进光化学烟雾的生成，反应可以如下方式进行：

$$\cdot OH + CO \longrightarrow CO_2 + H \cdot$$

$$H \cdot + O_2 + M \longrightarrow HO_2 \cdot + M$$

$$HO_2 \cdot + NO \longrightarrow NO_2 + \cdot OH$$

即 CO 与大气中的羟基自由基反应,增加了产生光化学烟雾的初始污染物的水平,间接地促成光化学烟雾的形成。然而,由于大气环境中 CO 的浓度一般仅有 5～30 ppm 左右,所以 CO 对光化学烟雾生成的影响不是很大。

8.5 光化学烟雾的控制

1. 控制汽车废气的排放

控制和降低机动车废气中的 NO_x 和 HC 的含量。

选择合适的催化剂使废气中的 NO、CO 及 HC 经催化反应生成无害的 N_2、CO_2 及 H_2O 排放:

$$2NO + CO \longrightarrow N_2O + CO_2$$

$$N_2O + CO \longrightarrow N_2 + CO_2$$

催化还原,常用催化剂有贵金属 Pt、Pd、Ru 等和金属氧化物 Fe_2O_3、CoO、Cr_2O_3(经高温处理)等。

$$HC + O_2 \longrightarrow CO_2 + H_2O$$

$$2CO + O_2 \longrightarrow 2CO_2$$

催化氧化,常用催化剂有 Pd、Pt、Ru、Co、Ni、Cu、CuO、$CuCrO_4$ 等。

2. 使用化学抑制剂

通过使用能消除 $\cdot OH$ 自由基的化学抑制剂(depressant)(捕捉剂)使反应链受到抑制,从而抑制光化学烟雾的生成。近年来,已有多种化学试剂试用,如苯胺、苯酚、二苯胺、苯甲醛、三苯基甲烷等,其中以二乙基羟胺 $[(C_2H_5)_2NOH]$ 效果最好,反应为:

$$(C_2H_5)_2NOH + \cdot OH \longrightarrow (C_2H_5)_2NO + H_2O$$

然而,对抑制剂的使用目前尚存在不同意见,主要是:抑制剂本身及其产物是否对动、植物有害而造成进一步污染;暂时的抑制是否会把污染物转移到下风地区;某些情况下会否生成气溶胶等。

第九节　酸　雨

酸沉降(acid deposition)是指酸性物质从大气中迁移到地表的过程,它可以分为干沉降和湿沉降两种途经。酸性湿沉降又称为大气酸性降水,酸雨(acid rain)就是大气中的酸性物质的湿沉降而形成的。大气中的化学物质随降雨到达地面后会对地表的物质平衡产生各种影响,因而降水的组成及化学性质很早就引起了人们的注意,随着大气污染的加剧,酸雨已成为大气污染的重要特征,是当代全球的环境问题之一。西欧、北美一带尤为严重,我国南方城市也普遍发现雨水酸度偏高。

2004 年中国环境状况公报指出：我国酸雨区域分布范围基本稳定,2004 年降水年均 pH 小于 5.6(酸雨)的城市主要分布在华中、西南、华东和华南地区。华中酸雨区污染最为严重,降水年均 pH 值(≤5.6)为酸雨的城市占 58.3％,酸雨频率大于 80％的城市比例达21.4％。湖南和江西是华中酸雨区酸雨污染最严重的区域。华南酸雨区主要分布在广东以珠江三角洲为中心的东南部和广西东部。降水年均 pH 值小于 5.6 的城市比例为 58.9％,与上年相比,华南地区酸雨污染加重。西南酸雨区以四川的宜宾、南充,贵州的遵义和重庆为中心,降水年均 pH 值小于 5.6 的城市比例为 49.0％;与上年相比,酸雨污染有所缓和。华东酸雨区分布范围较广,覆盖江苏省南部、浙江全省、福建沿海地区和上海。高酸雨频率(≥80％)和高酸度降水(pH≤4.5)的城市比例仅次于华中酸雨区,分别为 21.0％和 14.6％。北方城市中的北京,天津,河北的秦皇岛和承德,山西的侯马,辽宁的大连、丹东、锦州、阜新、铁岭、葫芦岛,吉林的图们,陕西的渭南和商洛,甘肃的金昌降水年均 pH 小于 5.6。(见图 2－10,资料来源于 2004 年《中国环境状况公报》。)

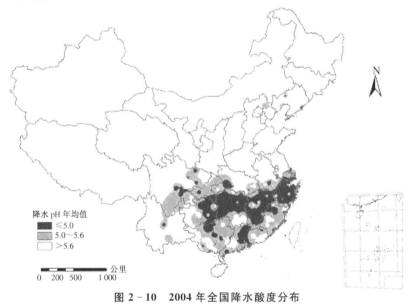

图 2－10　2004 年全国降水酸度分布

9.1　降水的酸度

降雨的酸化程度通常用 pH 来表示。一般来说,天然降雨都偏酸性,pH 约为 6～7 左右,这是因为大气中的 CO_2 溶于洁净雨水中而部分形成碳酸的缘故:

$$CO_2(g) + H_2O \Longrightarrow H_2CO_3 \Longrightarrow H^+ + HCO_3^-$$

在 101.3 kPa 和 25℃时,大气中 CO_2(浓度为 350 ppm)在水滴中所产生的最低 pH 为 5.6,所以 pH 在 6～7 之间可以反映天然降水本底状况。

然而即使在未受人类活动影响的天然条件下,由于大气中除了二氧化碳外,还存在着其他酸性和碱性物质,地球上不同地区的降水 pH 有可能高于或低于 5.6。

天然降水的微弱酸性可使土壤的养分溶解,供生物吸收,这是有利于人类环境的。而 pH

小于 5.6 的酸性降水即酸雨,却会对自然生态产生不利影响。

9.2 酸雨的形成

酸雨的形成是一个复杂的大气物理和大气化学过程。包括雨水凝结核的形成、水蒸气的凝结。云和雨滴的形成过程中还涉及化学物质(颗粒物和微量气体)的迁移和转化反应,包括雨除(rain out)和雨刷(rain wash)过程。雨除是指云形成过程中与细小颗粒物凝结,长大而成为雨滴的过程。雨刷是指在雨滴下降过程中冲刷着所经过的空气柱内的气体和颗粒物质,将其带至地表的过程。

经雨除和雨刷过程,使雨水中含有多种无机酸和有机酸,90％以上是 H_2SO_4 和 HNO_3,国外的酸雨中 H_2SO_4 含量比 HNO_3 多一倍以上,我国酸雨中 H_2SO_4 含量更高,主要呈硫酸型酸雨,这与我国以燃烧煤为主的能源结构有关。由于煤中还含有氯化物,燃烧时会以氯化氢形式释放出来,进入雨水后就成为盐酸,但总的来说,盐酸对酸雨的贡献是很小的。影响雨水的酸度的另一因素是有机酸,如甲酸、乙酸、乳酸、柠檬酸等,在世界上个别地区,如委内瑞拉的圣卡洛斯(San Carlos),有机酸的贡献达 65％,澳大利亚北部的凯瑟琳(Katherine),有机酸的贡献也达 40％。有机酸的来源是大气中的醛类,如大气中的甲烷可氧化成甲醛,甲醛再进一步氧化成甲酸:

$$CH_4 + HO \cdot \longrightarrow \cdot CH_3 + H_2O \longrightarrow HCHO \longrightarrow HCOOH$$

表 2 - 15 反映了美国纽约州依萨加地区雨水样品中各种酸对自由酸度的贡献,可以说有机酸对雨水 pH 的贡献是不大的。

表 2 - 15 雨水中各种酸对自由酸度的贡献

酸 类	浓度(ppm)	H^+ ($\mu mol/L$)
H_2CO_3	0.62	0
NH_4^+	0.92	0
Al(溶解)	0.05	0
Fe(溶解)	0.04	0
Mn(溶解)	0.005	0
总有机酸	0.34	2.4
HNO_3	4.40	39
H_2SO_4	5.10	57
总 和		98.4

注:雨水样品 pH = 4.01

张光华、赵殿华,《酸雨》,中国环境科学出版社,1989

硫酸和硝酸主要由人为排放的 SO_2 和 NO_x 转化而成。

SO_2 在气体或液滴中氧化成硫酸,其反应(详见硫氧化物一节)可简单表示如下:

气体中　　　　　$SO_2 + 2 \cdot OH \longrightarrow H_2SO_4$

云雾水滴中　$SO_2 + H_2O \longrightarrow H_2SO_3 \xrightarrow[O_3, H_2O_2]{O_2} H_2SO_4$

NO_x 在大气和云雾滴中转化为 HNO_3（见氮氧化物一节）的主要反应表示如下：

$$NO \longrightarrow NO_2 \xrightarrow{\cdot OH} HNO_2 + HNO_3$$

人为和天然排入大气的许多气态或固态物质,对酸雨的形成也会产生多种影响,颗粒物中的 Mn^{2+} 和 Fe^{2+} 是成酸反应的催化剂。光化学反应生成的 O_3 和 H_2O_2 是 SO_2 的氧化剂。飞灰中的 CaO,土壤中的 $CaCO_3$,天然和人为来源的 NH_3 以及其他阳离子,可与酸反应而使酸中和。因此降水的水质与降水中的化学组成和离子平衡密切相关。

9.3　降水的化学组成和离子平衡

由于雨水中除含有阴离子外,还有从空气洗涤进来的各种阳离子。故雨水的酸度（pH值）取决于阴阳离子的相对含量。为了研究酸雨的来源和形成,必须了解酸雨的化学组成,单从 pH 值大小不能完全反映降水水质情况或大气中 SO_2 和 NO_x 的污染情况,更重要的是要知道降水的离子组成。

国内外的测定结果都表明降水中主要存在以下几种离子。

阴离子：SO_4^{2-}、NO_3^-、HCO_3^-、Cl^-

阳离子：H^+、NH_4^+、K^+、Mg^{2+}、Ca^{2+}、Na^+

北欧监测网 20 多年测定结果（表 2-16）表明,中、北欧地区降水中的化学组成,水中主要的阴离子是 SO_4^{2-},其次是 NO_3^- 和 Cl^-,主要的阳离子是 H^+ 和 NH_4^+ 以及 Na^+、Mg^{2+}、Ca^{2+} 等。

表 2-16　中、北欧降水中的主要成分及其浓度（$\mu N/L$）

	阴　离　子			阳　离　子					
离　子	SO_4^{2-}	NO_3^-	Cl^-	H^+	NH_4^+	Na^+	K^+	Ca^{2+}	Mg^{2+}
浓　度	69	31	18	52	31	15	3	13	7
总　计	118			121					

李惕川,《环境化学》,中国环境科学出版社,1990

K^+、Mg^{2+}、Ca^{2+} 主要来自土壤中的碳酸盐,建筑业和燃料也是重要的来源。Na^+ 和 Cl^- 主要来自海洋,故通常情况下,它们在大气中的含量相当接近。NH_4^+ 的来源是大气中的气态 NH_3。NH_3 对酸雨的形成有着重要影响,大气中的 NH_3 易溶于水,形成 NH_4^+ 和 OH^-。可使雨雪的 pH 升高,并进而影响二氧化硫的溶解和氧化速率。大气中的气态 NH_3 在有水分的条件下,可直接与二氧化硫反应生成硫酸铵和亚硫酸铵,使酸性降水得到中和。NH_3 的来源主要是土壤中的生物活动过程,含氮肥料挥发、动物和人类排泄物也是重要来源,此外,矿物燃料燃烧和城市生活污水分解物也是来源之一。土壤中的 NH_3 挥发量随 pH 值增大而上升,我国土壤 pH 值北高南低,因而大气中 NH_3 的含量和降水中的 NH_4^+ 浓度也显示这一趋势。

大气中 CO_2 与水具有如下反应:

$$CO_2 + H_2O \rightleftharpoons H^+ + HCO_3^-$$

如果 H^+ 浓度增大,平衡向左移动,此时消耗 H^+,延缓 pH 的降低,到 pH 为 5.0 左右时,HCO_3^- 本身将被消耗殆尽。因此,在 pH < 5 的情况下,HCO_3^- 含量接近于 0。

在近中性或碱性溶液中,HCO_3^- 可阻止溶液碱性的增强,由前已知:

$$[H^+][HCO_3^-] = 10^{-11.31}$$

$$[H^+][OH^-] = 10^{-14}$$

则　　$[HCO_3^-]/[OH^-] = 10^{14} \times 10^{-11.31} = 490$

这表明与大气 CO_2 平衡的 HCO_3^- 浓度为 OH^- 浓度的 490 倍。这就是为什么酸雨较常见而"碱雨"却不多见的原因。燃煤生成的碱性氧化物 CaO、MgO 等,遇水生成 OH^-,然后迅速与 CO_2 反应生成 HCO_3^-,从而阻止了强碱性降雨的发生。

由于雨水呈电中性,因而其中阳离子 $[H^+]$、$[NH_4^+]$、$[K^+]$、$[Mg^{2+}]$、$[Ca^{2+}]$、$[Na^+]$ 和阴离子 $[SO_4^{2-}]$、$[NO_3^-]$、$[HCO_3^-]$、$[Cl^-]$ 必须保持物料和电荷的基本平衡。

降水中的氢离子浓度与阳离子和阴离子的浓度有关,当阴离子浓度大于阳离子浓度时,降水的氢离子含量增高,pH 降低,形成酸雨。

大气中 SO_2 和 NO_x 的浓度高时,降水中 SO_4^{2-} 和 NO_3^- 的浓度也高,可由 SO_4^{2-} 和 NO_3^- 的浓度比值表明污染类型。这种污染使降水酸化,但由于碱性物质的中和作用,在 SO_4^{2-} 和 NO_3^- 浓度较高时,也可能不表现为酸雨,甚至降水可能呈碱性。相反,即使大气中 SO_2 和 NO_x 浓度不算高,但能与之中和的碱性物质相对更少,则降水仍然会有较高的酸度。

我国北方气候干燥,土壤多属碱性,这些碱性土壤中的碱性微粒易被风刮到空中,对雨水的酸性起中和作用。南方气候湿润,土壤多呈酸性,因而空气中缺少碱性微粒,对酸中和能力较低。这可能就是我国南方酸雨多而北方酸雨较少的重要原因之一。

表 2 - 17　雨水酸度和化学成分及其浓度

地点	酸度(pH)	阴离子(ppm)		阳离子(ppm)	
		SO_4^{2-}	NO_3^-	Ca^{2+}	NH_4^+
重庆	4.12	13.29	1.39	1.53	1.21
北京	6~7	11.11	3.12	3.68	2.34
瑞典	4.3	3.4	1.9	0.28	0.56
美国	3.92	6.0	2.4	0.3	0.2

李愓川,《环境化学》,中国环境科学出版社,1990

　　重庆雨水中阴离子含量比北京要少,但阳离子含量比北京相对更少。同样,瑞典降水中阴离子比中国低得多,但阳离子低得更多。基于上述阳离子的影响,不难设想,这是降雨的 pH 值和 SO_4^{2-} 浓度之间找不出良好相关性的原因之一。

　　同样能说明问题的是表 2-18 的数据。

表 2-18　大气酸沉降地区降水的平均化学成分及其浓度

地　　点	时　　间	pH	化学成分及其浓度(mol/L)								
			SO_4^{2-}	NO_3^-	Cl^-	NH_4^+	Ca^{2+}	Mg^{2+}	K^+	Na^+	H^+
瑞典 Sjoangen	1973~1975	4.30	34.5	31	18	31	6.5	3.5	3	15	52
美国 Hubbard Brook	1978~1979	3.94	55	50	12	22	5	16	2	6	114
荷兰 Oad Mude	1983	4.56	185	76	127	168	55	30	7.1	124	—
加拿大安大略	—	4.96	45	18.5	9.9	20.9	11.3	4.8	3.3	8.3	10.9
中国贵阳市区	1982~1984	4.07	205.5	21	8.2	78.9	115.6	28.3	26.4	10.1	84.5
中国广州市区	1985~1986	4.78	137.4	23.9	39.4	85.4	98.4	8.7	22.6	25.7	16.7
中国重庆市区	1985~1986	4.29	164	29.9	25.2	153.2	135.2	31.4	7.8	14.7	51.4

李天杰,《土壤环境学》,高等教育出版社,1996

　　应当指出,我国酸雨的形成与 SO_2 的浓度及转化条件有关。西南地区大多使用高硫煤(含硫 5% 左右),因此 SO_2 的排放量很高。重庆市耗煤量只及北京的三分之一,但每年排放的 SO_2 为 50 万吨,是北京的 2 倍。加上土质呈酸性,大气中阳离子较少,这就使西南地区大面积成为强酸雨区。

　　美国里肯斯(G. Likens)认为,美国酸雨的发展,不是因为二氧化硫排放量增加(实际上是在减少),而是因为烟气降尘工艺的普及使排放的阳离子大幅度减少。从美国伊利诺斯州的降水化学组成数据(表 2-19)可以看出降水酸化的主要原因是钙镁含量降低,如果 1954 年与 1977 年的钙镁含量相等,则降水 pH 将为 4.17 而非 6.05。

表 2-19　美国伊利诺斯州 CMI 站降水离子含量(中值,μ N/L)

年　　份	SO_4^{2-}	NO_3^-	$Ca^{2+} + Mg^{2+}$	pH
1954	60	20	82	6.05
1977	70	30	10	4.1

张光华、赵殿华,《酸雨》,中国环境科学出版社,1989

　　我国目前绝大多数采用低烟囱排放,污染物不易扩散开去,因此,各地酸雨主要由局部源造成。国外已普遍采用 200 m 左右的高烟囱排放,利用大气的扩散和自净能力,减轻了局部地区的污染。但是进入大气圈中的污染物数量并未减少,污染物长距离传输,转嫁于人,甚至引起国际纠纷(如加拿大来自美国的酸雨,瑞典来自英国、德国的酸雨)造成全球性或地区性大气污染。

9.4　酸雨的危害

酸雨对环境有多方面的危害：

使河流、湖泊等地表水酸化，污染饮用水源，危害渔业生产（水体 pH 值小于 4.8 时鱼类就无法生存）。

使土壤酸化。酸雨能使土壤中铝离子增多，致使植物受害而生长不良，并能从土壤胶体中置换出其他盐基性离子，并使之遭受淋溶损失而加速土壤的酸化，损害农作物和林木生长，特别对于我国南方酸性土壤地带有更大危害性。在酸雨作用下土壤中 Ca、Mg、K 等盐类养分被淋溶，使土质日趋酸化，贫瘠化。土壤微生物固氮细菌一般生存在碱性、中性或微酸性的土壤中，过量酸雨的降落，造成土壤微生物生态系统的混乱，影响生物固氮。

腐蚀建筑物、工厂设备、文化古迹（建筑材料中含 $CaCO_3$）、油漆、皮革、金属和纺织品等。重庆嘉陵江大桥，其腐蚀速度为每年 0.16 mm，用于钢结构的维护费每年达 20 万元以上。

影响人类健康，硫酸雾和硫酸盐雾的毒性比 SO_2 要高 10 倍，其微粒可侵入人体的深部组织，引起肺水肿和肺硬化等疾病而导致死亡。当空气中含 0.8 mg/L 硫酸雾时，就会使人难受而致病。

饮用酸化的地面水和由于土壤渗入金属含量较高的地下水，食用酸化湖泊和河流中的鱼类对人体健康可能产生危害。在一般情况下，金属 Al 牢固地包裹在土壤中，不被水溶解，但酸雨使土壤中金属 Al 活化，以离子形式或其他易溶物形式流入江河湖泊，对淡水鱼产生危害，人食用后也有危害。在酸化的地下水中，Al、Cu、Zn 和 Cd 等离子的浓度常常比中性地下水高 1～2 个数量级，饮用水管道为酸性地下水腐蚀，将进一步使 Pb、Cu、Zn、Cd 离子等溶入水中，在人体积聚有害重金属。

影响地球气候。酸雨增强了地下水和地表水对石灰岩的溶蚀，间接地使大气中的二氧化碳浓度增大。据我国学者孙立广等估计，我国南方高硫燃料煤所形成的酸雨使石灰岩地区每年间接释放出 $(6.48 \sim 6.73) \times 10^{10}$ mol CO_2，从全球范围来看，受酸雨影响的石灰岩溶蚀量是温室气体 CO_2 的一个不容忽视的来源。

9.5　酸雨的防治

矿物燃料燃烧排放出来的硫氧化物、氮氧化物以及它们的盐类，是形成酸雨的主要原因，因此，减少硫氧化物和氮氧化物的排放量，是防止酸沉降的主要途径。

制定严格的大气环境质量标准，限制固定污染源和汽车污染源的排放量，加强排放控制。

调整能源结构，增加无污染或少污染的能源比例，发展太阳能、核能、水能、风能、地热能等不产生酸雨污染的能源。

积极开发利用煤炭的新技术，推广煤炭的净化技术、转化技术，改进燃煤技术，改进污染物控制技术，采取烟气脱硫、脱氮技术等重大措施。

加强大气污染的监测和科学研究，及时掌握大气中的硫氧化物和氮氧化物的排放和迁移状况，了解酸雨的时空变化情况和发展趋势，以便及时采取对策。

调整工业布局，改造污染严重的企业，改进生产技术，提高能源利用率，减少污染排放量。

第十节 大气中的碳化合物

大气中的碳化合物包括 CO_2 和 CO。

10.1 一氧化碳

据估计,CO 的世界总排放量中大部分为人为源,天然源占小部分。

天然源中的 CO 主要来自于生命有机物分解产生的甲烷,经大气中羟基自由基的氧化生成的 CO,其可能的反应为:

$$CH_4 + \cdot OH \longrightarrow \cdot CH_3 + H_2O$$

$$\cdot CH_3 + O_2 \longrightarrow HCHO + \cdot OH$$

$$HCHO + h\upsilon \longrightarrow CO + H_2$$

植物中叶绿素的分解,释放出相当量的 CO;另外,植物排放的萜烯,经 $\cdot OH$ 氧化,也能产生一定量的 CO;还有森林火灾、上层大气中 CH_4 的光化学氧化和 CO_2 的光解也是 CO 的重要天然源。

表 2-20 列出了全球 CO 的天然源和人为源。

表 2-20 大气中 CO 的来源

来　源	CO 释放量(10^6 t/y,以碳计算)	
	人　为　源	天　然　源
燃烧矿物燃料	190	—
烃类氧化	40	240
植物释放	—	60
燃烧薪柴	20	—
毁　林	160	—
燃烧草原	90	—
海洋释放	—	20
甲烷氧化	170	170
森林火灾	—	10
合　计	670	500

UNEP, Environ. Data Report,1989

表 2-21 汽车在不同行驶状况下 CO 排放浓度(%)

空　档	减　速	加　速	常　速
4.9	3.4	1.8	1.7

表 2－22　汽车尾气成分

成分 \ 状态　　　浓度	空　档	满　载	
		低　速	高　速
NO₂	0～50 ppm	10 000 ppm	40 000 ppm
CO₂	6.5%～8%(分子)	9%～11%(分子)	12%～13%(分子)
CO	3%～10%(分子)	3%～8%(分子)	1%～5%(分子)
H₂O	7%～10%(分子)	9%～11%(分子)	10%～11%(分子)
O₂	1%～1.5%(分子)	0.5%～2%(分子)	0.1%～0.4%(分子)
H₂	0.5%～4%(分子)	0.2%～1%(分子)	0.1%～0.2%(分子)
碳氢化合物	300～800 ppm	200～500 ppm	100～300 ppm

彭定一、林少宁,《大气污染及其控制》,中国环境科学出版社,1991

人为源主要是燃料的不完全燃烧。燃烧时空气供应不足,燃烧温度过低或过高,均能导致燃烧废气中 CO 浓度增高。而由汽车尾气中排放的 CO 量约占人为源的 55%,其浓度在 1% 以上。故汽车尾气造成的大气污染已引起世界各国的重视。

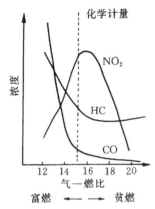

图 2－11　空气—燃料比与 CO 等的排放关系

R·A·贝利,H·M·克拉克,J·P·费里斯等,《环境化学》,武汉大学出版社,1987

对流层中 CO 的全球浓度为 0.1 ppm,由于城市的人为源集中,故浓度要高得多,约为 1～10 ppm,城市空气中 CO 含量与交通量有正比关系,有些交通路口的高峰值可达 50～100 ppm。

CO 能取代血红蛋白(hemoglobin)中的氧,生成碳氧血红蛋白:

$$O_2Hb + CO \longrightarrow COHb + O_2$$

其平衡常数约为 210。碳氧血红蛋白(carboxyhemoglobin)的生成,阻断了血红蛋白对人体氧气的输送,引起中枢神经系统功能损伤,导致呼吸衰竭而死亡。表 2－23 列出了持续接触不同浓度一氧化碳时对人的影响。

表 2－23　连续接触不同浓度一氧化碳时对人的影响

CO 浓度(ppm)	O₂Hb 转换成 COHb 的百分率	对人的影响
10	2	损伤判断力、视力和知觉
100	15	头痛、眩晕,疲倦
250	32	失去意识
750	60	几小时后死亡
1 000	66	迅速死亡

S. E. Manahan,《环境化学》,南开大学出版社,1993

Robbins 等曾证明大气中 CO 含量几世纪未变,说明人为源对背景 CO 水平的影响甚微,这一事实表明,大气中的 CO 有着巨大的消除途径。

CO 不溶于水,被雨水去除的可能性很小。

CO 被大气中浓度很低的氧化剂(O、O_3、NO_2 等)氧化成 CO_2 的速率极慢,也不可能产生重要影响。

CO 分子中碳氧元素间以三键结合,其强度很大,故 CO 反应需要很高的活化能,所以 CO $\longrightarrow CO_2$ 的生成速度较慢,并且只有在供氧充分时才能全部变成 CO_2,但若温度过高,又能使 CO_2 分解为 CO 和 O_2。

$$2C + O_2 \rightleftharpoons 2CO \tag{1}$$

$$2CO + O_2 \rightleftharpoons 2CO_2 \tag{2}$$

$$CO_2 \xrightarrow{\text{高温}} CO + \frac{1}{2}O_2 \tag{3}$$

从化学动力学角度考察,反应(1)较反应(2)快 10 倍左右。

有人发现土壤微生物(真菌)能大量地将 CO 转化为 CO_2,Jinman 证明其对 CO 的吸收转化能力为 $7.6\sim115\ mg/m^2 \cdot h$。

大气中的 CO 通过与 $\cdot OH$ 自由基和 $HO_2 \cdot$ 反应而被清除,也已得到证实。反应式如下:

$$CO + \cdot OH \longrightarrow CO_2 + H \cdot$$

$$H \cdot + O_2 + M \longrightarrow HO_2 \cdot + M$$

$$HO_2 \cdot + CO \longrightarrow HO \cdot + CO_2$$

$$HO_2 \cdot + NO \longrightarrow HO \cdot + NO_2$$

$$HO_2 \cdot + HO_2 \cdot \longrightarrow H_2O_2 + O_2$$

$$H_2O_2 + h\upsilon \longrightarrow 2HO \cdot$$

10.2　二氧化碳和温室效应

据统计,释放到大气中 CO_2 的 $5\%\sim20\%$ 来自土壤。土壤能通过微生物的作用净化吸收大气中的 CO_2。而冻土层土壤中的好氧微生物对土壤中有机物的分解,则是 CO_2 的主要来源。近十年中美国阿拉斯加地区每平方米冻土带表土每年向大气中释放 100 克 CO_2 气体,这是由于近年阿拉斯加冻土带表层土壤温度上升 $2\sim4℃$,部分表土解冻,使大量富含碳的有机物分解,造成冻土带和北部森林上空的 CO_2 浓度升高。

大气中大量的二氧化碳都来自于燃烧。

大多数大气污染问题是燃料燃烧的副作用引起的,如含硫杂质燃料燃烧排放出 SO_2 引起的烟雾事件及酸雨问题,燃料高温燃烧产生的 NO_x,以及燃料不完全燃烧产生的 HC 及 CO 引起的光化学烟雾事件等。

但是,即使我们能做到使燃料不含杂质,并能达到完全燃烧,也还要产生 CO_2。

$$燃料 + O_2 \longrightarrow CO_2 + H_2O + 能量$$

(上述反应式也适合于动植物的呼吸作用)

产生的 CO_2 一般有两个去除途径:

(1) 被水吸收,溶解在雨水、江河、湖泊和海洋里;

(2) 植物利用 CO_2 进行光合作用。

一般 CO_2 的产生与去除之间基本能达到平衡,使大气中的 CO_2 浓度保持在一定的范围之内。由于 CO_2 的化学不活泼性,残留在大气中的 CO_2 随大气的扩散作用而向全球扩散,使全球的 CO_2 含量几乎是同一个恒定值。

但是,这种平衡正在被打破。在全球循环中,二氧化碳的排放量大大超过海水及植被光合作用的吸收量,一方面,随着工业的发展,化工燃料的消耗量不断增加,CO_2 的年排放量随人口的不断增加,工业的迅猛发展而逐年增加;另一方面,由于酸雨对植物的危害以及人类的乱砍滥伐,全世界森林覆盖率不断下降,植物光合作用消耗的 CO_2 量减少。因此大气中的 CO_2 含量显逐年上升的趋势。

虽然大气 CO_2 浓度的增加,可能使海洋中溶解的 CO_2 量增加,破坏了海洋中原有的 CO_2 的溶解平衡,能使海水中 CO_2 的含量增加,pH 值下降,但由于海洋中石灰石的溶解,HCO_3^- 浓度增大:$H_2O + CO_2 + CaCO_3 \longrightarrow Ca^{2+} + 2HCO_3^-$,使平衡 $H_2O + CO_2 \Longleftrightarrow H^+ + HCO_3^-$ 向左移动,海水中游离 CO_2 的溶解量减少。

这样大气中 CO_2 浓度虽有增加,但海水 pH 值变化不大。其结果,大气 CO_2 每增加 10%,只能使海洋 CO_2 的浓度增加 1%。因此 CO_2 的产生与去除之间的自然平衡遭破坏,大气中 CO_2 的浓度正在以每年大约 0.2% 的平均速度增长不断增加,CO_2 在大气中的含量已从一个世纪前的 275 ppm 增加到 1980 年的 284 ppm,再增加到目前的 379 ppm。

二氧化碳是一种无毒的气体,对人体无显著危害作用,根据目前的了解,CO_2 积累所造成的短期危害并不明显,故被认为是非污染气体。但它却能改变大气的热平衡。大气中二氧化碳含量的增加不影响太阳辐射的可见光穿过大气层,但是由于 CO_2 和水蒸气一样,能吸收太阳的红外辐射(infrared radiation)及地球表面辐射到空间的红外辐射,阻止能量向空间散失,会引起近地面大气温度的增高。吸收地表红外辐射后的 CO_2 和 H_2O 同样再放出长波辐射,其中相当部分返回地表(逆辐射),形成多次辐射。这样,大部分长波辐射能被阻留在地表和大气下层,致使地表和大气下层的温度升高。大气中的 CO_2 和 H_2O 对近地层热散失的这种屏蔽作用犹如农业上的温室一样,故将这一现象称为温室效应(greenhouse effect),由此造成了全球气候变暖。

不是所有的气体分子和分子所有的振动方式都能吸收红外光的,只有那些使分子偶极矩(电荷分布)发生改变的振动,才能与能量相当的红外光子相互作用(交变电磁场间的极化作用)。显然,O_2、N_2、H_2 等非极性分子的振动没有偶极改变,因此不能吸收红外线。CO_2 的对称伸缩振动同样不吸收红外光,而非对称伸缩振动则能引起分子偶极矩改变,故可以吸收红外线,并使这种振动的振幅加大。水分子具有 C_{2v} 对称,它有一条二次旋转对称轴 C_2,因此水分子具有三种正常振动方式——对称伸缩振动、弯曲振动和非对称伸缩振动。与 CO_2 和水分子中的振动和转动方式有关的主要红外光谱频率见图 2-12。这就是前述低层大气中的 CO_2 和 H_2O 能吸收地表 800～20 000 nm 的长波辐射（红外线部分）而产生温室效应的原因。如果不存在大气层，地表的长波辐射无阻挡地射向太空，地表的平均温度据估算应该在 -20℃ 左右，而不是现在的 15℃ 左右。

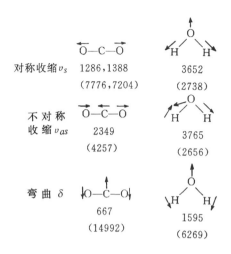

图 2-12　CO_2 和水分子中的振动和转动

G. S. Thomas，M. S. William，*Chemistry of the Environment*，
Prentice-Hall，Inc.，1996

　　地表红外线辐射的绝大部分（约 92%）都被低层大气中的 CO_2 和 H_2O 吸收（4～8 μm 和 13～20 μm 波长部分），仅有少部分红外线（约 8%）能透过大气进入太空。人们将不被大气吸收的 8～13 μm 波长区域形象地称为"大气窗"（atmospheric window）（见图 2-13）。有相当一

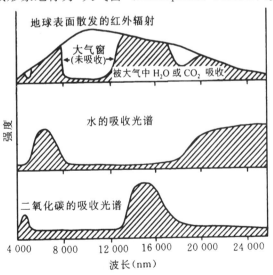

图 2-13　水和二氧化碳对红外辐射的吸收

G. S. Thomas，M. S. Willian，*Chemistry of the Environment*，Prentice-Hall，Inc.，1996

部分的地球长波辐射是从这一波段散失到宇宙空间去的。然而在这一波长范围内有 CH_4、NO_2、O_3等微量气体的吸收带,一旦大气中这些微量气体大量增加,即这一波长范围的地球长波辐射也将被大量吸收,地球大气窗关闭,则温室效应就会进一步加剧。

温室效应加剧导致地球表面温度上升,因而地球两极冰山和冰川开始融化,会使海平面上升,最终可能会使沿海城市和农田被淹没。气候变暖也会引起海洋温度升高,将促使强烈的热带风暴形成。全球气候的变化,必将破坏生态平衡,给人类带来灾难。

由于温室效应,CO_2的积累会使地球表面温度升高。据有人研究估算,CO_2的浓度每增加10%,将使地球表面平均温度升高 $0.3\sim0.5℃$,虽然温度增加不算多,但有可能使极地的冰冠融化,使海平面上升,某些陆地将被淹没。

10.3　其他温室气体和地球气候的变化

能够屏蔽地表热量辐射的气体种类很多。二氧化碳和水蒸气大约占有其中的一半。除了这两种气体之外,能够被称为温室气体的还有:甲烷、一氧化二氮、臭氧、二氧化硫、氟氯烃、碳氢化合物、醛类、氟化物、溴化物、氯化物、一氧化碳、各种含氮氧化合物和硫化物。20世纪80年代研究结果表明,各种温室气体对全球的温室效应所起作用的比例不同,其中CO_2的作用占55%,CFCs占24%、CH_4占15%、N_2O占6%。

表 2-24　由人类活动所产生的温室气体变化情况

	CO_2	CH_4	CFC-11	CFC-12	N_2O
在大气中浓度	ppmv	ppmv	pptv	pptv	ppbv
工业化前(1750～1800)	280	0.8	0	0	288
现在(1990)	353	1.72	280	484	310
目前年变化速率	1.8	0.015	9.5	17	0.8
年增长率	0.5%	0.9%	4%	4%	0.25%
在大气中寿命(年)	50～200	10	65	130	150
产生的温室效应(以 CO_2 为1)	1	21	12 400	15 800	206
主要去除过程	a	b	c	c	c

ppmv：parts per million by volume；ppbv：patrs per billion by volume；pptv：parts per trillion by volume.
a：地面水和深海水之间碳的慢交换
b：对流层中和羟基自由基的反应
c：平流层光解
Source：Draw from data and tables given in J. T. Houghton et al. eds. (1990). Climate Change：The IPCC Scientific assessment (Cambridge, UK：Cambridge University Press).

在人类的生产力还不发达的时候,气候变化主要是气候的自然波动。但是,随着工业革命的发生,人类活动影响气候变化的能力越来越大。对气候变化进行的权威性评估倾向于认为,最近50年的气候变化主要是由人类活动引起的。引起大气中温室气体浓度增加的主要是人类活动。这种影响主要分为两个方面:一方面是直接向大气排放温室气体,如化石燃料燃烧和生物质燃烧直接向大气排放二氧化碳、一氧化二氮等气体,工业生产过程中也会大量产生此类物质;另一方面,对森林大面积的砍伐使得吸收大气中二氧化碳的植物大为减少。

各种观测的记录表明,近百年来地球气候正经历着以全球变暖为主要特征的显著变化,并且,最近 100 年的温度是过去 1 000 年中最暖的,而最近 20 年,又是过去 100 年中最暖的。从 1860 年有气象仪器观测纪录以来,全球的平均温度已经升高了 $0.6\pm0.2℃$。自工业化(1750 年)以来,大气中温室气体浓度明显增加,大气中二氧化碳的浓度目前已达到 379 ppmv。最暖的 17 个年份均出现在 1983 年以后,20 世纪以来 1998 年最暖,2002 年和 2003 年分别为第二和第三暖年。20 世纪北半球温度的增幅可能是过去 1 000 年中最高的。降水分布也发生了变化,大陆地区尤其是中高纬地区降水增加,非洲等一些地区降水减少,有些地区极端天气气候事件(厄尔尼诺、干旱、洪涝、雷暴、冰雹、风暴、高温天气和沙尘暴等)出现的频率与强度增加。

南极、北极和青藏高原的冰川变化也印证了全球变暖这一科学事实。格陵兰冰盖表面消融区面积 1979～2002 年间平均增加了 16%,1992 年消融区面积最小。最近的模拟研究结果表明,如果格陵兰地区的年平均气温升高超过 3℃,格陵兰冰盖很可能消失,并引起全球海平面升高 7 m。南、北极海冰范围从 20 世纪 70 年代末开始快速缩小,但南极海冰在 20 世纪 90 年代后呈微弱上升。

气候变化的影响是多尺度、全方位、多层次的,正面和负面影响并存,但它的负面影响更受关注。

(1)气候变暖将对全球许多地区的自然生态系统和生物多样性产生严重的影响,如海平面升高、冰川退缩、冻土融化、河(湖)冰迟冻与早融、中高纬生长季节延长、动植物分布范围向极区和高海拔区延伸、某些动植物数量减少、一些植物开花期提前等等。自然生态系统由于适应能力有限,容易受到严重的甚至不可恢复的破坏。气候变化可能恶化某些本已濒临灭绝的物种的生存环境,对野生动植物的分布、数量、密度和行为产生直接的影响。此外,由于人类社会对土地的占用,生态系统无法进行自然的迁移,致使原生态系统内物种将出现重大损失。气候变化已经并将继续改变植被的组成、结构及生物量,使森林分布格局发生变化,生物多样性减少等等。植物的开花期与 200 年前相比有所提前,两栖动物等物种的种群数量正在大幅度下降,北美山区的松树甲虫等有害物种的数量却正在增加,南极地区海冰的消失导致艾德林企鹅种群数量下降,而海冰的迟冻早融,也使得北极熊很难有足够的时间完成脂肪的储存。

(2)气候变化是导致湖泊水位下降和面积萎缩的主要因子之一。气候变暖将导致地表径流、旱涝灾害频繁和一些地区的水质等发生变化,特别是水资源供需矛盾将更为突出。气候变化将引起降水的地区、时间以及年际之间分布更加不平衡,将会使许多已经受到水资源胁迫的国家更加困难。由于水温升高,一般来说淡水质量也会下降。融化的冰川会构成巨大威胁。因为冰川融化速度加快,无法起到缓和水流的水库的作用,造成这些地区旱季降雨很少,而雨季却很有可能造成洪水泛滥。气候变化对水短缺、水质量以及洪灾和旱灾的频度和强度的影响,都给水资源管理和洪水管理带来更大的挑战。

(3)海平面升高将影响海岸带和海洋生态系统。气候变化对海洋的影响包括海面温度上升、平均海平面上升、海冰融化增加、海水盐度、洋流、海浪状况发生变化。近百年来,全球海平面平均上升了 10～20 cm,我国海平面近 50 年呈明显上升趋势,上升的平均速率为每年约 0.26 cm,我国未来海平面还将继续上升,到 2050 年上升幅度为 6～26 cm,预计到 21 世纪末将达到 30～70 cm,这将使许多海岸区遭受洪水泛滥的机会增大,遭受风暴影响的程度、范围和严重性亦会加大,海岸受到更严重的侵蚀,沿海生态也将受到影响,如湿地和植被减少等。海洋生态系统受全球变暖的影响更大,海水温度变化以及某些洋流的潜在变化,可能引起涌升流发生区和鱼类聚集地的变化。

(4) 一些极端天气气候事件可能增加。与全球变暖关系密切的一些极端事件的发生频率和强度可能会增加。由这些极端事件引起的后果也会加剧。如干旱发生频率和强度的增加,将增大荒漠化或沙漠化的趋势。

(5) 农业生产的不稳定性增加,产量波动大。由于气候变化对降水、温度等因素的作用,农业生产布局和结构将出现变动。气候变暖将使作物种植制度发生较大的变化。农业生产条件改变,农业成本和投资大幅度增加。气候变暖后,土壤有机质的微生物分解将加快,造成地力下降、施肥量增加;农药的施用量将增大,投入增加。

(6) 引发某些对气候变化敏感的传染性疾病,如疟疾和登革热等;与高温热浪天气有关的疾病和死亡率也将增加。

(7) 气候变化将影响人类居住环境,尤其是江河流域和海岸带低地地区以及迅速发展的城镇,其受气候变化的最普遍、最直接的威胁是洪涝和滑坡。人居环境目前所面临的水和能源短缺、垃圾处理和交通等环境问题,也可能因高温、多雨而加剧。

(8) 气候变化对其他行业,如工业、旅游业、保险业等也会带来间接的影响,对国家安全也存在潜在的影响。

全球温室气体的排放最大部分来自发达国家。有关研究表明,大气中累积的二氧化碳排放 4/5 来源于发达国家,因森林砍伐造成的二氧化碳排放中 3/4 产生在发达国家。目前,人口占世界 24% 的发达国家消费着世界能源总量的 70%,其二氧化碳排放占全球排放总量的 60% 以上。其中,美国的排放总量占世界的 25% 左右,人均排放量达到 20 多吨,是世界人均的 5 倍多。近年来由此而引起的地球平均温度的升高,气候变暖以及灾害天气的频繁发生对地球生态系统和公众社会生活构成了严重的威胁。

为保护人类赖以生存的大气环境,联合国于 1992 年 5 月达成了《联合国气候变化框架公约》。该公约是人类社会应对气候变化、保护全球气候的第一部国际法律文书,奠定了国际社会共同应对气候变化的法律基石。在气候公约于 1994 年生效后,考虑到气候公约仅仅是一项框架条约,不具法律约束力,为更好地保护全球气候,实质性地减少全世界的温室气体排放总量,1997 年 12 月,在日本京都通过了《联合国气候变化框架公约京都议定书》。《议定书》是在《公约》之后又一个重要的法律文件,它在附件一中为发达国家规定了量化的减、限排温室气体的义务。《议定书》规定,主要的工业发达国家要在 2008～2012 年间将温室气体排放量在 1995 年排放水平的基础上削减 5.2%。

但是影响地球表面温度的因素是非常复杂的,其中,大气飘尘粒子散射太阳光影响地表气温也是一个相当重要的因素。有人提出,温度下降是由大气浑浊度增加引起的。当大气中另一类污染物——气溶胶颗粒物增加,由于其对入射太阳光的散射,使入射太阳能在达到地球表面之前被颗粒物重新反射回宇宙空间,即地球的有效反射率增加了。入射太阳能减少,因此地球温度下降。有人估算,若大气浑浊度从 37% 增加到 38%,地球平均温度将降低 1.7℃,如果浑浊度持续增加,将导致另一冰河期。

在 1945 年以前,随 CO_2 浓度升高,世界年平均温度持续上升,从 1880 年至 1940 年,年平均温度上升了 0.4℃,与温室效应理论一致。但从 1945 年以后,虽然大气中 CO_2 仍在增加,自 1940~1967 年地球表面温度反而下降 0.2℃。显然,这是由于有能够引起温度下降的,比"温室效应"更重要的因素存在。

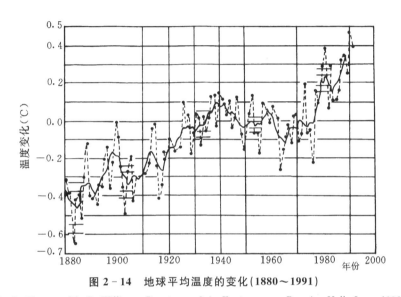

图 2-14　地球平均温度的变化(1880~1991)

G. S. Thomas, M. S. William, *Chemistry of the Environment*, Prentice-Hall, Inc., 1996

二氧化碳排放量的持续增长是全球气候变暖的重要原因之一,但不是唯一原因,由于太阳系直至整个宇宙环境对地球的影响以及地球本身运动的复杂性,对地球气候变化趋势的研究必须综合考虑上述各种因素。

实际上,影响地球温度的因素,除了"温室效应"和大气浑浊度增加的影响以外,还有如太阳黑子的活动强度等也是重要因素。太阳黑子能够增加太阳能通量,因而可以提高地球的温度。

大气污染物对环境的影响所涉及的范围有大有小,前面各节讨论的污染问题,只涉及污染源附近地区或某一个城市,属于局部性污染,而像有些污染物如二氧化碳及下一节提到的氟氯烃等造成的影响将波及全球,称为全球性污染。

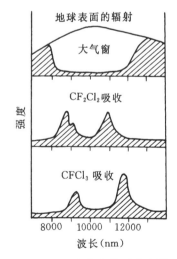

图 2-15　氟氯烃的吸收光谱

G. S. Thomas, M. S. William, *Chemistry of the Environment*, Prentice-Hall, Inc., 1996

第十一节 平 流 层 化 学

11.1 卤素及其化合物

卤素及其化合物，包括卤代烃、其他含氯化合物和氟化物。人为源主要来自生产卤素及其化合物的化工厂所排放的废气。含卤素的无机污染物主要有 Cl_2、F_2、HCl 和 HF 等，氯气主要由化工厂、塑料厂、自来水净化厂产生，火山活动也排放一定量的氯气。

矿石中含有卤化物，燃烧过程中则以 HX 的形式排放，溶于水形成氢卤酸，是形成酸雨的又一组分。

氟化物包括氟化氢、氟化硅、氟硅酸、氟气等，污染源有使用萤石、冰晶石、磷矿石的炼铝厂、磷肥厂、炼钢厂、玻璃厂、火箭燃料厂等。如炼铝时使用萤石（CaF_2），有氟、氟化氢及其他挥发性氟化物排放，磷矿石 $[3Ca_2(PO_4)_2 \cdot CaF_2]$ 制磷肥时也有氟化氢、氟化硅、氟硅酸排放。这些都是大气中卤化物的来源。

含卤素的有机挥发物，如卤代烃，天然来源如甲基氯、甲基溴、甲基碘等，主要来源于海洋，在对流层与 $\cdot OH$ 自由基反应。人为源如三氯甲烷、氯乙烷、四氯化碳、氯乙烯等在用作溶剂过程中挥发进入大气。一些卤代烃作为农药如 DDT、六六六以及多氯联苯等分散在环境中，不易分解。

氟氯烃类（CFCs）物质如作为喷气推进剂的 $CFCl_3$ 及作为制冷剂的 CF_2Cl_2（氟利昂，freons），被广泛用作制冷剂、气溶胶喷雾剂、电子工业中的溶剂、制造塑料的泡沫发生剂和消防灭火剂等。这是一些化学惰性物质，在对流层中不易降解，随大气运动扩散至全球，从对流层上升至平流层中，受高能紫外光作用，发生光化学反应，其结果可破坏臭氧层。

11.2 大气污染物对平流层臭氧层的破坏

O_3 在大气中的浓度不高，平均浓度约为 300 ppbv，90% 存在于平流层中形成臭氧层，仅 10% 分布在对流层中。平流层中离地面 25 km 左右，O_3 的浓度达到最大值，形成厚度约 20 km 的 O_3 层，O_3 能强烈吸收波长 200～300 nm 的太阳紫外辐射，因此 O_3 层在防止紫外线对地球生物的危害中起着十分重要的作用。

平流层中 O_3 的产生主要是太阳光把分子氧（O_2）分解成原子氧（O）：

$$O_2 + h\upsilon(\lambda < 243 \text{ nm}) \longrightarrow O + O \tag{1}$$

$$O + O_2 + M \longrightarrow O_3 + M(M \text{ 为 } N_2 \text{ 或 } O_2 \text{ 分子}) \tag{2}$$

平流层中 O_3 的消除则主要是 O_3 的光解：

$$O_3 + h\upsilon(\lambda < 300 \text{ nm}) \longrightarrow O_2 + O \tag{3}$$

实际上，反应（3）并未真正消除 O_3，因为光解产生的原子氧（O）又很快与 O_2 反应重新生成 O_3，正是由于反应（2）与反应（3）交替反复进行，吸收掉大量的短波紫外辐射，对地球生物起了保护作用。

另外一个消除 O_3 的反应是：

$$O_3 + O \longrightarrow O_2 + O_2 \tag{4}$$

平流层中的 O_3 处于一种动态平衡中。即在同一时间里,太阳光使 O_2 分解而生成 O_3 的数量与 O_3 经过一系列反应重新形成 O_2 分子的数量是相等的。

但近年来发现,平流层中一些具有未成对电子的活性物质如 NO_x、$HO\cdot$、$Cl\cdot$ 等对反应(4)能起催化作用。如:

$$NO + O_3 \longrightarrow NO_2 + O_2$$

$$NO_2 + O \longrightarrow NO + O_2$$

总反应为:$O_3 + O \longrightarrow O_2 + O_2$

$$HO\cdot + O_3 \longrightarrow HO_2\cdot + O_2$$

$$HO_2\cdot + O \longrightarrow HO\cdot + O_2$$

总反应为:$O_3 + O \longrightarrow O_2 + O_2$

$$Cl\cdot + O_3 \longrightarrow ClO\cdot + O_2$$

$$ClO\cdot + O \longrightarrow Cl\cdot + O_2$$

总反应为:$O_3 + O \longrightarrow O_2 + O_2$

在平流层中,O_3 的浓度是 10^{-6} g/g 数量级的。上述各类活性物质的浓度则仅是 10^{-9} g/g 数量级或更小。单次反应对 O_3 的影响本来是微不足道的。但这些物质与 O_3 的反应是按上述循环方式进行的,即每一个活性粒子可反复多次与 O_3 发生反应,其影响就很大,从而加快了 O_3 的消除。

平流层中这些活性物质来自天然源和人为污染源。

NO_x 的天然来源主要是 N_2O 的氧化,而 N_2O 则来自全球的氮循环。土壤中的含氮化合物经过反硝化细菌的作用,还原成 N_2 和 N_2O 排入大气。N_2O 的化学性质很稳定,随气流升入平流层。在平流层里发生光解,生成激发态(excited state)氧原子 $O('D)$。

$$N_2O + h\upsilon \longrightarrow N_2 + O('D)$$

$'D$ 为激发态原子,$O('D)$ 使 N_2O 氧化,生成 NO

$$N_2O + O('D) \longrightarrow NO + NO$$

所以 N_2O 是平流层中 NO_x 的主要来源。

$\cdot OH$ 则是由对流层上升入平流层的 H_2O 蒸气、CH_4、H_2 等被 $O('D)$ 氧化产生的。如:

$$H_2O + O('D) \longrightarrow 2HO\cdot$$

$$CH_4 + O('D) \longrightarrow HO\cdot + \cdot CH_3$$

$$H_2 + O('D) \longrightarrow HO\cdot + H\cdot$$

$Cl\cdot$ 是由海洋生物作用产生的 CH_3Cl 类化合物,其中少量是随气流上升进入平流层发生光解产生的。

$$CH_3Cl + h\upsilon \longrightarrow \cdot CH_3 + Cl\cdot$$

天然源提供的活性粒子的数量是有限的。造成的影响不大。而造成对 O_3 层破坏的主要原因是由于人类活动的结果。

农业上为增产粮食，大量使用人工合成氮肥，使大气中 N_2O 浓度大大增加。

由于平流层空气稀薄，没有云雨风暴等天气变化，尘埃很少，成为现代超音速喷气机飞行的理想天地，飞行过程中燃料燃烧产生的废气排入平流层。废气中含有大量的 NO_x 和水蒸气，与 O_3 发生作用，消耗臭氧层中的 O_3 ：

$$NO + O_3 \longrightarrow O_2 + NO_2$$

$$NO_2 + O \longrightarrow NO + O_2$$

总反应为：$O_3 + O \longrightarrow O_2 + O_2$

表 2 - 25　几种对臭氧层有严重影响的化合物

化 合 物	化 学 式	来　　　源	大气中寿命（年）	ODP 值*
CFC - 11	$CFCl_3$	用于火箭的燃料、气溶胶、制冷剂	60	1.0
CFC - 12	CF_2Cl_2	发泡剂及溶剂	120	1.0
CFC - 22	$CHClF_2$	制冷剂	—	—
CFC - 113	$CF_2ClCFCl_2$	溶　剂	90	0.8
CFC - 114	CF_2ClCF_2Cl	—	200	1.0
甲基氯仿	CH_3CCl_3	溶　剂		
四氯化碳	CCl_4	生产 CFC 及粮食熏烟处理		
哈龙 - 1211	CF_2ClBr	—	18	3.0
哈龙 - 1301	CF_3Br	灭火器	110	10.0
哈龙 - 2402	CF_2Br_2	—		
氧 化 氮	NO_x	工业活动副产品		
二氧化碳	CO_2	化石性燃料、燃烧副产品		
甲　烷	CH_4	农业工业及采矿活动的副产品		

* ODP——消耗臭氧潜能值。

彭定一、林少宁，《大气污染及其控制》，中国环境科学出版社，1991

用于空气喷雾推进器和制冷剂的氟利昂进入大气越来越多，主要是氟利昂 - 11（$CFCl_3$）和氟利昂 - 12（CF_2Cl_2）等，这种人工合成的氟氯烃（chlorofluorocarbons，CFCs）类化合物，广泛被用作制冷剂、溶剂、气溶胶喷雾剂、塑料发泡剂、灭火剂和电子工业清洗剂等，化学性质非常稳定，易挥发，不溶于水，很难被微生物分解，不发生光解反应，进入海洋的流量也仅占世界年产量的 1%，进入大气层后最后上升进入平流层。CFCs 在大气中寿命很长。在紫外线照射下，能进行光解反应，生成氯原子：

$$CFCl_3 + h\upsilon(175 \sim 220 \text{ nm}) \longrightarrow CFCl_2 \cdot + Cl \cdot$$

$$CF_2Cl_2 + h\upsilon(175 \sim 220 \text{ nm}) \longrightarrow CF_2Cl \cdot + Cl \cdot$$

光解产生的氯原子可以破坏 O_3 层：

$$O_3 + Cl \cdot \longrightarrow ClO \cdot + O_2$$

$$ClO \cdot + O \longrightarrow Cl \cdot + O_2$$

总反应为：$O_3 + O \longrightarrow O_2 + O_2$。

11.3 南极臭氧洞的成因

在平流层中，一个氯原子可以与 10^5 个 O_3 分子发生链式反应，因此，即使进入平流层的氟氯烃数量极微，也能导致臭氧层的破坏。

由于在对流层中已积聚有一定数量的氟氯烃，其上升速度极缓慢，目前即使停止使用或加以控制，其对 O_3 层的破坏仍可持续较长一段时间。

若平流层 O_3 含量减少，则透射到地面的短波辐射量增加。它对生物的危害很大，能破坏生物的蛋白质和基因物质——脱氧核糖核酸，使人类皮肤癌发病率增高；也能伤害植物的表皮细胞，抑制植物的光合作用和生长速度，导致粮食减产。有人估计臭氧浓度减少 1%，紫外线辐射量将增加 2%，皮肤癌发生率将增加 5%。

1974 年美国科学家 Richard、Stolarski 和 R. Cicerne 发现平流层中氯原子能像 NO 和 NO_2 一样，以催化剂的方式破坏臭氧。英国科学家 James Lovelock 发展了检测极低浓度含卤素物质的 ECD（电子捕获）检测器。使用这种检测器，他证实了人工合成化学惰性的 CFCs 已经被输送到大气层的各个角落。

1987 年在南极"臭氧洞"中的航测完全证实了 O_3 和 ClO 浓度之间的依赖关系。1985 年到 1992 年，科学家们测量了平流层中几乎所有已知的含氯气体，在臭氧层中的比例见表 2 - 26。同时还发现，平流层中氯的增加量与人造有机卤化物的浓度增加相符合。这些结果令人信服地表明：人类生产的有机卤化物是平流层氯的最主要来源。

表 2 - 26 平流层含氯气体含量分布

人 类 排 放		自 然 界 排 放	
气 体 名 称	含 量	气 体 名 称	含 量
CFC - 11	23%	CH_3Cl	15%
CFC - 12	28%	HCl	3%
CFC - 113	6%		
HCFC - 22	3%		
CH_3CCl_3	10%		
CCl_4	12%		

王会祥、唐孝炎，臭氧层耗损：人类面临的重大环境问题，《大学化学》，1996

经过 Crutzen（荷兰人）、Molina（墨西哥人）、Rowland（美国人）以及 S. Solomon 和 J. Arderson 等人的研究，现在已经清楚，形成南极"臭氧洞"（ozonee hole）的主要原因是人类活动排放的含卤素化合物中的氯和溴原子在平流层进行化学反应的结果。

但令人不解的是，排放 CFCs 的主要地区是北半球的欧洲、苏联、日本和北美，可为什么严重的臭氧耗损却出现在南极，而不是北极？用通常的输送过程和单纯的气相化学反应理论无法回答这一疑问。

Crutzen 及其同事们提出了平流层春季云内粒子表面化学反应的机理,解释了这一现象。

不溶于水的,化学惰性的 CFCs 经过 1～2 年的时间在对流层传输,混合均匀,然后通过大气环流主要在热带上空进入平流层。风又使 CFCs 从热带向南、北极移动,在平流层内混合均匀。因地理上的差异,两极的气象条件完全不同。南极大陆周围被海洋包围,这一条件促成极地春云和极低的平流层气温。那里的水和硝酸等物质形成了"极地平流层云"。云中颗粒物的表面多相反应使臭氧分解反应加剧,而在北极,没有南极那样的陆地、海洋特征,上空平流层的气温高于南极上空,很少出现"极地平流层云",故臭氧耗损也小得多。

近年来,除了 CFCs 以外,人们对含溴化合物造成臭氧层的损害也有了进一步的了解。溴原子对臭氧的破坏能力是氯原子的 50 倍。含溴的化学药剂除了灭火用的哈龙外,农业用的杀虫剂、消毒剂、甲基溴也成为当前备受关注的可能破坏臭氧层的物质。甲基溴的来源有:土壤中杀虫剂等挥发释放、有机物质焚烧、使用含铅汽油的汽车尾气排放以及海洋中挥发性有机物的释放等。另外,CH_4、CO_2、H_2O 等在平流层中对臭氧也都有不同程度的损耗。顺便指出,无论平流层臭氧减少还是对流层臭氧增加都将引起地表及底层大气温度上升,表现为温室效应(green house effect),因为在低层大气中,臭氧也是一种温室气体。

1985 年由联合国环境规划署(UNEP)发起,由相当多国家签署的保护臭氧层的维也纳公约(Vienna Convention)首次建立起全球合作控制污染的体制。1987 年世界各国政府在加拿大蒙特利尔签署了保护臭氧层的蒙特利尔议定书(Montreal Protocol)。议定书规定了受控物质和定出禁用期,发达国家将于 2000 年全部禁用 CFCs,而发展中国家可以推迟十年。1990 年和 1992 年又分别对该议定书通过了伦敦和哥本哈根修正案(London Amendment, Copenhagen Amendment)。扩充了受控物质的种类,并将 CFCs 的禁用期(发达国家)提前到 1996 年,哈龙的禁用期提前到 1994 年。1995 年底在维也纳召开的缔约国会议决定发展中国家的禁用期为 2010 年。中国政府分别于 1990 年和 1991 年签署了维也纳公约和蒙特利尔议定书的修正案。

根据世界气象组织的报告,在大气中已经观测到某些 CFCs 的替代物,其浓度正如预期的那样在上升,而几种主要的损害臭氧的物种含量在近二三年来上升趋缓,证明了蒙特利尔议定书正在发挥作用。然而由于地球表面的气体输送到平流层需要一定的时间,而且 CFCs 在大气中的寿命很长,臭氧层耗损还会继续发展,不仅在南极,在北半球的某些地区很可能出现更为严重的情况,据估计,即使从现在起开始强制执行哥本哈根修正案,平流层中对臭氧有害的氯和溴原子的含量至少约需要半个世纪后才能恢复到 1975 年前的水平。

1995 年诺贝尔化学奖授予对平流层臭氧化学及其机理研究作出杰出贡献的 Paul Crutzen (荷兰)、Mario Molina(墨西哥)和 F. Sherwood Rowland(美),这是有史以来诺贝尔化学奖第一次进入环境化学领域,也充分说明世界科技界对环境化学在保护地球环境中所起的重要作用的肯定。

第十二节　室内空气污染及其防护

相对于大气污染,从某种程度上来说,室内的空气污染,对人体健康的影响尤为严重。这是由于相对于室外环境,室内通风条件差,人们停留时间长,特别是当室内存在污染源的情况下,其空气污染程度远超过户外。这里,室内的概念不仅包括居室,也包括办公室、会议室、教室、影剧院、图书馆等各种公共场所,以及飞机、火车、汽车等交通工具的内环境。

室内空气污染的来源主要有以下几个方面:(1)来自室内装饰材料及家具的污染,涂料、油漆、胶合板、刨花板、泡沫填料、内墙涂料、塑料贴面等材料均含有甲醛、苯、甲苯、乙醇、氯仿等挥发性有机污染物,以上物质都具有相当强的致癌性。(2)来自建筑物本身的污染,建筑施工中加入的化学物质,如北方冬季施工加入的防冻剂,会渗出有毒气体氨;地基土壤和建筑物中大量使用的花岗岩、大理石、红砖、瓷砖、马赛克、木材中都含有一定的放射性物质如铀、钍等以及铀的衰变物质氡,都会辐射出放射性射线,使人出现头晕、白血球减少等症状,严重时会导致癌症、白血病,危及生命安全。(3)来自室外大气污染物,室外大气中的污染物如可吸入颗粒物、二氧化硫、二氧化氮、一氧化碳气体,会通过门窗侵入室内,加剧了室内空气的污染。(4)来自厨房和卫生间的有害气体污染。厨房中由于排气不畅,高温烹饪时,油类中产生脂肪酸热解生成物以及多环芳烃等有害物质会严重地污染空气,是城市居民肺癌发病率升高的重要原因之一。由热水器产生的 CO 及 NO 废气,充当了生命杀手。卫生间产生的硫化氢、甲硫醇、二氧化碳、氨气同样会导致疾病的发生。(5)来自人体自身的新陈代谢和各种生活废弃物的挥发成分。人体活动中通过呼吸道、皮肤、汗腺可排出大量污染物,一些日常活动,如化妆等也会造成空气污染,当房间内人数过多时,室内温度升高,促使细菌、病毒等微生物大量繁殖,特别是在一些人群聚集的场所更加严重。(6)来自吸烟产生的有害物质污染。吸烟已成为室内环境的主要污染源之一,烟草中含有的铀,可能造成放射性污染,烟草中含有的尼古丁以及吸烟过程中生成的多环芳烃、焦油等都是可致病致癌的有害物质,烟气中含有的重金属镉、铅均远高于空气中的正常含量。吸烟及被动吸烟对人体健康有害,吸烟诱发肺癌已是不争的事实。(7)来自其他方面的污染。居室使用的地毯,含有大量的尘埃以及多种多环芳烃化合物,是室内空气中颗粒物高含量的主要来源。服装、化妆品、洗涤剂所含有的多种化学物质时刻在释放并进入空气;家用电器所使用的各种涂料,在使用过程中由于发热而引起的挥发,都会污染室内空气并进而进入人体,危害健康。

据统计,全球近一半的人处于室内空气污染中,室内环境污染已经引起 35.7% 的呼吸道疾病,22% 的慢性肺病和 15% 的气管炎、支气管炎和肺癌。室内空气污染已经成为对公众健康危害最大的环境因素之一。

室内空气污染中,大部分属于挥发性有机污染物(VOC),我国《室内空气质量卫生规范》(见表 2-27)中,规定室内空气中 VOC 浓度限值为 600 $\mu g/m^3$。

主要的室内空气污染物有:

1. 甲醛

甲醛被广泛用于工业生产中,是制造合成树脂、油漆、塑料以及人造纤维的原料,是人造板工业制造脲醛树脂胶、三聚氰氨树脂胶和酚醛树脂胶的重要原料。装饰材料以及家具是造成室内甲醛污染的主要来源。装修材料及家具中的胶合板、大芯板、中纤板、刨花板中的粘合剂,是室内最主要的甲醛释放源。作为房屋防热、御寒的绝缘材料的 UF 泡沫,在光和热的长期作用下逐渐老化,也会释放出甲醛。吸烟也是室内甲醛的来源之一,每支烟的烟气中含甲醛20~

88 μg,并有致癌的协同作用。

甲醛为较高毒性的物质,在我国有毒化学品优先控制名单上甲醛高居第二位。甲醛已经被世界卫生组织确定为致癌和致畸物质,也是潜在的强致突变物之一。长期接触低剂量甲醛可引起慢性呼吸道疾病,引起鼻咽癌、结肠癌、脑瘤和细胞核的基因突变,DNA 单链内交连和 DNA 与蛋白质交连及抑制 DNA 损伤的修复,引起新生儿染色体异常、白血病、青少年记忆力和智力下降。

表 2－27　国家室内空气质量标准 GB/T 18883—2002

序号	参　　数		单　位	标准值	备　　注
1	物理性	温度	℃	22～28	夏季空调
				16～24	冬季采暖
2		相对湿度	%	40～80	夏季空调
				30～60	冬季采暖
3		空气流速	m/s	0.3	夏季空调
				0.2	冬季采暖
4		新风量	m^3	30	1 h 人均量
5	化学性	二氧化硫 SO_2	mg/m^3	0.50	1 h 均值
6		二氧化氮 NO_2	mg/m^3	0.24	1 h 均值
7		一氧化碳 CO	mg/m^3	10	1 h 均值
8		二氧化碳 CO_2	%	0.10	日平均值
9		氨 NH_3	mg/m^3	0.20	1 h 均值
10		臭氧 O_3	mg/m^3	0.16	1 h 均值
11		甲醛 HCHO	mg/m^3	0.10	1 h 均值
12		苯 C_6H_6	mg/m^3	0.11	1 h 均值
13		甲苯 C_7H_8	mg/m^3	0.20	1 h 均值
14		二甲苯 C_8H_{10}	mg/m^3	0.20	1 h 均值
15		苯并[a]芘	mg/m^3	1.0	日平均值
16		可吸入颗粒	mg/m^3	0.15	日平均值
17		总挥发性有机物 TVOC	mg/m^3	0.60	8 h 均值
18	生物性	细菌总数	cfu/m^3	2 500	依据仪器定
19	放射性	氡(^{222}Rn)	Bq/m^3	400	年平均值(行动水平)

2. 苯、甲苯、二甲苯、苯乙烯

苯和甲苯常用作油漆的溶剂,还常用于建筑、装饰材料及人造板家具的溶剂、添加剂和粘合剂。苯乙烯主要用于制造一些绝缘材料及漆料的溶剂。所有的液体清洁剂中都含有甲苯。

木着色剂、塑料管中含有甲苯和二甲苯。

室内空气中此类物质的来源主要为建筑装修时所使用的稀释剂和溶剂。《民用建筑工程室内环境污染控制规范(GB50325—2001)》中规定,不应使用苯、甲苯、二甲苯和汽油进行除油和清除旧油漆作业。

这些物质主要以蒸汽形式被吸入人体,其液态可经皮肤吸收和摄入。它们主要对眼、呼吸道和皮肤有刺激性作用。苯对人体的造血功能有抑制作用,会使红细胞、白细胞和血小板减少。反复接触导致皮肤红肿、干燥、起水疱,对人体有致癌作用,能发展为白血病,在长期严重暴露后还会有遗传影响。在暴露情况下如吸入甲苯会使大脑和肾受到永久性损害。接触二甲苯会使皮肤产生干燥、皲裂和红肿,神经系统会受到损害,还会使肾和肝受到暂时性损伤。反复接触苯乙烯可导致刺激性皮炎及中枢和周围神经功能障碍。

3. 氡

氡是由放射性元素镭衰变产生的自然界唯一的天然放射性惰性气体,它没有颜色,也没有任何气味。

室内空气中氡的来源:(1)从地基场所析出的氡。在地层深处岩石中含有铀、镭、钍和高浓度的氡,氡可以通过地层断裂带,进入土壤,并沿着地层裂缝扩散到室内。一般而言,低层住房室内氡含量较高。(2)从建筑材料中析出的氡。建筑材料是室内氡的最主要来源,如大理石、花岗岩、砖块、沙、水泥及石膏之类,特别是含有放射性元素的天然石材,易释放出氡。各种石材由于产地、地质结构和生成年代不同,其放射性也不同。(3)从户外空气带入室内的氡。在室外空气中氡的辐射剂量是很低的,但是会在室内大量地积聚。室内氡具有明显的季节变化:实验测得,冬季最高,夏季最低。(4)从日常用水以及用于取暖和厨房设备的天然气中释放出的氡。

氡是放射性气体,当人们吸入体内后,氡衰变产生的α粒子可在人的呼吸系统造成辐射损伤,诱发肺癌。专家研究表明,氡是除吸烟以外引起肺癌的重大因素。世界卫生组织(WHO)的国际癌症研究中心(IARC)以动物实验证实了氡是当前确定的 19 种主要的环境致癌物质之一。

4. 氨

氨是一种无色且具有强烈刺激性臭味的气体,比空气轻。氨气污染主要来自建筑施工中使用的混凝土外加剂,一种是在冬季施工过程中,在混凝土墙体中加入的混凝土防冻剂;另一种是为了提高混凝土的凝固速度,使用高碱混凝土膨胀剂和增强剂。混凝土外加剂的使用,有利于提高混凝土的强度和施工速度。北方地区近几年大量使用了高碱混凝土膨胀剂和含尿素的混凝土防冻剂,这些含有大量氨类物质的外加剂在墙体中随着温度湿度等环境因素的变化而还原成氨气从墙体中缓慢释放出来。

氨被吸入肺部后容易通过肺泡进入血液,与血红蛋白结合,破坏载氧功能。短期内吸入大量氨气后可出现流泪、咽痛、声音嘶哑、咳嗽、痰带血丝、胸闷、呼吸困难,可伴有头晕、头痛、恶心、呕吐、乏力等症状,严重者可发生肺水肿、成人呼吸窘迫综合症。

为了保持居室空气的清洁,在尽可能消除空气污染源的同时,必须养成良好的生活习惯,以保证健康、安全、清新的居室环境。

表 2 - 28　典型装饰材料散发的主要 VOCs 成分分析

材料名称	VOCs 检出数	主要成分	含量/%
醇酸调和漆	83	十一烷、癸烷、3,6 - 二甲基癸烷、2 - 甲基十一烷	30
无光调和漆	71	苯、甲苯、乙苯、二甲苯、三甲基苯、异丁烯苯、对甲基异丙苯、癸烷	87
地板背底胶	5	乙酸乙烯酯	35
地板蜡	58	癸烷、十一烷、十二烷	42
彩色涂料	160	甲苯、乙苯、二甲苯、癸烷、壬烷	47
壁纸、壁布	35	甲醛、甲苯、乙苯、二甲苯、丙苯	
胶合板	20	甲醛、苯、甲苯、乙苯、二甲苯、三甲基苯、1 - 甲乙基苯、乙氧基乙酸	
地板革	46	苯、甲苯、乙苯、二甲苯、1,3 - 二乙苯、1 - 丁基壬苯、1 - 乙癸苯、1 - 戊庚苯、乙酸乙酯	

表 2 - 29　某些装饰材料散发气体污染物种类及发生量　　　　　　　　　　　μg/m³

污染物	烷烃	丁醇	癸烷	甲醛	甲苯	苯乙烯	三甲苯	十一烷	二甲苯
胶水					750		120		
涂料					150				
粘合剂	1 200	7 300	6 800		250	20	7 300		28
油漆								280	
稀释剂		760			310				310
油毡				44	110				
地毯				150	160				

王菲凤.室内空气中挥发性有机物污染的研究.福建师范大学学报(自然科学版).2002,18(3),115~120

第十三节　大气污染的防治

13.1　大气质量标准

大气质量标准是对大气中污染物或其他物质的最大允许浓度所作的规定。大气中污染物的浓度,因受生产日期、气象条件的影响随时都在变化,对人群的危害程度分长期低浓度接触与短期高浓度接触,两者不能等同,因为后者的危害性比前者更大。因此,控制污染的危害作用,须从浓度波动与时间变化着手,故有"日平均"和"任何一次"两种指标的规定。

日平均(mean daily maximum allowable concentration):是指任何一日的平均浓度不许超过的限值。

任何一次:是指任何一次采样测定不许超过的浓度限值。

年日平均:是指任何一年中的日平均浓度均值不许超过的限值。

1982 年我国制定的国家标准规定了大气环境标准分为三个等级。

一级标准规定:为保护自然生态和人群健康,在长期接触情况下,不发生任何危害影响的空气质量要求。

二级标准规定：为保护人群健康和城市、乡村的动、植物在长期和短期接触情况下，不发生伤害的空气质量要求。

三级标准规定：为保护人群不发生急、慢性中毒和城市一般动、植物（敏感者除外）正常生长的空气质量要求。

表 2-30 我国大气环境质量标准

污 染 物 名 称	浓度限值（mg/m³）			
	取值时间	一级标准	二级标准	三级标准
总悬浮微粒	日平均	0.15	0.30	0.50
	任何一次	0.30	1.00	1.50
飘 尘	日平均	0.05	0.15	0.25
	任何一次	0.15	0.50	0.70
二氧化硫	每日平均	0.02	0.06	0.10
	日平均	0.05	0.15	0.25
	任何一次	0.15	0.50	0.70
氮氧化物	日平均	0.05	0.10	0.15
	任何一次	0.10	0.15	0.30
一氧化碳	日平均	4.00	4.00	6.00
	任何一次	10.00	10.00	20.00
光化学氧化剂（O_3）	1 小时平均	0.12	0.16	0.20

该标准还规定根据各地区的地理、气候、生态、政治、经济把大气污染程度区分为三类区：

一类区为国家规定的自然保护区、风景游览、名胜古迹和疗养地等，执行一级标准。

二类区为城市规划中确定的居民区、商业交通居民混合区、文化区和广大农村等，执行二级标准。

三类区为大气污染程度较重的城市的城镇和工业区以及城市交通枢纽、干线等，执行三级标准。

我国颁布的《大气环境质量标准》列有总悬浮微粒、飘尘、SO_2、NO_x、CO 和光化学氧化剂（O_3）等项目。每一项目按照不同的取值时间（日平均和任何一次）和三个等级标准的不同要求，分别规定了不同的浓度限值。

表 2-31 居住区大气中有害物质的最高允许浓度

编 号	物 质 名 称	最高允许浓度（mg/m³）	
		任 何 一 次	日 平 均
1	一氧化碳	3.00	1.00
2	乙醛	0.01	—
3	二甲苯	0.30	—

（续表）

编　号	物　质　名　称	最高允许浓度（mg/m³）	
		任　何　一　次	日　平　均
4	二氧化硫	0.50	0.15
5	二硫化碳	0.04	—
6	五氧化二磷	0.15	0.05
7	丙烯腈	—	0.05
8	丙烯醛	0.10	
9	丙酮	0.80	
10	甲基对硫磷（甲基 E605）	0.01	
11	甲醇	3.00	1.00
12	甲醛	0.05	
13	汞	—	0.000 3
14	吡啶	0.08	
15	苯	2.40	0.80
16	苯乙烯	0.01	
17	苯胺	0.10	0.03
18	环氧氯丙烷	0.20	
19	氟化物（换算成 F）	0.02	0.007
20	氨	0.20	
21	氧化氮（换算成 NO_2）	0.15	
22	砷化物（换算成 As）	—	0.003
23	敌百虫	0.10	
24	酚	0.02	
25	硫化氢	0.01	
26	硫酸	0.30	0.10
27	硝基苯	0.01	
28	铅及其无机化合物（换算成 Pb）	—	0.000 7
29	氯	0.10	0.03
30	氯丁二烯	0.10	
31	氯化氢	0.05	0.015
32	铬（六价）	0.001 5	
33	锰及其化合物（换算成 MnO_2）		0.01
34	飘尘	0.50	0.15

卫生部、国家计委，《工业企业设计卫生标准》(TJ36—79)，1979

13.2　空气污染预报

　　按照我国环境保护局的规定，北京、上海、天津、重庆、广州、南京、杭州、西安、沈阳、武汉十个重点城市和大连、厦门、珠海三个沿海城市，从 1997 年 6 月 5 日起开展环境空气质量周报工作，对空气污染情况作出预报，并从 1998 年开始，开展环境空气质量日报工作。目前全国 84个城市开展环境空气质量预报工作。

　　所谓空气污染预报(air pollution forecasting)，即根据城市污染物排放情况以及第二天的气象条件、大气扩散情况、地理地貌等因素，来预测次日该地区的空气污染程度以及对公众日常活动的影响和危害,并象气象预报一样每天公布,让公众每天在了解天气变化的同时也了解空气质量的状况。这项工作在西方发达国家已实施多年,在亚洲的日本、韩国、新加坡以及我国的香港、台湾地区也早已开展。

污染预报按模式性能的不同,可分为潜式预报、统计模式预报和数值模式预报三类。按其要素主要分为污染潜式预报和污染浓度预报两大类,统计方法和数字模式都属于浓度预报。按预报需要的时空尺度,污染预报大致可分为区域预报、城市预报和特定污染源预报三种。

目前,浓度预报是我国空气污染预报的主要类型,根据各城市具体情况,选择不同模式,各自开发软件,大多以统计模式为主,也有的城市开发了数值模式预报,如深圳市把数值模式引入空气污染潜式预报;广西应用数值预报与动态统计预报相结合的集成预报技术方法,将城市大气污染数值预报(CAPPS)模式、动态统计模式、Sybase 数据库、网页技术等有机地结合起来,建立广西城市空气污染预报系统;北京由实况天气分析、数值天气预报并结合气象台短期天气预报,在分析污染物浓度变化的基础上,作出污染潜势预报、污染统计预报、污染数值预报。由于此项工作刚刚开展,预报技术人员缺少这方面的经验,导致污染预报的准确率较低,对于特殊气象条件下空气中污染物的变化,特别是沙尘暴,预报能力还较弱。此外,各城市所采用的预报方法和模式还未尽完善,有待进一步的提高。

导致空气污染的大气污染物很多,我国开始实行的空气污染预报中公告的是其中较主要的三项,即二氧化硫、氮氧化物和总悬浮颗粒物。自 2000 年 6 月 1 日起,以可吸入颗粒物和二氧化氮替代总悬浮颗粒物和氮氧化物,使用的是 API(Air Pollution Index,简称 API)指数,即空气污染指数。

空气污染指数(API 指数)是把常规监测的几种空气污染物浓度简化成单一的数值形式,并分级表示空气受污染程度和空气质量状况。我国空气质量周报、日报和污染预报结果都借鉴了国际上通用的方法,采用空气污染指数的形式。由国家认可的分布于城市各处的多个监测点,用自动监测仪器定时记录测定数据,由城市监测中心汇总,求得一天中上述三种污染物各自的浓度平均值,再转换成空气污染各分指数由新闻媒体向公众发布。

空气污染指数是根据空气环境质量标准和各项污染物的生态环境效应及其对人体健康的影响来确定污染指数的分级数值及相应的污染物浓度限制值。表 2-32 列出了空气污染指数及其意义,从中我们可以直观的看出空气污染程度和对健康的影响。

表 2-32　空气污染指数(API 指数)

污染物浓度(mg/m³)			空气污染指数 API	空气质量等级	空气质量描述	对健康的影响	对应空气适用范围
SO₂	NO₂	TSP					
0.050	0.050	0.120	0~50	Ⅰ	优	可正常活动	自然保护区、风景名胜区和其他需要特殊保护的地区
0.150	0.100	0.300	51~100	Ⅱ	良	可正常活动	为城镇规划中确定的居住区,商业交通居民混合区,文化区,一般工业区和农村地区

（续　表）

污染物浓度（mg/m³）			空气污染指数 API	空气质量等级	空气质量描述	对健康的影响	对应空气适用范围
SO₂	NO₂	TSP					
0.250	0.150	0.500	101～200	Ⅲ	轻度污染	长期接触,人群中体质较差者出现刺激症状	特定工业区
1.600	0.565	0.650	201～300	Ⅳ	中度污染	接触一段时间后心脏病和肺病患者症状加剧,运动耐受力降低,健康人群中普遍出现症状	
2.100	0.750	0.875	301～400	Ⅴ	重度污染	健康人除出现较强烈症状,除降低运动耐受力外,会提前引发某些疾病	
2.620	0.940	1.000	401～500				

由日平均浓度测定值可以转换为污染分指数及空气质量等级。转换方法为：每种污染物各有一个分指数,并以分段线性函数形式将该分指数与其浓度相关联,可使用插值的方法计算与某种污染物的实测浓度 C_i 的分指数 I_i 值：

$$I_i = \frac{C_i - C_n}{C_{n+1} - C_n}(I_{n+1} - I_n) + I_n$$

式中：I_n,I_{n+1}——分别为表中 n 和 $n+1$ 两相邻转折点处的分指数；

C_n,C_{n+1}——分别为表中 n 和 $n+1$ 两相邻转折点处的浓度值。

根据 2004 年中国环境状况公报,空气中主要污染物颗粒物仍是影响空气质量的首要污染物,但总体比上年有好转趋势。颗粒物污染较重的城市主要分布在山西、内蒙古、辽宁、河南、湖南、四川及西北各省（自治区）。二氧化硫污染严重的城市主要分布在山西、河北、河南、湖南、湖北、云南、内蒙古、甘肃、贵州、广西、四川、重庆等省、自治区、直辖市。所有统计城市的二氧化氮浓度均达到二级标准,但北京、广州、深圳、上海、重庆等大城市二氧化氮浓度相对较高。

全国城市空气质量总体上与上年变化不大,部分污染较严重的城市空气质量有所改善,空气质量劣于三级的城市比例下降,但空气质量达到二级标准城市的比例也在降低。2004 年监测的 342 个城市中,132 个城市达到国家环境空气质量二级标准（居住区标准）,占 38.6%,比上年减少 3.1 个百分点；空气质量为三级的城市有 141 个,占 41.2%,比上年增加 9.7 个百分点；劣于三级的城市有 69 个,占 20.2%,比上年减少 6.6 个百分点。人口超过百万的城市,空气中主要污染物二氧化硫和颗粒物超标比例最高,空气质量达标比例低。113 个大气污染防治重点城市中,33 个城市空气质量达到二级标准,占 29.2%；51 个城市空气质量为三级,占45.1%；29 个城市空气质量劣于三级,占 25.7%。与上年相比,达标城市减少 4 个,劣三级城市减少 7 个。47 个全国环境保护重点城市中,20 个城市环境空气质量达到二级标准；21 个城市空气质量为三级；6 个城市劣于三级标准,空气污染严重（47 个环境保护重点城市综合污染指数比较见图 2－16）。

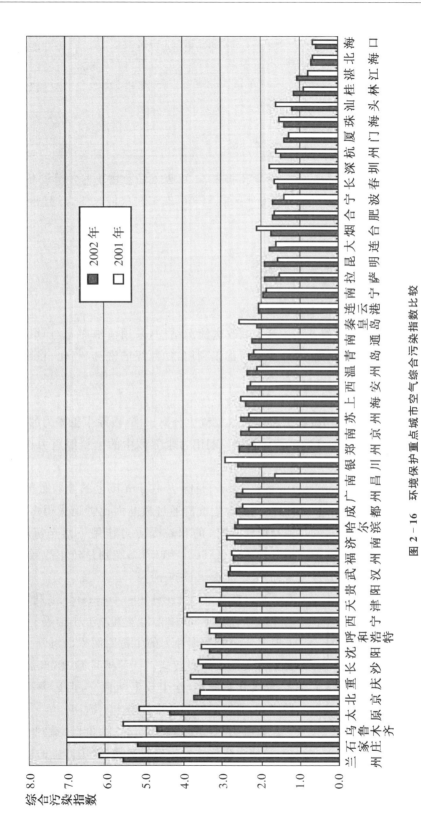

图 2－16　环境保护重点城市空气综合污染指数比较

表 2 - 33　重点城市空气质量状况

空气质量级别	113 个大气污染防治重点城市		47 个环境保护重点城市	
	2003 年	2004 年	2003 年	2004 年
达标城市数(个)	37	33	24	20
三级城市数(个)	40	51	16	21
劣三级城市数(个)	36	29	7	6

从目前我国城市实行的空气污染预报来看,可吸入颗粒物普遍含量较高,部分大城市氮氧化物的含量上升较大,表明我国城市地区的大气污染正在从传统的煤烟型转向以机动车废气为主要代表的石油型。

13.3　主要大气污染物的控制技术

1. 颗粒物

大气中的颗粒物大量来自燃料燃烧。

减少颗粒物的排放的方法主要有:改进能源结构,采用清洁能源,如地热、海洋能、风能、水能、原子能的开发和利用;对原煤进行加工利用,如原煤的洗选、气化;将废气中的颗粒物净化后再排放。

排放废气中颗粒物净化的常用方法有:

(1) 机械力除尘。用机械力将尘粒从气流中分离出来,按除尘机械力的不同设计成:

重力除尘器(dust-collecting facility):利用含尘气体中的尘粒因重力作用自然沉降而与气体分离的捕集装置。

如重力沉降室(gravity setting chamber)是除去 10 μm 以上的尘粒最简单也是最省钱的一种装置,常用作初级除尘(预处理),当含尘气流通过横断面比管道大得多的沉降室时,由于流速减慢,较大的颗粒受重力作用下落至沉降室底部被清除。但其效率较低(50%～60%),特别是较小的颗粒去除率低,且占地面积大,这是其缺点。

惯性除尘器(inertial dust separator):利用粉尘和气体在运动中的惯性力不同,使含尘气流冲击在挡板上,气流方向急剧改变时气流中具有惯性力的尘粒因而得以沉降分离。结构形式主要分为碰撞式和回转式。气流速度愈高,气流方向转变角度愈大,转变次数愈多,除尘效率则愈高,但压力损失也愈大。因容易堵塞,对粘结性和纤维性粉尘不适用。

离心力(centrifugal force)除尘器(旋风分离器),见图 2 - 17,是使含尘气体发生旋转运动,利用产生的离心力将尘粒从气体中分离出来。

较小的颗粒可通过旋风除尘器清除,预先加速的废气流从上口循切线方向进入器内,绕着中央导管向下旋转,颗粒物在离心力

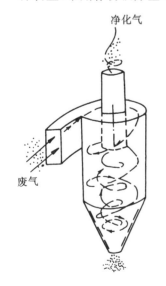

图 2 - 17　旋风除尘器

作用下,旋甩到器壁,沿壁降落到底部清除,除尘后废气在近底部处沿中央导管上升至顶部逸出。其除尘效率,对 40 μm 以上的颗粒可达 95% 以上,小于 8 μm 的颗粒,其效率下降到 50% 以下。

机械力除尘适用于含尘浓度高和颗粒较大的气体。其特点是结构简单,基本建设投资和运转费用较低,气流阻力小,压力损失一般为 10～70 mm 水柱,但除尘效率不高,一般只有 40%～70%,其中离心除尘器效率可达 90%,但压力损失达 150 mm 水柱。

(2) 洗涤除尘(washing dedusting)。用水洗涤含尘气体,使尘粒与液滴或液膜碰撞而被俘获,并从气流中分离出来,随水排出。其优点是除尘效率比机械力除尘高,一般能达到 80%～90%,高效洗涤除尘器可达到 99%;缺点是除尘器的气流阻力和用水量都较大,运转费用较高,洗涤水必须经处理后才能重复使用或排放。常见的湿式除尘器有旋风式洗涤除尘器、喷射式除尘器、文丘里除尘器等。

(3) 过滤除尘(filtrating for particle removal)。过滤除尘是使含尘气体通过滤布或其他多孔物质将尘粒捕集下来。尘粒的捕集是包括碰撞、扩散、静电吸引、重力等同时起作用的结果。常见的是袋式除尘器(baghouse),它是将废气通过悬挂在袋室上端的过滤袋以除去颗粒物的,除尘袋用纺织品缝制,颗粒物凭借与袋壁的机械碰撞或静电作用而被截留在袋内。其特点是除尘效率高,可达到 99%,性能稳定可靠,操作简便,收集的干粉尘便于回收利用,但占地面积大,维修费用高。它适用于处理含尘浓度较低的气体,可以去除粒径大于 0.1 μm 的干尘粒,广泛应用于冶金、化工等作业中回收有价值组分含量较高的微尘。

(4) 静电除尘(electrostatic dust collection)。静电除尘器由集尘电极和放电电极组成,在集尘电极和放电电极之间通以 3～6 万伏的高压直流电,在放电电极附近即产生电晕放电,使气流中的尘粒带电荷,带电尘粒被吸引而聚集到集尘电极上。集尘电极上的尘粒用震荡装置消除。静电除尘器分板式和管式、水平流式和垂直流式、干式和湿式等。其特点是气流阻力小,能处理高温气体,除尘效率可达 90%～99.9%,不受尘粒所含水分的影响,适于处理含尘浓度低,尘粒粒径为 0.05～50 μm 的气体。目前大型冶金企业和火力发电站较多采用静电除尘装置,但设备投资和维修费用较高,占地面积较大。

除上述除尘装置外,还有利用声波除尘器和高梯度磁力除尘器等。为提高除尘效果,在实际使用时可将具有不同特点的除尘器组合使用,使其效果更好。

表 2－34　各种除尘装置实用性能比较

类　　型	结构形式	处理的粒径 (μm)	压力降 (mm H_2O)	除尘效率 (%)	设备费用	运转费用
重力除尘	沉降式	50～100	10～15	40～60	小	小
惯性力除尘	烟囱式	10～100	30～70	50～70	小	小
离心除尘	旋风式	3～100	50～150	85～95	中	中
洗涤除尘	文丘里式	0.1～100	300～1 000	80～95	中	大
过滤除尘	袋　式	0.1～20	100～200	90～99	中以上	中以上
静电除尘		0.05～20	10～20	85～99.9	大	小～大

注:1 mm H_2O = 9.806 65 Pa

刘天齐主编,《环境保护》,化学工业出版社,1996

2. 硫氧化物

SO_2 主要来自燃料燃烧。如目前我国 SO_2 年排放量为 1 800 万吨,其中燃煤排放的 SO_2 约为 1 600 万吨,占 90%,其他如硫酸制造厂及有色金属冶炼厂等也有一定的排放量。

SO_2 的治理较困难,通过改进能源结构,使用洁净燃料或加工含硫量高的煤或石油使其气化,并将生成的废气清除,得到洁净、高燃烧值的燃烧气体等手段,是治理的根本措施。

高烟囱排气,使废气排放到相对无害的高层空间,这也是目前采用的一种方法。但此法并未将 SO_2 等有害物清除,仅将有害气体稀释,并在高空移动,这样还会随大气移动,造成其他地区的污染。

含有 SO_2 的废气,除采用高空排放外,还可采用其他物理化学方法治理,即废气在排放到大气之前采用排烟脱硫的治理技术。此类脱硫技术,约有 60～70 种之多,总起来约可分为湿法及干法两大类。

湿法治理,以液体为吸收剂,可在吸收塔中进行反应。优点是设备简单,占地少,投资省,操作方便。但湿法脱硫后的烟道气温度低,湿度大,易形成白色烟雾,难以扩散,故需要增加一道烟道气再加热工序。此外,用水量也较多,必须对排水加以处理后才能排放。

干法的特点是适于处理排气量大的废气,排气降温不显著,烟气在大气中的扩散不受影响,排气中水分增加很少,在烟囱附近不会产生腐蚀性雾气。但干法吸附或吸收慢,使装置庞大,设备费用增加。

湿法治理:

(1) NaOH 或 Na_2SO_3 吸收法。反应原理为:

$$2NaOH + SO_2 \longrightarrow Na_2SO_3 + H_2O$$

$$Na_2SO_3 + SO_2 + H_2O \longrightarrow 2NaHSO_3$$

在所有 SO_2 治理方法中,这是一个最容易最合理的方法。如烟气中 CO_2 含量高,因 NaOH 易吸收 CO_2,增加 NaOH 溶液的消耗,可采用 pH < 7 的 Na_2SO_3 溶液作吸收剂。

从吸收塔中排出的 $NaHSO_3$ 溶液是还原性液体,如直接排放,会污染水体,可用以下方法回收和再生:

在吸收塔排出液中加入 NaOH,使 Na_2SO_3 再生:

$$NaHSO_3 + NaOH \longrightarrow Na_2SO_3 + H_2O$$

可将再生的 Na_2SO_3 溶液,供给以此为原料的工厂,如造纸厂等使用,也可将 Na_2SO_3 结晶回收。

将吸收液氧化成 Na_2SO_4 并结晶回收。

在吸收废液中加石灰石或消石灰,得 $CaSO_3$,进一步氧化成石膏回收利用:

$$4NaHSO_3 + 2CaCO_3 \longrightarrow 2CaSO_3 \cdot H_2O + 2Na_2SO_3 + H_2O + 2CO_2$$

$$4NaHSO_3 + 2Ca(OH)_2 \longrightarrow 2CaSO_3 \cdot H_2O + 2Na_2SO_3 + 3H_2O$$

$$2CaSO_3 \cdot H_2O + O_2 + 3H_2O \longrightarrow 2CaSO_4 \cdot 2H_2O$$

本法脱硫率可达 90% 以上。

(2) 氨水吸收法。

用 NH_3 水作吸收剂除去废气中的 SO_2。

含有 0.9% SO_2 的制酸尾气(或烟气)在吸收塔内用氨水和 $(NH_4)_2SO_3$ 溶液作逆吸收,反应式为:

$$SO_2 + 2NH_3 + H_2O \longrightarrow (NH_4)_2SO_3$$

$$(NH_4)_2SO_3 + SO_2 + H_2O \longrightarrow 2(NH_4)HSO_3$$

$$(NH_4)HSO_3 + NH_3 \longrightarrow (NH_4)_2SO_3$$

经二次吸收后,废气中 SO_2 浓度可降到 0.03%,在吸收过程中,控制 NH_3 的加入量以及 $(NH_4)_2SO_3$ 与 $(NH_4)HSO_3$ 的比例,才能得到较好的吸收效果。

吸收塔排出的含 $(NH_4)HSO_3$ 溶液,可通过不同方法加以处理、利用。

加入 93% 的浓 H_2SO_4,可逸出较纯的 SO_2 气体。

$$2(NH_4)HSO_3 + H_2SO_4 \longrightarrow 2SO_2 + 2H_2O + (NH_4)_2SO_4$$

$$(NH_4)_2SO_3 + H_2SO_4 \longrightarrow SO_2 + (NH_4)_2SO_4 + H_2O$$

此法可得到浓度达 95% 的 SO_2 气体,经冷冻至 $-10\,℃$,成为液态 SO_2,可在制酸装置中制得 H_2SO_4,而含 40% $(NH_4)_2SO_4$ 的溶液经蒸发后可得 $(NH_4)_2SO_4$ 晶体,作为化肥。

在排出液中通入 NH_3 气,并用空气氧化成 $(NH_4)_2SO_4$ 再浓缩结晶,回收 $(NH_4)_2SO_4$ 晶体。

$$(NH_4)HSO_3 + NH_3 \longrightarrow (NH_4)_2SO_3$$

$$(NH_4)_2SO_3 + O_2 \longrightarrow (NH_4)_2SO_4$$

此法 SO_2 吸收率可达 90% 以上。

干法治理:

(1) 石灰石—白云石法。将石灰石($CaCO_3$)、白云石或两者混合物直接放在锅炉内。分解为氧化物,在吸收塔中吸收烟道气中的硫氧化物,生成 MSO_3 及 MSO_4。

$$CaCO_3 \longrightarrow CaO + CO_2$$

$$MgCO_3 \longrightarrow MgO + CO_2$$

$$MO + SO_2 \longrightarrow MSO_3$$

$$MO + SO_3 \longrightarrow MSO_4$$

生成的固体 MSO_3 及 MSO_4 微粒可用除尘装置除去,这里 SO_3 反应完全,SO_2 去除率约为 25%,故需进一步用湿法治理。

(2) 活性炭吸附法。活性炭能吸附 SO_2,当有氧和水汽存在时,除物理吸附外,尚有化学吸附,故吸附量较单纯物理吸附为高。

一般的燃烧烟气的组成为：

SO_2	$0.05\% \sim 0.10\%$	水汽：$10\% \sim 13\%$	
O_2	$3\% \sim 6\%$	CO_2：$10\% \sim 13\%$	

这样的组分是适合活性炭吸附的。当温度为 $100 \sim 150℃$ 的排气通过活性炭时，由于活性炭的催化作用，排气中的 SO_2 被吸附，同时水汽及氧气也被吸附并将硫氧化物氧化，进一步形成 H_2SO_4：

$$SO_2 \longrightarrow SO_2^*$$

$$O_2 \longrightarrow O_2^*$$

$$H_2O \longrightarrow H_2O^*$$

$$SO_2 + \frac{1}{2}O_2 \longrightarrow SO_3^*$$

$$SO_3 + H_2O \longrightarrow H_2SO_4^*$$

此处 * 表示物体被吸附在活性炭上的状态，吸附在活性炭上的 H_2SO_4 可采用多段水洗得到稀 H_2SO_4，脱附后的活性炭可再生复用。

3. 氮氧化物

NO_x 的工业来源有硝酸制造厂、使用硝酸的工厂及工厂中燃料燃烧排放的废气、汽车尾气等。制造及使用 HNO_3 的工厂排放的废气中 NO_x 的含量可高达数千 ppm，燃料燃烧废气中的 NO_x 可达数百 ppm，火力发电厂排气中 NO_x 含量约 1 000 ppm。

NO_x 的治理包括改进燃烧方法及排烟治理两个方面。

含 NO_x 废气常用的治理方法有：

(1) 催化还原法。

在催化剂存在条件下，一些还原性气体，可使 NO_x 还原成无毒的 N_2。

非选择性催化还原法。以 Pt 作催化剂，以甲烷、CO、H_2 等还原性气体作还原剂。如在废气中通入 CH_4：

$$CH_4 + 4NO_2 \xrightarrow[400 \sim 500℃]{Pt} 4NO + CO_2 + 2H_2O \tag{1}$$

$$CH_4 + 2O_2 \xrightarrow[400 \sim 500℃]{Pt} CO_2 + 2H_2O \tag{2}$$

$$CH_4 + 4NO \xrightarrow[400 \sim 500℃]{Pt} 2N_2 + CO_2 + 2H_2O \tag{3}$$

上述反应的速度，基本按上述顺序递减。故 CH_4 还原 NO 为 N_2 的反应，要在反应室内的 O_2 耗尽后才进行。

CO 与 H_2 均能与 NO_x 及 O_2 反应，反应速度顺序与 CH_4 相同。如废气中含 O_2 的比例大，一定量的还原剂将与烟道气中的 O_2 反应，增加还原剂的耗用量，增大治理成本，故此类方法，仅适用于含氧量较少的废气。

选择性催化还原法。在催化剂作用下,通入的还原性气体,仅与 NO_x 发生氧化还原反应,不与废气中的 O_2 作用。

用 Pt、Cr、Fe、V、Mo、Ni 等的氧化物为催化剂,选择最适宜的反应温度使 NO_x 还原,反应温度随所选用的催化剂、还原剂的不同而不同。

NH_3 选择性催化还原:

$$4NH_3 + 6NO \xrightarrow[150 \sim 250℃]{Pt} 5N_2 + 6H_2O \tag{1}$$

$$8NH_3 + 6NO_2 \xrightarrow[150 \sim 250℃]{Pt} 7N_2 + 12H_2O \tag{2}$$

其最佳温度及使用催化剂种类,与是否含有 SO_2 等有关。

在含有微量 O_2 时,NO_x 的去除率更高,因为此时反应按下式进行:

$$4NH_3 + 4NO + O_2 \longrightarrow 4N_2 + 6H_2O \tag{3}$$

用 NH_3 作还原剂其优点为:NH_3 在最佳温度范围内不与 O_2 作用,可降低还原剂的消耗,但温度控制要严。如温度过高,NH_3 也可与 O_2 反应:

$$4NH_3 + 5O_2 \longrightarrow 4NO + 6H_2O \tag{4}$$

反应温度越高,NH_3 越容易优先与 O_2 反应,不仅要消耗更多的还原剂,NO_x 的去除率也会下降,所以此法要严格控制温度。

用其他还原剂进行的选择性催化还原还有:

H_2S:

$$SO_2 + 2H_2S \xrightarrow[120 \sim 150℃]{Pt} 3S + 2H_2O \tag{1}$$

$$NO + H_2S \xrightarrow[120 \sim 150℃]{Pt} S + \frac{1}{2}N_2 + H_2O \tag{2}$$

此法可同时去除烟气中的 SO_2。

$Cl_2 + NH_3$:

$$2NO + Cl_2 \xrightarrow[120 \sim 150℃]{木炭} 2NOCl(氯化亚硝基,黄色) \tag{3}$$

$$NOCl + 2NH_3 \longrightarrow NH_4Cl + N_2 + H_2O \tag{4}$$

CO:

$$CO + NO \xrightarrow{Cu} \frac{1}{2}N_2 + CO_2 \tag{5}$$

$$2CO + SO_2 \xrightarrow{538℃} S + 2CO_2 \tag{6}$$

$$CO + NO_2 \xrightarrow[538℃]{Cu} NO + CO_2 \tag{7}$$

此法也可同时除去烟气中的 SO_2。

催化还原所用的催化剂,在工厂尾气处理时用铂族金属,但治理燃烧废气时不宜使用,因废气中 SO_2 等污染物可使贵金属催化剂中毒。不受毒害的催化剂见诸报道的有 V_2O_5、MoO_3、WO_3 以及以碱土金属作为载体的 Fe_2O_3、CrO_3 等,还有多元合金催化剂也在研制中。

(2)吸收法。

碱吸收法:

此法可同时除去烟气中的 SO_2,但因 NO 极难溶于碱液中,故只有当 $[NO]:[NO_2]=1:1$(或 $[NO]<[NO_2]$)时,NO_x 才能有效地被碱液吸收。一般使用 30% 的 NaOH 溶液或 10%～15% 的碳酸钠溶液为吸收剂,在 2～3 个串联的吸收塔内串联吸收。

$$2NaOH + NO + NO_2 \longrightarrow 2NaNO_2 + H_2O$$

$$2NaOH + 2NO_2 \longrightarrow NaNO_2 + NaNO_3 + H_2O$$

$$Na_2CO_3 + NO + NO_2 \longrightarrow 2NaNO_2 + CO_2$$

$$Na_2CO_3 + 2NO_2 \longrightarrow NaNO_2 + NaNO_3 + CO_2$$

NO_x 的吸收率为 80%～90%,此法技术成熟,吸收率高,但碱耗用量大,所得副产品用处不大。

氨吸收法:

吸收系统与碱吸收法相似,其反应为:

$$2NH_3 \cdot H_2O + NO + NO_2 \longrightarrow 2NH_4NO_2 + H_2O$$

$$2NH_3 \cdot H_2O + 2NO_2 \longrightarrow NH_4NO_3 + NH_4NO_2 + H_2O$$

此法反应速度快,操作方便,特别适用于废气排放量及其浓度波动较大,或间歇排放废气的工厂,但吸收率为 50%～70%,比碱吸收法低。

熔融盐吸收法:

主要是以碱金属和碱土金属的熔融盐作吸收剂,其反应为:

$$Na_2CO_3 + 2NO_2 \longrightarrow NaNO_3 + NaNO_2 + CO_2$$

$$Na_2CO_3 + NO + NO_2 \longrightarrow 2NaNO_2 + CO_2$$

酸吸收法:

吸收率为 80%,可同时除去烟气中的 SO_2,所得产物 $NOHSO_4$,可用于亚硝基法生产硫酸。主要反应为:

$$SO_2 + NO_2 + H_2O \longrightarrow H_2SO_4 + NO$$

$$2H_2SO_4 + NO_2 + NO \longrightarrow 2NOHSO_4 + H_2O$$

$$2NOHSO_4 + H_2O \longrightarrow 2H_2SO_4 + (NO_2 + NO)$$

$$3NO_2 + H_2O \longrightarrow HNO_3 + NO$$

$$NO + \frac{1}{2}O_2 \longrightarrow NO_2$$

本章思考题和练习题

1. 大气圈中温度变化的规律如何？是什么原因造成了这种变化？

2. 为什么二次污染物往往比一次污染物毒性更强？

3. 哪些物质属于挥发性有机化合物,它的主要来源有哪些？

4. 你认为哪些物质可能会导致温室效应,为什么？

5. 为什么只有紫外光或可见光会引发光化学反应？

6. 已知过氧化物中过氧键(—O—O—)的键能为 143 kJ/mol,试计算能使过氧键发生断裂反应的吸收光波波长。(Planck 常数为 6.63×10^{-34} J·s,Avogadro 常数为 6.02×10^{23} mol^{-1},光速为 3.00×10^{10} cm·s^{-1})

7. 自由基是如何形成的,为什么自由基具有很强的氧化能力和化学活性？

8. 为什么大气氮氧化物中 NO 是一次污染物而 NO_2 是二次污染物？

9. 为什么光化学烟雾的高峰往往出现在中午前后？

10. 为什么中国的酸雨区主要集中在南方？

11. 某地雨水的分析数据如下：$[NH_4^+] = 1.0 \times 10^{-5}$,$[Na^+] = 1.5 \times 10^{-5}$,$[K^+] = 2.0 \times 10^{-5}$,$[Cl^-] = 2.0 \times 10^{-5}$,$[NO_3^-] = 2.5 \times 10^{-5}$,$[SO_4^{2-}] = 3.5 \times 10^{-5}$,求此雨水的pH。

12. 汽车排放的尾气中主要污染物是什么？汽车以什么速度行驶可减少这些污染物的排放？

13. 影响地球气温的因素有哪些？

14. 为什么南北极上空,西藏高原上空等处臭氧层容易受到破坏(容易出现臭氧空洞)？

15. 你认为造成室内空气污染的物质有哪些？

16. 为什么在我国的空气污染预报中,把总悬浮颗粒物改成可吸入颗粒物？

17. 为什么用 CH_4,CO 或 H_2 还原 NO_x 时,仅适用于含氧量较少的废气？

第三章　水　环　境　化　学

　　水是地球上人类与生物体赖以生存和发展的重要物质,可以说没有水就没有生命,也就没有人类。

　　水与生命关系密切,它是构成生物体的基础,又是生物新陈代谢的一种介质。生物从外界环境中吸取养分,通过水把各种营养物质输送到机体的各个部分,又通过水把代谢产物排出到机体之外,所以水是联系生物体的营养过程和代谢过程的纽带,维持着生命的活动。另外,水对生物还起着散发热量,调节体温的作用。水也是人体(包括各种生物体)中含量最多的一种物质,约占体重的 $\frac{2}{3}$ 以上。

第一节　天然水体的组成和性质

1.1　地球上的水资源

　　水是地球上最丰富的资源,水覆盖了地球表面大约 71% 的面积。地球的总水量大约为 14.1 亿 km^3,如果将这些水均匀地分布在地球表面,可以形成一个近 3 000 m 深的水层。大约 97% 的水存在于世界的海洋和内陆海洋中。这些水盐分过大不适于饮用、种植庄稼和大多数工业。大约有 3% 的水是淡水。但这些水的大部分(87%)被封闭在冰冠和冰川之中,或在大气或土壤中,或深藏于地下。事实上,假定世界总水量为 100 L,那么,可利用的淡水仅有0.003 L,即 0.003%。

表 3-1　世界水资源的分布

水资源的类型	分布面积(百万平方公里)	体积(百万立方米)	占世界水资源的百分数
淡水湖	0.86	0.125	0.009
咸水湖和内海	0.700	0.104	0.008
河流(平均)		0.001 25	0.000 1
土壤水分和渗透水	—	0.667	0.005
地下水(达 0.8 公里深)	—	4.170	0.31
深部地下水	—	4.170	0.31
地壳表面部分的水(液体)	—	8.637	0.635
雪和冰	18.0	29.2	2.15
大气圈中的水	—	0.013	0.001
海洋	360.0	1 322.0	97.2

　　A·A·别乌斯,《环境地球化学》,科学出版社,1982

人类的主要淡水来源是河流、湖泊和水库。任何时候大约都有 2 000 km³ 的淡水流经世界诸河流。水流中近一半在南美,另 $\frac{1}{4}$ 在亚洲。由于江河中的水 18～20 天更换一次,因此,每年可使用的实际水量要比这大得多。全年流经河流的淡水总量大约为 4.1 万 km³,其中包括 2.8 万 km³ 的地表径流和大约 1.3 万 km³ 的"稳定"地下径流。稳定地下径流中仅有 $\frac{3}{4}$,约 9 000 km³,易于获取可以经济地利用。另外在人造湖泊和水库中,还有 3 000 km³ 可利用的水。

最大的淡水来源是降水,全球年降水总量为 50 万 km³,但其中只有 $\frac{1}{5}$,约 11 万 km³ 降落在陆地上。大陆降水中约 65% 被蒸发掉,又回到大气中去。余下的部分或留在地表——河流、湖泊、海洋和水库中,或流入地下,储存于地下含水层中。

过去 300 年中,人类用水量增加了 35 倍多。近几十年的取水量每年增加 4%～8%,主要为发展中国家。各地人均年用水量很不一样,在北美和中美为 1 692 m³,欧洲为 726 m³,亚洲 526 m³,南美 476 m³,非洲244 m³。

从全球来看,每年淡水取水和使用量为 3 240 km³,其中 69% 用于农业,23% 用于工业,8% 为居民用水。

20 世纪 90 年代初,全球每年工业用取水量估计为 745 km³,为全球取水量的 $\frac{1}{4}$。大约有 640 km³(86%)作为废水排回到河流和沿岸水体之中。到 90 年代末,工业取水量增加到约 1 200 km³。相应的全球工业废水增加到 1 000 km³。

1.2 我国水资源及其利用中的问题

中国年人均淡水资源量目前为 2 300 m³,仅为世界平均水平的四分之一,为美国的五分之一,俄罗斯、印尼的七分之一,加拿大的五十分之一。联合国据此已把中国列为 13 个最缺水国家之一。到 2030 年预计人均淡水资源量为 1 750 m³。

中国目前年总用水量为 4 500 亿 m³,其中年农业用水量为 4 000 亿 m³,缺水量约300 亿 m³,城市与工业用水 500 亿 m³,年缺水量达 60 亿 m³。

在全国 600 多座城市中,存在供水不足问题的城市为 400 多个,其中比较严重的缺水城市达 110 个之多。

1. 水资源不丰富

我国领土面积占全球 6.5%,人口占全球总人口的五分之一,可是我国的年降水量仅为 6 万亿 m³,仅相当于全球陆地降水总量的 5%,年径流量约为 2.7 万亿 m³,仅占全球陆地年径流量的 5.5%。

我国径流年绝对总量位于巴西、俄罗斯、加拿大、美国、印度尼西亚之后为世界第六位,但人均径流量仅位列全球第 88 位,是全球平均量的四分之一。

2. 分布不均衡

我国地形西高东低,受气候和地形影响,降水的地区分布很不均匀。90% 以上的地表径流和 70％以上的地下径流分布在面积不到全国 50％的南方,呈现出北方严重缺水的局面。

降水不均衡的另一因素是受季候风影响,我国全年 60％的雨量集中于夏秋两季的 3～4 个月内,不少河流的年最大流量和最小流量之间相差达数十倍。如淮河各支流相差达 13～76 倍,松花江的哈尔滨河段富水期和枯水期的断面流量相差达至 40 倍,这种水量的巨大变化不仅使水资源缺乏的矛盾更为突出,而且更加重了枯水期的水污染。

3. 用水浪费

我国目前工业用水浪费严重,产生同样数量的 GDP 其耗水量为发达国家的数倍,工业循环用水比例很低,即使在一些工业发达的大城市,工业用水重复率也仅达到 50％左右,低于日本(69％)和美国(60％)等国家。

农业是我国的用水大户,但我国灌溉方式落后,大水漫灌等灌溉方式几乎要浪费掉一半的灌溉用水,更加重了水资源的缺乏。

城市生活用水日益增加,但节约用水尚未深入人心,洗涤用水,厕所用水,洗车用水不加节制,水管滴漏等也浪费了不少宝贵的水资源。

4. 水污染严重

我国南方和北方水资源分布不平衡,北方水资源严重缺乏。南方不缺水,但缺少干净的水。我国七大江河水系,松花江、辽河、黄河、长江、珠江、淮河、海河都已受到污染,有的还相当严重,图 3 - 1 即为七大水系水污染情况,其中Ⅲ类以下直至劣Ⅴ类水已占相当比重。严重的水污染进一步加重了我国水资源的缺乏,制约了我国社会和经济的可持续发展。

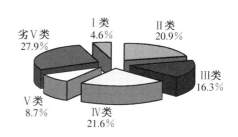

图 3 - 1　2004 年七大水系水质类别比例

1.3　水的组成和结构

水分子呈 V 形结构,水分子中 O—H 键之间的夹角为 104.5°。由于其不对称结构,水分子是极性分子。它的偶极矩为 1.84 德拜。

用蒸气测定法测得水分子摩尔质量是 18.64。而水分子中原子质量之和应为 18,它表明水分子中除单分子外,还有大约 3.5％的双分子水存在。液态水的分子量测得数值更大,说明水中含有较复杂的分子$(H_2O)_n$(n 值为 2,3,4……)。实验结果证实,液态水中存在着水分子的缔合作用。

缔合是放热反应,离解是吸热反应,所以温度升高,水的缔合度降低(n 值减小),温度降低,水的缔合度增大(n 值增大)。

0℃时水凝结成冰,在冰的结构中,每个 O 原子和 4 个 H 原子联结成四面体,每个 H 原子与两个 O 原子联结。在和 O 原子结合的 4 个 H 原子中,2 个是以共价键结合,两个是以氢键结合,这样形成一个敞开结构,使冰的结构内存在较大的空隙,因此冰具有较低的密度。

水分子中的 O 原子具有较大的电负性和孤对电子,而与 O 键合的 H 原子因仅有一个电子,成键后电子偏向 O 原子而形成裸核,因此水分子间易形成氢键。水的缔合和冰的结构就是源自氢键的形成。

1.4　水的物理化学性质

1. 水的比热(容)

水的比热(容)为 4.1868×10^3 J/(kg·K),在所有液态和固态物质中,水的比热(容)是最大的。这是由于水中存在缔合分子的缘故。当水受热时,须消耗更多的热量以使缔合水分子离解,才能使水温升高。

水的高比热(容)对于调节环境气温有重大作用,滨海地区白天太阳辐照强烈,由于水的比热(容)大,海水升温需吸收大量的热量,使气温不致太高,夜间海水降温时释放出大量的热量,避免气温急剧下降。

通常生产上使用水作传热介质,除了水分布广泛,易于得到以外,主要也是利用水的比热(容)大的特征。

由于组成生命物质的主要成分是水,水的高比热(容)对于维持生物的恒定体温是十分重要的。

2. 水的密度

一般物质具有热胀冷缩的作用,即温度低时体积小而密度大。而水却是 4℃时密度最大,为 1 000 kg/m³。这是由于水分子缔合的缘故。一般近沸点的水缔合度小,主要是此时水由简单分子所构成。温度降低,水的缔合分子增多,分子间排列较为紧密,使水的密度增大。当温度降到 3.98℃时,水的密度最大。

温度进一步降低,出现高缔合度的水分子,直到具有冰的结构的较大的缔合分子。这时结构变为疏松,所以 4℃以下,水的密度随温度降低反而减小。到冰点时,全部水分子缔合成巨大的,有着大量空隙的缔合分子。

水的这种性质对水生生物的生存具有重要的意义。冬天,当江河湖海水温下降时,4℃附近的水由于密度最大,沉入水的下层,当水温继续下降时,密度变小,升到水的上层,直到 0℃时水结成了冰,由于冰比水轻,飘浮于水面,即使水面封冻,而底部的水温仍可保持在 4℃左右,为水生生物的生存创造了良好的条件。

3. 水的高沸点和高熔点

按照元素周期表元素性质的递变规律,水的熔点和沸点大约分别应为 −100℃和 −80℃,但由于水分子中存在着氢键使水分子缔合,因此使水的熔沸点高于同族其他元素的氢化物,在地球正常温度下主要以液态存在,这对于地球上的物质循环、生命的存在和发展以及环境的调剂具有极其重要的作用。

4. 水溶液的依数性

水中溶解了其他物质后会引起水的蒸气压的改变,对于非挥发性溶质,可引起蒸气压的下降,从而导致沸点上升和凝固点下降。

5. 水的溶解性

水是一种良好的溶剂,而且由于其介电常数很大,使许多物质在水中不仅有很大的溶解度,而且有很大的离解度。水中溶解的化学物质可以进行各种化学反应,水也参与其中的许多重要反应。这对生物的生命活动和自然界的环境变化具有重要的作用。

气体在水中的溶解度因气体性质不同而不同。

当大气中某种气体分子和水中同一种气体分子之间达成溶解平衡时,该气体在水中的溶解度,一般可根据亨利定律(Henry's Law)计算得到。

亨利定律指出:气体在水中的溶解度与同水相接触的气体的平衡分压成正比:

$$C_i = K_i \cdot p_i$$

其中 K_i 为该气体的亨利常数, p_i 为该气体的平衡分压。

表 3-2 25℃时水中某些气体的亨利常数

气　体	$K(\text{mol} \cdot \text{L}^{-1} \cdot \text{kPa}^{-1})$	气　体	$K(\text{mol} \cdot \text{L}^{-1} \cdot \text{kPa}^{-1})$	气　体	$K(\text{mol} \cdot \text{L}^{-1} \cdot \text{kPa}^{-1})$
N_2	6.40×10^{-6}	C_2H_4	4.84×10^{-5}	HNO_2	4.84×10^{-1}
H_2	7.80×10^{-6}	O_3	9.16×10^{-5}	NH_3	6.12×10^{-1}
O_2	1.26×10^{-5}	NO_2	9.74×10^{-5}	H_2O_2	7.01×10^{2}
CH_4	1.32×10^{-5}	CO_2	3.34×10^{-4}	HNO_3	2.07×10^{3}
NO	1.97×10^{-5}	SO_2	1.22×10^{-2}		

由于水蒸气本身也存在一定的蒸气压,所以在计算气体溶解度时,要进行压力校正。

例:在101.325 kPa 25℃时,空气与水达成溶解平衡,试计算此时 O_2 在水中的溶解度。

解:根据亨利定律　　$C_{O_2} = K_{O_2} \cdot p_{O_2}$

由于干燥空气中 O_2 占20.95%

故
$$p_{O_2} = (p_总 - p_{H_2O}) \cdot X_{O_2}$$

$$= (101.325 - 3.17) \times 0.2095 = 20.56 \text{ kPa}$$

$$C_{O_2} = K \cdot p_{O_2} = 1.26 \times 10^{-5} \times 20.56$$

$$= 2.60 \times 10^{-4} \text{ mol/L} = 8.32 \text{ mg/L}$$

表 3-3 不同温度下水蒸气的分压

$T(℃)$	$p_{H_2O}(\text{kPa})$	$T(℃)$	$p_{H_2O}(\text{kPa})$	$T(℃)$	$p_{H_2O}(\text{kPa})$
0	0.61	20	2.34	40	7.38
5	0.87	25	3.17	45	9.58
10	1.23	30	4.24	50	12.33
15	1.71	35	5.62	100	101.33

气体溶解度受温度的影响,温度增加,溶解度下降。气体溶解度与温度的定量关系可用下式表示:

$$\lg \frac{C_2}{C_1} = \frac{\Delta H}{2.303 R} \left(\frac{1}{T_1} - \frac{1}{T_2} \right)$$

其中,C 为气体溶解度(mol/L),T 为温度(K);

ΔH 表示气体的溶解热(J/mol);

R 为气体常数 8.314 J/mol·K。

6. 水的酸碱性

水本身既是质子酸又是质子碱,因此在反应中,既能给出质子形成碱,又能接受质子形成酸,表现出对应的酸和碱的性质。由于这一性质,一方面水中存在的物质可能使水的酸碱性发生改变,另一方面水能使许多盐类发生水解,对重金属在自然界中的迁移,转化及沉积具有重要的意义。

7. 水的配位性

由于水分子中的氧原子存在着未共用的孤对电子,因此水可作为配位体与许多金属离子形成水合物。这一性质,对于重金属在自然界中的存在形式具有重要的影响。

1.5 天然水的分类和成分

天然水一般可分为大气水、地表水、地下水和生物水。

大气水(atmosphere moisture)指以水蒸气、云、雨、雪、霜及冰雹的形式存在的水。

地表水(surface water)包括江河水、湖泊水及海洋水。

地下水(ground water)是指存在于土壤层和岩石层的水。

生物水(living water)指存在于动植物及人类等一切生物体内的水。

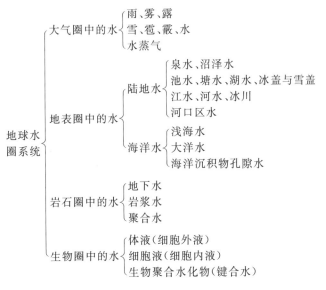

图 3-2 地球水圈系统水的分布

陆渝蓉,《地球水环境学》,南京大学出版社,1999

水和水体(water body)是两个不同的概念。天然水体是指河流、湖泊、沼泽、水库、地下水、冰川、海洋等储水体的总称。它不仅包括水,还包括水中的溶解物、悬浮物以及底泥和水生生物,是指地表被水覆盖的自然综合体系,是一个完整的生态系统。当水体受到重金属污染后,重金属污染物通过吸附、沉淀的方式,易从水中转移到底泥中,水中重金属的含量一般都不高,所以仅从水的角度考虑,似乎未受到污染,但从整个水体来说,已受到严重的污染,而且是不易净化的长期的次生污染。

天然水体中除了水以外,还有其他各种物质,根据它们在水中存在的形态不同,可将这些物质分为三类,即溶解物质、胶体物质和悬浮物质。

表 3 - 4 天然水体的组成

分 类	主 要 物 质
溶解物质	O_2、CO_2、H_2S、CH_4、N_2 等可溶解气体,Ca、Mg、Na、Fe、Mn 等离子的卤化物、碳酸盐、硫酸盐等盐类,其他可溶性有机物
胶体物质	Si、Al、Fe 的水合氧化物胶体物质,粘土矿物胶体物质,腐殖质等有机高分子化合物
悬浮物质	细菌、病毒、藻类及原生动物,泥沙、黏土等颗粒物

溶解在天然水中的物质大致可分为五个方面:主要离子、溶解气体、营养物质、微量元素和有机物质。溶解物质在水中的含量,除与物质的性质有关外,还与气候条件、水文特征、岩石与土壤的组成等因素有关。

1. 主要离子

天然水体中的主要阳离子有 Ca^{2+}、Mg^{2+}、Na^+、K^+ 等。这些离子来自它们的矿物,如钙长石($CaAl_2Si_2O_8$)、白云石[$CaMg(CO_3)_2$]、钾长石($KAlSi_3O_8$)、钠长石($NaAlSi_3O_8$)、镁橄榄石(Mg_2SiO_4)等。当矿物与水接触或在风化过程中,Ca^{2+}、Mg^{2+} 等离子通过水解溶解进入水体。如天然水中钙长石、白云石、方解石($CaCO_3$)、镁橄榄石的溶解过程:

$$CaAl_2Si_2O_8(s) + H_2O + 2H^+ \longrightarrow Al_2Si_2O_5(OH)_4(s) + Ca^{2+}$$

$$CaMg(CO_3)_2(s) + 2CO_2 + 2H_2O \longrightarrow Ca^{2+} + Mg^{2+} + 4HCO_3^-$$

$$CaCO_3(s) + CO_2 + H_2O \longrightarrow Ca^{2+} + 2HCO_3^-$$

$$Mg_2SiO_4 + 4H_2O \longrightarrow 2Mg^{2+} + 4OH^- + Si(OH)_4$$

铝硅酸盐的水解则更为复杂,其风化产物中往往还含有新生成的黏土矿物:

$$2CaAl_2Si_2O_8 + 6H_2O \longrightarrow 2Ca^{2+} + Al_4Si_4O_{10}(OH)_8(高岭石) + Si(OH)_4$$

阳离子进入天然水体后,一般以水合离子的形式存在于水体之中,但为了简化起见,仍以简单离子表示。

水体中的主要阴离子有 Cl^-、SO_4^{2-}、HCO_3^-、CO_3^{2-} 等。Cl^- 是海水中的主要阴离子成分。HCO_3^- 和 CO_3^{2-} 是淡水的主要阴离子成分。这些阴离子是通过它们的矿物被溶解而进入水体的。白云石和方解石溶解时,将 HCO_3^- 离子带进水体。含硫的矿物中,硫以还原态金属硫化物的形式存在,当它与含氧水接触时,被氧化成 SO_4^{2-} 进入水体:

$$2FeS_2 + 7O_2 + 2H_2O \longrightarrow 2FeSO_4 + 2H_2SO_4$$

天然水中的氯离子主要来源于沉积岩。

一般的河水与湖水中，HCO_3^- 离子的含量不超过 250 mg/L，少数情况可达 800 mg/L。各种天然水中 Cl^- 的含量差别很大，河水中含量为 $1\sim35$ mg/L，而海水中高达 19.35 g/L。

2. 微量元素

微量元素是指在天然水体中含量在 $\mu g/L$ 级的元素，天然水体中微量元素的种类很多，大多属于重金属元素，表 3-5 是部分微量元素及其在海水和河水中的含量及形态分布。

表 3-5　天然水体中微量元素的含量及形态分布

元　素	海水中含量($\mu g/L$)	海水中存在形态	河水中含量($\mu g/L$)	河水中存在形态
As	3.7	$HAsO_4^{2-}$，有机砷	0.5	As(Ⅲ)(Ⅴ)，As 的甲基化物
Cd	0.11	胶体，$CdCl_2$	0.1	有机配合物螯合物
Hg	0.03	$HgCl_4^{2-}$，有机汞	0.1	有机配合物螯合物
Ni	0.56	Ni^{2+}，$NiCO_3$	0.5	——
Pb	0.03	$PbCO_3$，胶体	3	——
Zn	4.9	Zn^{2+}，$Zn(OH)^+$	15	Zn^{2+} 有机配合物螯合物
Mn	0.2	Mn^{2+}，$MnCl^+$	8	——
Cu	0.25	$Cu(OH)^+$，$CuCO_3$	3	有机配合物螯合物

3. 营养元素

营养元素是指与生物生长有关的元素，包括 N、P、Si 等非金属元素，以及某些微量金属元素（Mn、Fe、Cu）。这些元素的含量一般在 $\mu g/L$ 到 ng/L 之间，它们的存在形态与水体的酸碱性、氧化还原性有关。

氮、磷是水生生物生长和繁殖所必需的营养元素。但对湖泊、水库、内海、河口等水流缓慢的水体来讲，当其中氮、磷增多时，将导致各种藻类大量繁殖，从而使水中溶解氧减少，甚至消耗殆尽，危害水生生物的存在和生存，这种现象称为水体的"富营养化"。此时水面往往呈现蓝色或红色、棕色、乳白色等，视占据优势的藻类的颜色而异。这种现象在江河湖泊中称"水花"或"水华"（water bloom），在海洋中则叫做"赤潮"或"红潮"（red tide）。

天然水中的铁是一种常见的矿物元素。地下水中的铁主要以 Fe(Ⅱ) 形态存在，含量可高达几十 mg/L，地表水中由于溶解氧充足，铁常以 Fe(Ⅲ) 形态存在，但含量较少。

在 $pH \leqslant 7$ 的天然水中，铁离子可发生下列水解反应：

$$Fe^{3+} + H_2O \Longleftrightarrow FeOH^{2+} + H^+ \qquad\qquad K_1 = 8.9 \times 10^{-4}$$

$$Fe^{3+} + 2H_2O \Longleftrightarrow Fe(OH)_2^+ + 2H^+ \qquad\qquad K_2 = 4.9 \times 10^{-7}$$

$$Fe^{3+} + 3H_2O \Longleftrightarrow Fe(OH)_3(s) + 3H^+ \qquad\qquad K_3 = 1.1 \times 10^{-4}$$

如果水体 $pH = 7$ 同时有 $Fe(OH)_3(s)$ 存在，则根据上述各式可分别求出该水体中各离子的浓度，$[Fe^{3+}] = 9.1 \times 10^{-18}$ mol/L，$[FeOH^{2+}] = 8.1 \times 10^{-4}$ mol/L，$[Fe(OH)_2^+] =$

4.5×10^{-10} mol/L。由此简化计算可明显看出在大多数接近中性的天然水体中，Fe(Ⅲ)的水合离子可以忽略，$FeOH^{2+}$ 为 Fe(Ⅲ)的主要存在形态。

此外，天然水体中，Fe^{3+} 还可能发生下列水解过程：

$$2Fe^{3+} + 2H_2O \Longrightarrow Fe_2(OH)_2^{4+} + 2H^+ \qquad K = 1.23 \times 10^{-3}$$

并进一步形成结构单元为 FeO(OH)的高聚物，分子式可写成$[FeO(OH)]_n$。

天然水体中的硅主要来自硅酸盐和铝硅酸盐的水解。以钠长石为例，当它与酸性水反应时，生成高岭石和硅的可溶性产物正硅酸 H_4SiO_4[或写成 $Si(OH)_4$]，即：

$$2NaAlSi_3O_8(s) + 9H_2O + 2H^+ \longrightarrow Al_2Si_2O_5(OH)_4(s) + 4H_4SiO_4 + 2Na^+$$

反应生成的高岭石，在同样条件下，仍可继续溶解：

$$Al_2Si_2O_5(OH)_4(s) + 6H^+ \longrightarrow 2Al^{3+} + 2H_4SiO_4 + H_2O$$

石英(结晶的 SiO_2)和无定形 SiO_2 也可微量溶解形成正硅酸。

在 25℃时：

$$SiO_2(石英) + 2H_2O \longrightarrow Si(OH)_4 \qquad \lg K = -3.7$$

$$SiO_2(无定形) + 2H_2O \longrightarrow Si(OH)_4 \qquad \lg K = -2.7$$

此外，由于正硅酸是多元弱酸，可发生如下离解反应：

$$Si(OH)_4 \longrightarrow SiO(OH)_3^- + H^+ \qquad \lg K = -9.46$$

$$SiO(OH)_3^- \longrightarrow SiO_2(OH)_2^{2-} + H^+ \qquad \lg K = -12.56$$

$Si(OH)_4$ 也可以形成如下多核配合物：

$$4Si(OH)_4 \longrightarrow Si_4O_6(OH)_6^{2-} + 2H^+ + 4H_2O \qquad \lg K = -12.57$$

在中性或弱酸性条件下，根据以上各式计算得知，单分子正硅酸是硅存在的主要形态，当正硅酸的含量较高时，单分子正硅酸可以聚合成无机硅高分子化合物，以至形成胶体微粒。

4. 有机物质

天然水体中的有机物种类繁多，它们是水生植物光合作用的产物和水生动物在不同阶段分解产物的混合物。通常将水体中有机物分为两大类，即非腐殖物质和腐殖物质。

非腐殖物质包括碳水化合物、脂肪、蛋白质、维生素及其他低分子量有机物等。

水体中的大部分有机物是呈褐色或黑色无定形的腐殖质(humic substances)。它的分子量范围为几百至几万。大多数腐殖质的元素组成在下述范围之内：C，45%～55%；O，30%～45%；H，3%～6%；S，0～1%。腐殖质的组成和结构目前尚未完全搞清楚，分类和命名也不统一。通常根据腐殖质在酸、碱中溶解的情况，将它们分成三个主要部分。

(1) 富里酸(fulvic acid)(也称黄腐酸)，用 FA 表示，分子量为几百至几千，可溶于酸和碱；

(2) 腐植酸(humic acid)(也称棕腐酸)，用 HA 表示，分子量为几千至几万，可溶于碱，但不溶于酸；

（3）胡敏酸(humin)(也称腐黑物)：不溶于酸和碱。

现有资料表明,三种腐殖质在结构上是相似的,它们共同的特点是除含有大量苯环外,还含有大量羟基、羧基、氨基、羰基等活性基团。其中脂肪结构约占 37%,芳香结构约占 21%。一般水中腐殖质里富里酸约占 83%～90%,腐植酸约占 3%～4%,胡敏酸占 7%～13%。由于富里酸的分子量较小,故其单位质量的含氧官能团较高。正是这些活性基团决定了腐殖质具有弱酸性、离子交换性、配位化合和氧化还原等化学活性。因而具有使水体中的金属离子形成稳定的水溶性或水不溶性化合物的能力,以及具有与水体中有机物(包括有毒物)相互作用的能力等。

5. 溶解气体

天然水体中一般存在的气体有氧气、二氧化碳、硫化氢、氮气和甲烷等,这些气体来自大气中各种气体的溶解、水生动植物的活动、化学反应等。海水中的气体还来自海底爆发的火山(见表 3-6)。

表 3-6 海水中主要溶解气体的含量范围

气　　体	O_2	N_2	CO_2	H_2S	Ar
含量范围(mg/L)	0～8.5	8.4～14.5	34～56	0～22	0.2～0.4

第二节　水体污染和污染物

天然水的化学组分较为复杂,随所处的自然条件不同而不同。

水污染通常是指排入水体的污染物超过了该物质在水体中的本底含量和水体的环境容量即水体对污染物的净化能力,因而引起水质恶化,水体生态系统遭到破坏,造成对水生生物及人类生活与生产用水的不良影响。

造成水体污染的因素是多方面的。随着工农业生产的发展,城镇的增加和扩大,城市生活污水、工农业生产废水大量排入水体而造成污染;人类对大气和土壤的污染,经过降水和径流过程,污染物最终也进入水体;此外还包括石油和其他工业废水进入海洋而造成的水污染。

自然环境包括水环境对污染物质都有一定的承受能力,称为环境容量。污染物进入水体后,水体能够在环境容量的范围之内,依靠环境自身的作用而使污染物浓度逐渐降低或消除,经一段时间后恢复到受污染前的状态,称为水体的自净作用(self-purification)。水体的自净能力的大小是估计该水体环境容量的重要前提。水体的自净往往需要一定的时间和条件,除与水体的地形和水文条件,水中微生物的种类和数量,水温和水体复氧状况有关外,还与污染物的性质、浓度(或数量)以及排放方式等有关。按照作用机理,这种自净作用又可分为物理自净、物理化学自净和生物自净三种。

（1）物理自净：污染物进入水体后,通过水的流动,使污染物得到扩散、混合、稀释、挥发、沉降,改变污染物的物理性状和空间位置,可溶性固体经沉降逐渐沉淀至水底形成污泥;悬浮物、胶体和溶解性污染物因混合、稀释而浓度降低。物理自净能力的大小取决于水体的环境条件如流速、水量等,以及污染物本身的物理性质如密度、蒸气压、形态、粒度等。

（2）物理化学自净：污染物在水体中通过中和、沉淀、氧化还原、化合分解等物理化学变化,使污染物发生化学性质、形态、价态上的变化,从而改变污染物在水体中的迁移能力和毒性大小。如：

$$Cr^{3+} \longrightarrow Cr(OH)_3 \downarrow$$

$$CN^- + CO_2 + H_2O === HCN \uparrow + HCO_3^-$$

（一般河水中90%CN^-可通过该过程得到自净）

影响物理化学自净的环境条件有水的pH值、氧化还原电势、温度和化学组成等。

（3）生物自净：指悬浮和溶解于水体中的有机污染物在微生物的作用下,发生氧化分解,使其浓度降低,转化为简单、无害的无机物而从水体中消除的过程。它还可以包括生物吸收、生物转化和生物富集等过程。需氧微生物在溶解氧存在时,将水体有机污染物分解为简单稳定的无机物（H_2O、CO_2、硝酸盐、磷酸盐等）；厌氧微生物缺氧时,将水中有机污染物分解为H_2S、CH_4等,水生植物吸收水体中镉、汞等重金属。生物自净与生物的种类,环境条件如含氧量、温度等有关。在水体自净中,生物自净占有主要的地位。如：

$$CN^- \xrightarrow{\text{微生物}} CNO^-$$

$$CNO^- \xrightarrow{\text{微生物}} NH_4^+ + HCO_3^-$$

水体中的污染物

排入水体的污染物种类繁多,分类方法各异。按污染物组成分类可见表3-7。

表3-7　水体中的污染物

污染物类型	主　要　污　染　物
重金属污染物	Hg、Cd、Pb、Cr、As、Be、Co、Ni、V、Cu、Zn、Se、Sb、Sn、Mn、Ag、Mo等
非金属污染物	N、P、F、B等
放射性物质	^{238}U、^{232}Th、^{226}Ra、^{90}Sr、^{137}Cs、^{131}I、^{60}Co、^{64}Cu、^{32}P、^{24}Na等
有机污染物	酚、氰、丙烯腈、多氯联苯(PCB)、稠环芳烃(PAHs)、取代苯类化合物
农药污染物	六六六、敌百虫、敌敌畏、DDT、2,4-D、对硫磷等

按污染物的危害性可分为：无毒污染物和有毒污染物两大类。

2.1　无毒污染物

水体中的无毒污染物包括酸碱盐等无机物及蛋白质、油类、脂肪等有机物,它们一般虽无生物毒性,但含量过高会对人类或生态系统产生不良影响。

酸、碱物质使水体不能维持正常 pH 范围(6.5~8.5)。

含氮、磷的化合物,如合成洗涤剂及化肥等是营养物质,若过量会引起藻类疯长而使水体缺氧。

其他有机物因化学和微生物分解过程而消耗水体中的氧气,致使水体中溶解氧耗尽,水质恶化。

各种溶于水的无机盐类会造成水体含盐量增加,硬度增加,同样会影响某些生物的生长和造成农田盐渍化。此外还影响工业用水和饮水水质,从而增加处理费用。

2.2　有毒污染物

有毒污染物可分成无机有毒物、有机有毒物和生物污染物。

1. 无机有毒物

无机有毒物主要包括重金属污染物和无机阴离子污染物。

(1) 重金属污染物:

Hg、Cd、Pb、Cr、As、Be、Co、Ni、V、Cu、Zn、Se 等。

As、Be、Se 虽非重金属,但在环境科学中考虑到 As、Se 的毒性和某些性质类似于重金属,Be 与人体健康关系密切,因此常把它们列入重金属讨论范畴。

(2) 无机阴离子:

NO_2^-:NO_2^- 具有毒性,进入生物体内后易转化为强致癌物质亚硝胺(R-NH-NO),在饮用水中不得检测出 NO_2^-。NO_3^- 易转变成 NO_2^-,岩盐中含有 NO_3^-,在腌制食品时的无氧环境中,盐中的 NO_3^- 有可能转变成 NO_2^-。NO_3^- 含量在水中以 N 计,一般不容许超过 10 mg/L。

CN^-:主要来自化学、电镀、煤气、炼焦等工业排放的含氰废水。

CN^- 具强烈配合作用,能破坏细胞中氧化酶,造成人体缺氧呼吸困难,从而窒息死亡。每升饮用水中 CN^- 含量不能超过 0.01 mg/L。

F^-:F^- 在体内破坏磷化酶和钙代谢,与骨骼组成中的 Ca^{2+} 生成 CaF_2,形成氟斑牙(dental fluorosis),同时,它还能导致 Ca、P 代谢紊乱,引起低血钙、氟骨症(skeletal fluorosis)等疾病。

2. 有机有毒物

有毒的有机污染物主要包括有机农药、多氯联苯、多环芳烃等类有机物。有毒有机污染物的共同特点是:极大多数为难降解有机物,或称持久性有机物。它们在水中的含量虽不高,但因在水体中残留时间长、有蓄积性、可导致慢性中毒,造成致癌、致畸、致突变等生理毒害。

(1) 有机农药:

由于农药(pesticide)施用量的增加,其在环境中循环积累,已对全球生态构成严重威胁,成为不少植物退化和动物绝种的重要原因。

有机农药目前已有近千种,我国生产和使用的近 200 种。水体中农药主要来自农药废水和雨刷大气中漂浮的农药粒子,使用较广泛的农药有杀虫剂(insecticides)、除莠剂(herbicides)、杀(真)菌剂(fungicides)、熏蒸剂(fumigants)和灭鼠剂(rodenticides)等。

杀虫剂包括有机氯、有机磷、氨基甲酸酯和拟除虫菊酯等类型。

有机氯农药：是含氯的有机化合物，大部分是含一个或几个苯环的氯衍生物，最主要的有六六六（六氯化苯）(benzene hexachloride, BHC)、滴滴涕（二氯二苯基三氯乙烷）(dicophan, DDT)、艾氏剂（六氯六氢化二甲萘）(aldrin)、狄氏剂(dieldrin)和异狄氏剂(eldrin)（六氯环氧八氢化二甲萘）、氯丹(chlordane)、七氯(heptachlor)等。

有机磷农药是含磷的有机化合物，也有的含有硫和氮等元素。其化学结构中一般含有C—P键或C—O—P键、C—N—P键、C—S—P键等，大部分是磷酸酯类或酰胺类化合物。毒性大，但较易分解，在环境中存留时间短，不易在生物体内蓄积，其对环境的影响比有机氯农药小。常用的有毒性大的对硫磷(1605)(parathion)、甲基对硫磷(parathion methyl)、甲基内吸磷(1059)(demeton methyl)等，毒性中等的敌敌畏(dichlorphos)，低毒的敌百虫(trichlorfon)、乐果(dimethoate)、马拉硫磷(malathion)等。

氨基甲酸酯类农药均具有苯基-N-氨基甲酸酯的结构，在环境中易分解，在生物体内能迅速代谢，而其代谢产物毒性多数低于其本身毒性，属于低残留的农药。

除草剂（除莠剂）具有选择性，一般只能杀伤杂草，而不伤害农作物。常用的除草剂有2，4-D(2，4-二氯苯氧基醋酸)和2，4，5-T(2，4，5-三氯苯氧基醋酸)及其酯类。大多数除草剂在环境中易被分解，对动植物和人体毒性不大，也未发现在生物体内蓄积。

有机汞杀菌剂：赛力散（醋酸苯汞）(phenylmercuric acetate)、西力生（氯化乙基汞）(cereson)等。

第一代含氯农药，对环境危害最大。

有机氯农药，杀虫效果好，但毒性大，化学性质稳定。在环境中残留时间长，不易降解（生物降解、光化学降解），易溶于脂肪中，容易在脂肪中蓄积而在水生生物体内富集可达水中浓度的数十万倍，不但影响水生生物繁衍，而且通过食物链危害人体健康，许多国家已禁止使用，我国也已于1983年全部禁止生产和使用。

有机汞农药因污染严重也减少了使用量。

第二代含磷农药，毒性虽大但容易降解，在环境中残留量低。

第三代拟除虫菊酯类(synthetic pyrethrins)农药，是天然有机化学产品，毒性低，但因合成路线较长(8～12步)、成本高、尚未推广。

(2) 多环芳烃或稠环芳烃(polycyclic aromatic hydrocarbons, PAHs)：

指分子中包括两个或两个以上苯环结构的碳氢化合物。多环芳烃是指两个以上的苯环连接在一起的化合物，两个以上的苯环连接在一起可以有两种方式：一种是非稠环型的，苯环与苯环之间只由一个碳原子相连，如联苯、联三苯等；另一种是稠环型的，两个碳原子为两个苯环所共有，如萘、蒽、菲等。多环芳烃一般是指稠环型化合物，因此确切的称呼应称为稠环芳烃，国内也常称为多环芳烃，缩写为PAHs。常见的稠环芳烃见表3-8与图3-4。

这类化合物种类很多，其中至少有20多种有致癌作用。最典型的是3，4-苯并芘，即苯并[a]芘(以BaP表示)，此外还有1，2-苯并蒽，即苯并[a]蒽(以BaA表示)，1，2，3，4-二苯并菲，硝基多环芳烃(NO_2-PAN)，含O、N、S等的PAH和多氯二苯并二噁英(PCDD)、多氯二苯并呋喃(PCDF)等。

多环芳烃为含碳氢有机物,主要来自化石燃料燃烧及有机物热解产物。在温度高于 400℃时,经热解环化、聚合作用而生成,最适宜生成温度为 600～900℃,其生成反应过程如图 3－3 所示的苯并[a]芘的生成过程。因此,煤炭、木材、石油、气体燃料、纸张和烟草等有机物在一定条件下燃烧均可产生多环芳烃。在环境中它们主要吸附在大气中的颗粒物上,通过沉降和雨水冲洗污染土壤和水体。水体中多环芳烃的重要来源是大气中的煤烟随雨水降落,及煤气发生站、焦化厂、炼油厂等排放含多环芳烃的废水进入水体。多环芳烃多是无色或淡黄色的结晶。蒸气压较低,熔点及沸点均较高。多环芳烃大多数为非极性化合物,在有机溶剂中具有较大的溶解度,在水中溶解度很小,约为 0.01 g/L。但它可在洗涤剂作用下分散在水中,所以水体中的多环芳烃可能呈现三种状态,即吸附于悬浮性固体上,溶解于水中,或呈乳化状态。

图 3－3　苯并[a]芘的生成过程示意图

进入环境以后,多环芳烃难以通过生物降解消除而形成长期积累,也可以通过食物链富集浓缩,在浮游生物体内可富集数千倍。其在环境中虽含量不高,但分布很广,水体、土壤、水底质等是其主要归宿。多环芳烃类化合物中含有很多致癌和致突变的成分,还含有多种促进致癌的物质,它能够通过大气、饮水、饮食及吸烟等进入人体,危害人体健康。PAH 可经呼吸道、皮肤及消化道吸收,进入体内的 PAH 大部分经胆汁,小部分经尿排出体外。

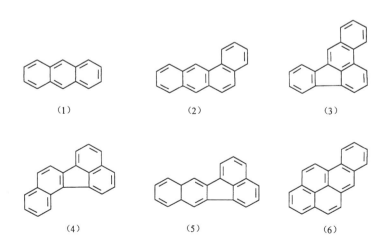

（1）　　　　　　　　　（2）　　　　　　　　　（3）

（4）　　　　　　　　　（5）　　　　　　　　　（6）

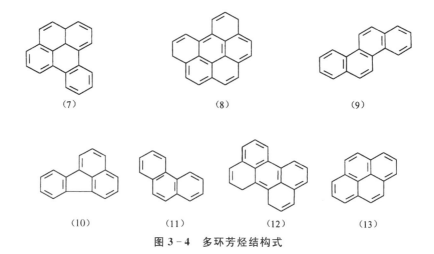

（7）　　　　　　　　　　（8）　　　　　　　　　　（9）

（10）　　　（11）　　　（12）　　　（13）

图 3－4　多环芳烃结构式

表 3－8　多环芳烃在环境中的代表物

序号	名　称	英　文　名　称	代　号	分子量	城市大气中浓度范围（$\mu g/1\,000\,m^3$）	熔点（℃）	沸点（℃）	致癌性[a]
1	蒽	Anthracene	An	178	4.4～617.6	216	340	？
2	苯并[a]蒽	Benzo (a) anthracene	B[a]A	228	0.1～776	158		＋
3	苯并[b]荧蒽	Benzo (b) fluoranthene	B[b]F	252	0.5～7.4			＋＋
4	苯并[j]荧蒽	Benzo (j) fluoranthene	B[j]F	252	0.8～4.4			＋＋
5	苯并[k]荧蒽	Benzo (k) fluoranthene	B[k]F	252				－
6	苯并[a]芘	Benzo (a) pyrene	B[a]P	252	0.05～1 060	179	310	＋＋＋
7	苯并[e]芘	Benzo (e) pyrene	B[e]P	252	0.9～110.6	178	250	＋
8	苯并[g,h,i]苝	Benzo (g,h,i) perylene	B[g,h,i]P	276	0.4～1 000			－
9	䓛	Chrysene	Ch	228	0.2～276.7	254	418	＋
10	荧蒽	Fluoranthene	Fi	202	0.06～41	110	393	－
11	菲	Phenanthrene	Ph	178	3.8～17.4	110	340	？
12	苝	Perylene	Per	252	0.01～5.0	273	500	－
13	芘	Pyrene	Pyr	202	0.08～54	150	404	－

　　a. 老鼠表皮的致癌性：＋＋＋,强；＋＋,中等；＋,弱；－,无。

　　王连生,《有机污染物化学》,科学出版社,1991

（3）合成洗涤剂：

　　目前,合成洗涤剂(synthetic detergent)被广泛应用于生活和工业上,世界年产量已达 2 千万吨,排放入水体的合成洗涤剂的数量日益增大,其对环境的影响不可忽视。我国目前生产的合成洗涤剂中除含有链烷基苯磺酸钠外,还含有三聚磷酸钠、碳酸钠、硅酸钠、羧基纤维素钠、荧光增白剂和硫酸钠等。合成洗涤剂中含有的表面活性剂(surface active agent)会在水面产生泡沫,影响大气和水体的溶解氧交换,它还会使水生动物的感官功能衰退甚至丧失生存本能,还会造成水体富营养化。当水体中表面活性剂浓度达到 10 mg/L 时,鱼类就难以生存。同时,合成洗涤剂中含有的磷酸盐添加剂,可导致水体的富营养化,使水质恶化。

（4）酞酸酯类化合物（phthalate esters）：

又称邻苯二甲酸酯，最常用的是酞酸二正丁酯（DNBP）和酞酸二异辛酯（DEHP）。其结构如下：

$$
\begin{array}{c}
O \\
\parallel \\
C - OR_1 \\
C - OR_2 \\
\parallel \\
O
\end{array}
$$

其中 R_1 和 R_2 代表不同的或相同的烷基或芳基，如 DNBP 中 $R_1 = R_2 = CH_2-CH_2-CH_2-CH_3$。

酞酸酯（PAEs）一般呈无色油状粘稠液体，难溶于水，易溶于有机溶剂和类酯，常温下蒸气压低不易挥发，通常可用酞酸酐与各种醇类之间的酯化反应制取。

酞酸酯类化合物主要用于塑料的改性添加剂，用于增大塑料的可塑性和塑料的强度，少量用于农药、涂料、印染、化妆品、油漆和香料的生产，是环境中常见的有机污染物。作为塑料增塑剂，由于未聚合到塑料基质中，随着使用时间的推移，可由塑料中转移到环境中去，造成对水体等的污染。由于人体同塑料制品的接触，酞酸酯也可直接进入人体造成不同程度的危害。

酞酸酯的急性毒性强度不大，对 Ames 试验呈阴性反应，给予大剂量的情况下，对动物有致畸胎和致突变作用。用聚氯乙烯袋贮存的血浆在 4℃ 保存一天后，有 50～70 ppm 的 DEHP 进入血浆，病人输入这种血浆后可引起呼吸困难，肺源性休克等，甚至引起死亡。

据现有资料表明，酞酸酯已成为全球性污染物，许多国家的大气、水体和土壤中均含有酞酸酯，我国的湖泊、江河和井水中都普遍检出了酞酸酯，最常见的是 DNBP 和 DEHP。在我国部分土壤和底泥中增塑剂的积累已相当可观，对未来环境的影响值得重视。

（5）石油：

石油污染的主要污染物是各种烃类化合物——烷烃、环烷烃、芳香烃等。在石油的开采、炼制、贮运、使用的过程中，原油和各种石油制品进入环境而造成环境污染。当前，石油对海洋的污染已成为世界性问题。

目前船舶特别是油船对海洋的污染是十分严重的，世界石油总产量的约 60％ 经海上运输，洗舱水、压舱水和其他含油废水以及沉船事故把大量石油带入海中。而许多国家设在沿海、沿河的工业区也向水体排出大量含油废水，据不完全统计，每年仅由此排入河流和海洋的石油达 300 万～500 万吨。

石油进入海洋后的影响是多方面的，除其有毒组分危害海洋生物的生长、影响渔业生产外，还会降低海滨环境的使用价值、破坏海岸设施以及影响局部地区的水文气象条件和降低海洋的自净能力。

海洋的石油污染将阻碍水体同大气之间的物质交换。据测定，每滴石油在水面上能形成 $0.25\ m^2$ 的油膜，每吨石油能覆盖 $5 \times 10^6\ m^2$ 的水面。油膜使水面与大气隔绝，使水中溶解氧减少，从而降低海洋的自净能力。

油膜覆盖水面阻碍海水的蒸发，影响大气与海洋的热交换，改变海面的反射率和减少进入海洋表层的日光辐射,对局部地区的水文气象条件产生一定的影响。

海洋石油污染的最大危害是对海洋生物的影响,因为石油会覆盖或堵塞生物的表面和微细结构,抑制生物的正常运动,以及阻碍小型动物正常摄取食物、呼吸等活动,将对生物产生机械性损害。当水中含石油0.1~0.01 mL/L 时,对鱼类及水生生物就会产生有害的影响,石油污染对幼鱼和鱼卵的危害尤其严重。

(6) 其他有机化合物:

如酚类、腈类化合物均具毒性。酚类化合物(phenols)大量存在于煤焦油及各种煤的液化、气化产物中,是煤加工过程中主要副产物之一。酚类化合物是有机化学工业的基本原料,在化工生产中有着广泛的用途,但却有着较大的毒性,其中苯酚是高毒物质,常作为合成中间体使用,包括煤气、焦化、石油化工、制药、油漆等各类工业都排放出大量含酚废水,严重地危害生态和环境。由于酚类化合物结构中存在着羟基,大多数酚类化合物在水中具有较高的溶解度,增加了在环境中迁移转化的能力。如苯酚能溶于水,具有臭味,毒性较大,能使细胞蛋白质发生变性和沉淀。当水体中酚浓度为 0.1~0.2 mg/L 时,鱼肉产生酚味;浓度高时,可使鱼类大量死亡。长期饮用含酚水,可引起头昏、贫血及各种神经系统疾病,甚至中毒。丙烯腈(acrylonitrile)是合成纤维的原料,并可用于合成橡胶、合成树脂、涂料等的原料,具有较强的毒性,并为国际癌症研究所列为人类可疑致癌物。它们对环境的影响同样引人注目。

3. 生物污染物

城市生活污水、医院污水和污水处理厂排水排放入地面水体后,引起病源微生物感染。这些污水中常含有细菌如霍乱、伤寒、痢疾等肠道传染病菌,肠道病毒和肝炎病毒以及线虫、绦虫等能引起寄生虫病的寄生蠕虫等。

2.3 污染物质在天然水中的运动过程

污染物质在天然水中的运动过程以海洋为例,作一简介,其他水体的情况,可以类推。

图中过程 1,2 为污染物在海水中的迁移(migration)过程。所谓迁移过程就是由稀释扩散、生物活动等所引起的污染物空间位置的移动过程,影响该过程的一个主要因素是海区的水文条件,其中包括潮汐、海流和涡流等多种变量。

污染物在环境中的迁移,根据自然界中物质运动基本形式可以区分为:

(1) 机械迁移:指污染物随大气气流运动或水体径流而进行的机械搬迁作用。如元素Hg 因相对密度大而发生沉降作用,Hg 蒸气随气流进行扩散;悬浮物被水体搬运而在一定水动力条件改变时产生沉积等。

(2) 物理化学迁移:指以一定形式存在的污染物(例如简单离子、配离子或可溶性分子等)在环境中通过一系列物理化学作用,使它们的存在形式发生改变,从而实现它们在环境中的迁移。重金属在环境中的迁移是物理化学迁移的典型例子。这种迁移作用的结果决定重金属在环境中存在形式的多变性、富集状态的差异和它们对生物危害程度的不同。

(3) 生物迁移:指污染物由于生物的新陈代谢、生长死亡等生物活动过程而发生迁移。生物迁移主要是由于生物体自身活动规律所决定,但是污染物的物理化学状态对它的影响也不容忽视。污染物作为环境中的物质,依靠生物化学作用实现它们在气、水、土之间的迁移、转

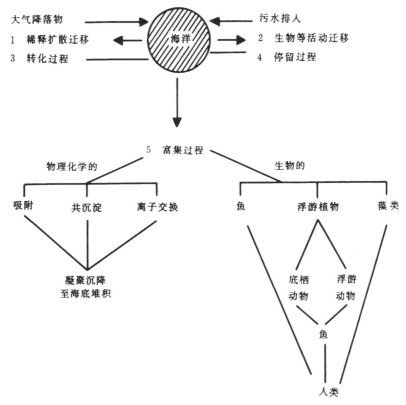

图 3-5　污染物质在海水中的运动过程

化,这实质上是把无机矿物界和有机生物界联系起来。这一作用很大一部分是通过食物链的形式进行的。如 N、P、S、C 等元素在环境中的循环就是通过生物迁移实现的。

图中过程 4 是污染物在海水中的停留(resident)过程。它牵涉到污染物危害持续时间的长短问题。污染物停留过程主要决定于海水交换和更新,以及水中胶体、悬浮物的沉积速率。污染物在海水中的停留时间 τ 可用下式计算:

$$\tau_i = \frac{A_i}{\dfrac{\mathrm{d}A_i}{\mathrm{d}t}}$$

式中 A_i 为引进的污染物 i 的总量;

$\dfrac{\mathrm{d}A_i}{\mathrm{d}t}$ 为 i 污染物在海洋中的沉积速率。

一般污染物活性越大,在海水中停留时间就越短。

图中过程 5 为污染物在海洋中的富集(enrichment)过程。它主要取决于吸附等物理化学的富集、沉降,以及食物链的选择性吸收。其结果是污染物脱离海水,使后者得到净化,同时,将在不同程度上有害于生物,并将增加底质中污染物的积累,而有可能引起对海水的二次污染。

图中过程 3 是污染物在海洋中的转化(transformation)过程,它包括化学、物理化学、光化学和生物化学的作用,通过转化过程,污染物浓度,尤其是形态将发生改变,从而影响到污染物在海洋中的分布、迁移、停留、富集,以及它们的毒性,底质的二次污染等。

第三节 天然水的酸碱平衡

3.1 天然水的 pH

纯水的 $[H^+] = 10^{-7} \text{ mol/L}$,即 $pH = 7.0$。CO_2 是影响天然水体 pH 值的主要因素。当水中溶解有 CO_2 时,$[H^+]$ 增加;当 CO_2 自水中逸出时,pH 值增大。天然水的 pH 主要由下列平衡决定:

$$CO_2 + H_2O \Longrightarrow H_2CO_3 \Longrightarrow H^+ + HCO_3^- \Longrightarrow 2H^+ + CO_3^{2-}$$

当水中 CO_2 浓度继续增大时,由于天然水体中存在 $CaCO_3$,

$$CaCO_3(s) + CO_2 + H_2O \Longrightarrow Ca^{2+} + 2HCO_3^-$$

平衡向右移动,则 HCO_3^- 浓度增加,则下列平衡向左移动,使水体 $[H^+]$ 下降:

$$CO_2 + H_2O \Longrightarrow H^+ + HCO_3^-$$

因此,对于大多数天然水体来说,其 pH 变化在 5~9 之间,其中河水 pH 在 5~7 之间,而海水 pH 在 7.7~8.3 之间。

天然水的 pH 还会受到其他溶解在水体中的酸、碱、盐类物质存在的影响,此外,发生在水体中的化学反应也会影响天然水的 pH,如黄铁矿被氧化的反应会导致 pH 降低,反硝化和反硫化过程则会使 pH 升高。人为排放的工业废水进入天然水体,则可能严重地破坏天然水体的 pH 平衡。

至于少数天然水 pH 值的异常情况,是由特殊条件引起的。如矿坑水含有较多的亚铁盐,它会水解产生大量 H^+,使水的 pH 降至 2 到 3。富含腐殖质的沼泽水,由于腐殖质中有机酸的电离,其 pH 可低至 3。盐湖中钙离子含量很少,CO_3^{2-} 能够大量积累浓度很高,而 HCO_3^- 和溶解的 CO_2 浓度很低,所以水的 pH 可以高达 12 或 13。

3.2 天然水体的碳酸平衡

在大多数天然水体中都含有溶解的 CO_2,它的主要来源是水生生物的呼吸作用、水体或土壤中有机物氧化时的分解产物以及空气中的 $CO_2(0.035\%)$ 溶解入水中。

溶解在水中呈分子状态的 CO_2 称为游离 CO_2,溶解的 CO_2 与水可发生如下反应:

$$CO_2 + H_2O \Longrightarrow H_2CO_3$$

25℃时 $K = 2 \times 10^{-3}$

由平衡常数 K 值可知,溶解的 CO_2 大部分以游离 CO_2 形式存在。

通过一系列酸碱反应和碳酸盐、重碳酸盐的沉淀—溶解反应,水中的碳酸类化合物可有 CO_2、H_2CO_3、HCO_3^-、CO_3^{2-} 四种形态组成,由于 H_2CO_3 形式含量极低可忽略不计,因此水中 CO_2—HCO_3^-—CO_3^{2-} 体系可用下列反应及平衡常数来描述:

25℃时：

$$CO_2 + H_2O \rightleftharpoons H^+ + HCO_3^- \qquad K_1 = 4.45 \times 10^{-7}$$

$$HCO_3^- \rightleftharpoons H^+ + CO_3^{2-} \qquad K_2 = 4.69 \times 10^{-11}$$

由此可见，水中 CO_2、HCO_3^-、CO_3^{2-} 的浓度与 H^+ 浓度即水体 pH 有关。

设 C_{TC} 为总无机碳量，则：

$$C_{TC} = [CO_2] + [HCO_3^-] + [CO_3^{2-}]$$

令

$$\alpha_0 = \frac{[CO_2]}{C_{TC}}$$

$$\alpha_1 = \frac{[HCO_3^-]}{C_{TC}}$$

$$\alpha_2 = \frac{[CO_3^{2-}]}{C_{TC}}$$

式中 α_0、α_1、α_2 分别为 CO_2、HCO_3^-、CO_3^{2-} 的分布系数。

由于 $K_1 = \dfrac{[H^+][HCO_3^-]}{[CO_2]}$

$$[HCO_3^-] = \frac{K_1[CO_2]}{[H^+]}$$

$$K_2 = \frac{[H^+][CO_3^{2-}]}{[HCO_3^-]} = \frac{[H^+][CO_3^{2-}]}{\dfrac{K_1[CO_2]}{[H^+]}}$$

$$[CO_3^{2-}] = \frac{K_1 K_2 [CO_2]}{[H^+]^2}$$

$$\alpha_0 = \frac{[CO_2]}{C_{TC}} = \frac{[CO_2]}{[CO_2] + [HCO_3^-] + [CO_3^{2-}]}$$

$$= \frac{[CO_2]}{[CO_2] + \dfrac{K_1[CO_2]}{[H^+]} + \dfrac{K_1 K_2 [CO_2]}{[H^+]^2}} = \frac{[H^+]^2}{[H^+]^2 + K_1[H^+] + K_2 K_1}$$

$$= \left(1 + \frac{K_1}{[H^+]} + \frac{K_1 K_2}{[H^+]^2}\right)^{-1}$$

同理：$\alpha_1 = \left(\dfrac{[H^+]}{K_1} + 1 + \dfrac{K_2}{[H^+]}\right)^{-1}$

$$\alpha_2 = \left(\frac{[H^+]^2}{K_1 K_2} + \frac{[H^+]}{K_2} + 1\right)^{-1}$$

根据以上各式可以计算出,不同 pH 值下水中碳酸类物质各种形态的分布系数,将计算结果绘制成曲线。(见图 $3-6$ CO_2—HCO_3^-—CO_3^{2-} 体系形态分布系数图)

在 C_{TC} 值一定时,则可计算出不同 pH 值时 CO_2、HCO_3^-、CO_3^{2-} 的浓度。将浓度随 pH 值改变的函数关系绘制成曲线,即图 $3-7$。

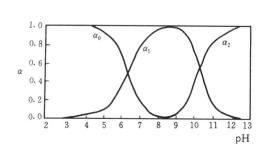

图 $3-6$ CO_2—HCO_3^-—CO_3^{2-} 体系形态分布系数图

李惕川主编,《环境化学》,中国环境科学出版社,1990

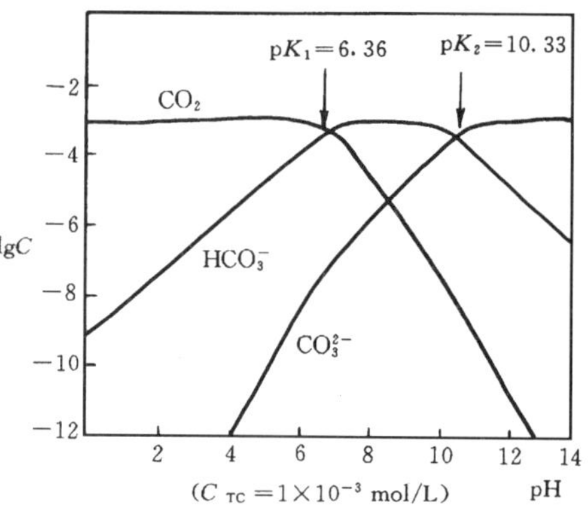

图 $3-7$ CO_2—HCO_3^-—CO_3^{2-} 体系的浓度分布

李惕川主编,《环境化学》,中国环境科学出版社,1990

但上述计算并未考虑敞开体系中的二氧化碳气水平衡,一般来说,达到这种平衡需要一定时间,有时需要数天。如果仅考虑短时间内的溶液平衡,则可以使用上述封闭体系内碳酸化合态总量不变的计算公式,如果要研究天然水体较长时间的平衡状态,则必须考虑二氧化碳的气水平衡。根据亨利定律:$[CO_2(aq)] = K_i \times P_{CO_2}$

$$[HCO_3^-] = \frac{K_1}{[H^+]} \times K_i \times P_{CO_2}$$

$$[CO_3^{2-}] = \frac{K_1 K_2}{[H^+]^2} \times K_i \times P_{CO_2}$$

因为 $\alpha_0 = \dfrac{[CO_2]}{C_{TC}}$

所以 $C_{TC} = \dfrac{[CO_2]}{\alpha_0} = \dfrac{K_i \times P_{CO_2}}{\alpha}$

$$[HCO_3^-] = C_{TC} \times \alpha_1 = \frac{\alpha_1}{\alpha_0} \times K_i \times P_{CO_2}$$

以 $\alpha_1 = \left(\dfrac{[H^+]}{K_1} + 1 + \dfrac{K_2}{[H^+]} \right)^{-1}$

$\alpha_2 = \left(\dfrac{[H^+]^2}{K_1 K_2} + \dfrac{[H^+]}{K_2} + 1 \right)^{-1}$ 代入得

$$[CO_3^{2-}] = C_{TC} \times \alpha_2 = \frac{\alpha_2}{\alpha_0} \times K_i \times P_{CO_2}$$

以上述方程作出开放体系的碳酸平衡关系图,得图 3-8,在图中 H_2CO_3、HCO_3^-、CO_3^{2-} 三条线的斜率分别为 0、+1 和 +2。而 C_T 是分别以这三根直线为渐近线的曲线。

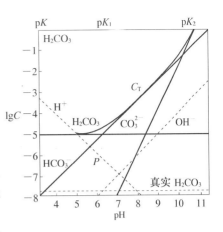

图 3-8　开放体系的碳酸平衡

3.3　天然水的碱度和酸度

碱度是指水中离解或水解后能与强酸发生中和作用的全部物质,亦即能接受质子 H^+ 的物质总量。组成水中碱度的物质可以归纳为三类:(1) 强碱,如 NaOH、Ca(OH)$_2$ 等,在溶液中可以全部电离出 OH^- 离子;(2) 弱碱,如 NH_3、$C_6H_5NH_2$ 等,在水中发生反应或部分离解能生成 OH^- 离子;(3) 强碱弱酸盐,如各种碳酸盐、重碳酸盐、硅酸盐、磷酸盐、硼酸盐、醋酸盐、硫化物和腐殖酸盐等,它们水解时生成 OH^- 或者直接接受质子 H^+。后两种物质在中和过程中不断继续产生 OH^- 离子,直到全部中和完毕。

在测定已知体积天然水样总碱度时,可用强酸标准溶液滴定,用甲基橙为指示剂,当溶液由黄色变成橙红色时(pH 约 4.3),停止滴定,此时所得的结果称为总碱度,也称为甲基橙碱度。其化学反应的计量关系式如下:

$$H^+ + OH^- \longrightarrow H_2O$$

$$H^+ + CO_3^{2-} \longrightarrow HCO_3^-$$

$$H^+ + HCO_3^- \longrightarrow H_2CO_3$$

因此,总碱度是水中各种碱度成分的总和,即加酸至 HCO_3^- 和 CO_3^{2-} 全部转化为 CO_2。根据溶液物料平衡条件:

$$总碱度 + [H^+] = [HCO_3^-] + 2[CO_3^{2-}] + [OH^-]$$

移项整理即可以得到总碱度的表达式

$$总碱度 = [HCO_3^-] + 2[CO_3^{2-}] + [OH^-] - [H^+]$$

如果滴定是以酚酞作为指示剂,当溶液的 pH 降到 8.3 时,表示 OH^- 被中和,CO_3^{2-} 全部转化为 HCO_3^-,但作为碳酸盐只中和了一半,因此得到酚酞碱度表示式:

$$酚酞碱度 = [CO_3^{2-}] + [OH^-] - [H_2CO_3^*] - [H^+]$$

达到 $pH(CO_3^{2-})$ 所需酸量时的碱度称为苛性碱度。苛性碱度在实验室里不能迅速地测得,因为没有合适的指示剂,不容易确定终点。但若已知总碱度和酚酞碱度就可用计算方法确定。苛性碱度表达式为:

$$苛性碱度 = [OH^-] - [HCO_3^-] - 2[H_2CO_3^*] - [H^+]$$

和碱度相反,酸度是指水中离解或水解后能与强碱发生中和作用的全部物质,亦即放出

H^+ 或经过水解能产生 H^+ 的物质的总量。组成水中酸度的物质也可归纳为三种：(1) 强酸，如 H_2SO_4、HNO_3、HCl 等；(2) 弱酸，CO_2 及 H_2CO_3、硅酸、硼酸、醋酸、H_2S、蛋白质以及各种有机酸类；(3) 强酸弱碱盐，如 $FeCl_3$、$Al_2(SO_4)_3$ 等。

以强碱滴定天然水溶液测定其酸度时，其反应过程正好与上述相反。以甲基橙为指示剂滴定到 $pH=4.3$，以酚酞为指示剂滴定到 $pH=8.3$，分别得到无机酸度及游离 CO_2 酸度。总酸度应在 $pH=10.8$ 处得到。但此时滴定曲线无明显突跃，难以选择适合的指示剂，故一般以游离 CO_2 作为酸度主要指标。

同样也可根据溶液质子平衡条件，得到酸度的表达式：

$$总酸度 = [H^+] + [HCO_3^-] + 2[H_2CO_3^*] - [OH^-]$$

$$CO_2 酸度 = [H^+] + [H_2CO_3^*] - [CO_3^{2-}] - [OH^-]$$

$$无机酸度 = [H^+] - [HCO_3^-] - 2[CO_3^{2-}] - [OH^-]$$

碱度和酸度与天然水体的碳酸化合物总量间具有如下的关系，因此可以在水体的 pH、碱度(或酸度)及碳酸各组分的含量之间进行各种计算。

$$总碱度 = C_T(\alpha_1 + 2\alpha_2) + \frac{K_w}{[H^+]} - [H^+]$$

$$酚酞碱度 = C_T(\alpha_2 - \alpha_0) + \frac{K_w}{[H^+]} - [H^+]$$

$$苛性碱度 = -C_T(\alpha_1 + 2\alpha_0) + \frac{K_w}{[H^+]} - [H^+]$$

$$总酸度 = C_T(\alpha_1 + 2\alpha_0) + [H^+] - \frac{K_w}{[H^+]}$$

$$CO_2 酸度 = C_T(\alpha_0 - \alpha_2) + [H^+] - \frac{K_w}{[H^+]}$$

$$无机酸度 = -C_T(\alpha_1 + 2\alpha_2) + [H^+] - \frac{K_w}{[H^+]}$$

天然水体的 pH 值能够保持在一定的 pH 范围内，主要是由于在天然水体中存在着一些酸碱缓冲对，碳酸化合物可以说是其中最重要的因素。碱度和酸度是天然水体具有的缓冲能力的量度，天然水体可以容纳的酸碱废水的容量受此制约，但是由于这种缓冲作用是有限度的，一旦大量的酸碱污染物质进入水体，就会影响水体的 pH，破坏水体的酸碱平衡和生态平衡，造成严重的环境问题。

第四节 水体中的重金属污染

4.1 重金属元素在环境中的存在和影响

1. 分布广泛

重金属是构成地壳的元素，在自然界的分布非常广泛，它广泛存在于各种矿物和岩石中，经过岩石风化,火山喷发,大气降尘,水流冲刷和生物摄取等过程,构成重金属元素在自然环境中的迁移循环,使重金属元素遍布于土壤、大气、水体和生物体中,与人工合成的化合物不同,它们在环境的各个部分都存在着一定的本底含量。

2. 应用普遍

重金属在人类的生产和生活方面早就得到广泛应用,这使得环境中存在着各种各样的重金属污染源,由于人为活动使环境中某些金属积累,改变了环境的本底浓度。采矿和冶炼是向环境中释放重金属最重要的污染源。向环境中排放大量废气、废水和废渣的重金属工业企业不计其数,其次化石燃料(煤、石油)的燃烧也是重金属的主要释放污染源,在局部地区甚至可能出现高浓度重金属严重污染。

3. 具有多种价态

重金属大多属于周期表中的过渡元素,过渡元素的原子在化学反应时,不光外层电子参与,次外层、外数第三层电子也可以参与,因此,过渡元素一般都具有多种价态,能在较大范围内发生有电子得失的氧化还原反应。在天然水体中,存在富氧的氧化性环境和缺氧的还原性环境,就使得重金属在不同的水体环境中可能以不同的价态存在。重金属的价态不同,其活性和毒性效应也就不同。

4. 重金属在水环境中易生成难溶沉淀物

重金属在水环境中可以经过水解反应生成氢氧化物,也可与一些无机酸(如 H_2S、H_2CO_3)反应,生成硫化物、碳酸盐等,而这些化合物的溶度积都比较小,易生成难溶的沉淀物。这一特性使重金属污染物在水体中容易沉积,扩散范围有限,这是有利的一面;但是大量聚积于排污口附近底泥中的重金属污染物,将成为长期的次生污染源,当水体 pH 值、氧化还原电位、配体离子浓度等环境条件改变,会重新形成可溶性物质而释放到水体中,如:

$$HgCl_2 + Cl^- \longrightarrow HgCl_3^-$$

天然水体中的 OH^-、Cl^-、SO_4^{2-}、NH_3、有机酸、腐殖质等都可以与重金属形成各种配合物或螯合物,使重金属在水中的溶解度增大,有可能使已经进入底泥的重金属又重新释放出来,形成二次污染。这显然对水体污染防治来说是一个值得引起注意的问题。

5. 重金属具有潜在危害性

重金属可以通过多种途径(食物、饮水、呼吸、皮肤接触等)侵入人体,还可以通过遗传和母乳进入人体。重金属不仅不能被降解,反而能通过食物链在生物体或人体内富集,与生物体内的生物大分子如蛋白质、酶、核糖核酸等发生强烈相互作用,造成急性或慢性中毒,危害生命。

6. 重金属污染物的毒害不仅与摄入体内的数量有关,而且与其存在形态有着密切的关系

不同形态的重金属,其毒性可以有很大差异。如有机汞由于其脂溶性好,毒性较之无机汞要大得多,同样,三价砷毒性较之五价砷大,而六价铬要比三价铬的毒性大。某些重金属能在生物体内在微生物作用下转化为毒性更大的金属有机化合物。如甲基汞、烷基汞等烷基化物,产生更大的毒性。

7. 重金属的毒性还受到其他共存物质的影响

两种或两种以上元素共存时,它们对生物体的作用可分为下面四种情况:

（1）不相互作用，两种以上的重金属污染物共存时，其总效应相当于各金属有害因素单独作用时的效应。

（2）相加作用（addition effect）：两种以上的重金属污染物共存时，其总效应相当于各有害因素单独作用时的总和。

（3）协同作用（synergistic effect）：两种以上污染物共存时，其总效应大于各有害因素单独作用时的总和。

如 Cu、Zn 共存时，其毒性相当于它们单独存在时的 8 倍。

（4）拮抗作用（antagonistic effect）：两种或两种以上元素在生物体内共存时，其总效应小于各元素单独作用时的总和。这时一种元素可能抑制另一种元素的正常的生理功能，也可能一种元素抑制另一种元素对生物体的毒害作用，当两种以上污染元素共存时，其毒性可以互相抵消一部分或大部分的作用。

金枪鱼中有高含量的汞，但有趣的是，金枪鱼本身并没有发现任何汞中毒的迹象。在金枪鱼体内，应当存在着某种消除汞毒性的机制。现在一般认为，金枪鱼体内硒的含量是非常高的，而且硒的存在与汞的含量有关，硒含量随汞含量的增加而增加。在高汞范围内，汞与硒物质的量之比接近 $\frac{1}{2}$。如果将金枪鱼肉加到动物饲料中，它能减轻动物体内汞的毒性，实验结果表明，硒化合物能螯合 Hg(Ⅱ)并抑制 Hg(Ⅱ)对细胞以及各组织的毒害作用，也就是说，硒能拮抗汞的毒性。

有害元素同生物必需元素发生竞争并置换必需元素，从而使生物体内的金属酶丧失活性，这是拮抗作用的另一种情况。发生这种置换的条件是这两种元素的价电子层结构相类似，如镉对锌的拮抗作用，往往使锌酶丧失活性，如果这时添加多量的锌，则锌也能与镉发生拮抗，此时能明显地抑制镉对锌的置换反应，驱除酶中的镉，防止酶失去活性。

4.2　重金属污染元素在水体中的迁移和转化

在不同 pH 值和不同氧化还原条件下，重金属元素的价态往往会发生变化，它们会发生一系列的化学反应，可以成为易溶于水的化合物，随水迁移；也可成为难溶的化合物在水中沉淀，进入底质；它们也容易被吸附于水体中悬浮物质或胶体上，在不同 pH 条件时，随着胶体发生凝聚（进入底质中）或消散作用（存在于水中）。

1. 吸附（adsorption）作用

天然水体中含有丰富的胶体颗粒物，这些胶体颗粒物有巨大的比表面，并且带有电荷，能强烈地吸附金属离子，水体中重金属大部分被吸附在水中的颗粒物上，并在颗粒物表面发生多种物理化学反应。

天然水体中的颗粒物一般可分为三大类，即无机粒子（包括石英、黏土矿物及 Fe、Al、Mn、Si 等水合氧化物）、有机粒子（包括天然的和人工合成的高分子有机物、蛋白质、腐殖质等）和无机与有机粒子的复合体。

黏土矿物的颗粒是具有层状结构的铝硅酸盐，在微粒表面存在着未饱和的氧离子和羟基，分别以≡AO$^-$和≡AOH 表示（≡表示微粒表面，A 表示硅、铝等元素）。颗粒中晶层之间吸附有可交换的正离子及水分子。颗粒的半径一般小于 $10~\mu m$，因此在水中形成胶体或悬浮在水体的粗分散系中。

Fe、Al、Mn、Si 等水合氧化物的基本组成为 $FeO(OH)$、$Fe(OH)_3$、$Al(OH)_3$、$MnO(OH)_2$、MnO_2、$Si(OH)_4$、SiO_2 等，在水中往往形成胶体，以 $\equiv AOH$ 表示。

水体中有机物种类极多，已知的腐殖质是重要的有机物之一，它在水中存在的形态与官能团的解离程度有关。当羟基和羧基大多离解时，高分子沿着呈现负电荷方向互相排斥，构型伸展，亲水性强而趋于溶解；当各官能团难于离解而电荷减少时，高分子趋向蜷缩成团，亲水性弱，趋于沉淀。

水体中无机与有机粒子的复合体，主要是以粘土矿物颗粒为中心，再结合其他无机或有机粒子构成的聚集体。

黏土矿物(clay mineral)对重金属离子的吸附机理，目前已提出以下两种。

(1) 一种认为重金属离子与粘土矿物颗粒表面的羟基氢发生离子交换而被吸附，可用下式示意：

$$\equiv AOH + Me^+ \Longrightarrow\ \equiv AOMe + H^+$$

此外，黏土矿物颗粒中晶层间的正离子，也可以与水体中的重金属离子发生交换作用而将其吸附。显然重金属离子价数越高，水化离子半径越小，浓度越大，就越有利于和粘土矿物微粒进行离子交换而被大量吸附。

(2) 另一种认为金属离子先水解，然后夺取粘土矿物微粒表面的羟基，形成羟基配合物而被微粒吸附。可示意如下：

$$Me^{2+} + nH_2O \Longrightarrow Me(OH)_n^{(2-n)+} + nH^+$$

$$\equiv AOH + Me(OH)_n^{(2-n)+} \Longrightarrow\ \equiv AMe(OH)_{n+1}^{(1-n)+}$$

水合氧化物对重金属的吸附。

水合氧化物对重金属污染物的吸附过程，一般认为是重金属离子在这些颗粒表面发生配位化合的过程，如下式表示：

$$n(\equiv AOH) + Me^{n+} \Longrightarrow (\equiv AO)_n \longrightarrow Me + nH^+$$

腐殖质对重金属污染物的吸附。

腐殖质微粒对重金属离子的吸附，主要是通过它对金属离子的螯合作用和离子交换作用来实现的，可用下式表示：

$$R\!\!<\!\!\begin{array}{l}COOH\\OH\end{array} + Me^{2+} \Longrightarrow \left[R\!\!<\!\!\begin{array}{l}COO^-\\O^-\end{array}\right]Me^{2+} + 2H^+$$

腐殖质对重金属离子的两种吸附作用的相对大小，与重金属离子的性质有密切关系，实验证明：腐殖质对锰离子的吸附以离子交换为主，对铜、镍离子以螯合作用为主，对锌、钴则可以同时发生明显的离子交换吸附和螯合吸附。

2. 配合（coordination）作用

重金属离子可以与很多无机配位体、有机配位体发生配合或螯合反应。水体中常见的配体有羟基、氯离子、碳酸根、硫酸根、氟离子和磷酸根离子，以及带有羧基（—COOH）、胺基（—NH$_2$）、酚羟基（C$_6$H$_5$OH）的有机化合物，配合作用对重金属在水中的迁移有重大影响。

近年来在重金属环境化学的研究中，特别注意羟基和氯离子配合作用的研究，认为这两者是影响重金属难溶盐溶解度的重要因素，能大大促进重金属在水环境中的迁移。

羟基对重金属离子的配合作用实际上是重金属离子的水解反应，重金属离子能在较低的pH 时就发生水解。

重金属离子的水解是分步进行的，或者说与羟基的配合是分级进行的，以二价重金属离子为例：

$$M^{2+} + OH^- \rightleftharpoons M(OH)^+$$

$$M(OH)^+ + OH^- \rightleftharpoons M(OH)_2$$

$$M(OH)_2 + OH^- \rightleftharpoons M(OH)_3^-$$

$$M(OH)_3^- + OH^- \rightleftharpoons M(OH)_4^{2-}$$

H. C. Hahne 和 W. Kroonje 对 Hg^{2+}、Cd^{2+}、Pb^{2+}、Zn^{2+} 的水解作用进行了研究，指出在无其他离子影响的条件下，pH 与羟基配离子的生成有着密切的关系：

（1）Hg^{2+} 在 pH2～6 范围内水解，在强酸性 pH2.2～3.8 时水中汞的主要形式为Hg(OH)$^+$，pH 为 6 时，主要为 Hg(OH)$_2$。

（2）Zn^{2+} 在 pH 为 6 时，以简单离子形式存在，pH = 7 时有着微量的 Zn(OH)$^+$ 生成，pH8～10 时以 Zn(OH)$_2$ 占优势，pH 达 11 以后，生成 Zn(OH)$_3^-$ 与 Zn(OH)$_4^{2-}$。

（3）Cd^{2+} 在 pH 小于 8 时为简单离子，pH = 8 时，生成 Cd(OH)$^+$，到 pH 为 8.2～9.0 时达峰值，pH 为 9 时开始生成 Cd(OH)$_2$，至 pH 为 11 时达峰值。

（4）Pb^{2+} 在 pH 为 6 以前为简单离子，在 pH6～10 时，以 Pb(OH)$^+$ 占优势，在 pH = 9 时开始生成 Pb(OH)$_2$。

H. C. Hahne 等人的研究表明，羟基与重金属的配合作用可大大增加重金属氢氧化物的溶解度，对重金属的迁移能力有着不可忽视的影响。

氯离子的配合作用。

天然水体中的 Cl$^-$ 是常见阴离子之一，被认为是较稳定的配合剂，它与金属离子（以 M^{2+} 为例）能生成 MCl$^+$、MCl$_2$、MCl$_3^-$、MCl$_4^{2-}$ 形式的配合物。

Cl$^-$ 与金属离子配合的程度受多方面因素的影响，除与 Cl$^-$ 的浓度有关外，还与金属离子的本性有关。Cl$^-$ 对汞的亲和力最强，根据 H. C. Hahne 等人的研究，不同配合数的氯汞配离子都可以在较低的 Cl$^-$ 浓度下生成。（见图 3 - 9）

当 Cl$^-$ 仅为 10^{-9} mol/L（3.5×10^{-5} ppm）时，就开始形成 HgCl$^+$ 配离子，当 [Cl$^-$] > $10^{-7.5}$ mol/L（1.1×10^{-3} ppm）时，生成 HgCl$_2$。这样低的 Cl$^-$ 浓度几乎在所有淡水中都可以达到。当 [Cl$^-$] > 10^{-2} mol/L（350 ppm）时，就可以生成 HgCl$_3^-$ 和 HgCl$_4^{2-}$。

　　Zn、Cd、Pb 的离子与 Cl^- 的配合，必须在 $[Cl^-] >$ 10^{-3} mol/L(35 ppm) 时，才形成 MCl^+ 型配离子，$[Cl^-] >$ 10^{-1} mol/L(3 500 ppm) 时，才能形成 MCl_3^- 和 MCl_4^{2-} 型配离子。Hahne 等人认为 Cl^- 与这四种金属形成配合物能力的顺序为：Hg > Cd > Zn > Pb。

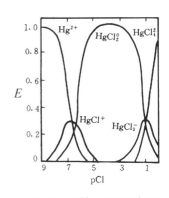

图 3 - 9　Hg^{2+} — Cl^- 配离子
形态分布图

　　Cl^- 对重金属离子的配合作用可大大提高难溶金属化合物的溶解度，对 Zn、Cd、Pb 化合物来说，当 $[Cl^-] = 1.0$ mol/L 时，溶解度增加 2～77 倍，特别对汞化合物影响更大，即使 Cl^- 浓度较低，如 $[Cl^-] = 10^{-4}$ mol/L 时，氢氧化汞和硫化汞的溶解度也分别增加 45 倍和 408 倍。

　　同时，由于金属的氯配离子的形成，可使胶体对金属离子（尤其是汞离子）的吸附作用明显减弱。曾有一些研究者提出应用 NaCl 和 $CaCl_2$ 等盐类来消除沉积物中汞污染的可能性。

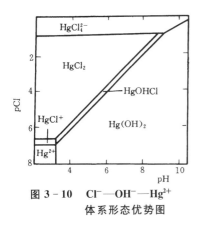

图 3 - 10　Cl^- — OH^- — Hg^{2+}
体系形态优势图

　　重金属在 Cl^- — OH^- — M 体系中的配合作用。

　　通常水体中 OH^- 和 Cl^- 往往是同时存在的，它们对重金属离子的配合作用会发生竞争。对于 Zn^{2+}、Cd^{2+}、Hg^{2+}、Pb^{2+} 除形成氯配离子外，还可形成下列羟基配合物：$Zn(OH)_2$、$Cd(OH)^+$、$Hg(OH)_2$、$Pb(OH)^+$。Hahne 对这两种作用的联合平衡进行了计算，指出在 pH = 8.5，$Cl^- = 3500 \sim 6×10^4$ ppm 时，Hg^{2+} 和 Cd^{2+} 主要为 Cl^- 所配合，而 Zn^{2+} 和 Pb^{2+} 主要为 OH^- 配合。含有 20 000 ppm Cl^- 的海水中，Zn^{2+} 和 Pb^{2+} 主要以 $Zn(OH)_2$ 和 $Pb(OH)^+$ 形态存在，而 Cd^{2+} 和 Hg^{2+} 主要以 $CdCl_2$ 和 $HgCl_4^{2-}$、$HgCl_3^-$ 形态存在，同时还会形成 $Hg(OH)Cl$、$Cd(OH)Cl$ 等复杂配离子，此时 Hg^{2+} — Cl^- — OH^- 体系中的形态优势如图 3 - 10 所示。

　　由图可见，在 pH 较低和 Cl^- 浓度较大的条件下，$Hg(Ⅱ)$ 是以 $HgCl_4^{2-}$ 为主要优势形态，在 pH 值较高和 Cl^- 浓度较小，即大多数天然水体的 pH 值范围(6.5～8.5)和可能的 Cl^- 浓度范围内，$Hg(Ⅱ)$ 以 $Hg(OH)_2$、$Hg(OH)Cl$、$HgCl_2$ 为主要存在形态。如根据中科院环化所彭安等的研究计算后指出：当水体 pH = 8.3，$lg[Cl^-] = -1.7$ 时，$Hg(Ⅱ)$ 各配合态的分布系数 $Hg(OH)_2$ 为 56.8%，$Hg(OH)Cl$ 为 29.8%，$HgCl_2$ 为 10.6%。

　　有机配体与重金属离子的配合作用。

　　水环境中的有机物如洗涤剂、农药及各种表面活性剂都含有一些螯合配位体，它们能与重金属生成一系列稳定的可溶性或不溶性螯合物。不过在天然水体中最重要的有机螯合剂是腐殖质。河水中平均含腐殖质 10～50 mg/L，起源于沼泽的河流中腐殖质含量可高达 200 mg/L，底泥中的腐殖质含量更为丰富，约为1%～3%。

　　腐殖质能起配合作用的基团主要是分子侧链上的多种含氧官能团如羧基、羟基、羰基等。当羧基的邻位有酚羟基，或两个羧基相邻时，对螯合作用特别有利。腐殖质与金属离子的螯合反应示意如下：

$$R\begin{array}{c}COOH\\OH\end{array} + M^{2+} = R\begin{array}{c}COO\\O\end{array}M + 2H^+ \tag{1}$$

$$R\begin{array}{c}COOH\\COOH\end{array} + M^{2+} = R\begin{array}{c}COO\\COO\end{array}M + 2H^+ \tag{2}$$

还可能发生下列反应：

$$R\begin{array}{c}COOH\\COOH\end{array} + M^{2+} = \left[R\begin{array}{c}COO\\COO\end{array}M\begin{array}{c}OOC\\OOC\end{array}R\right]^{2-} + 4H^+ \tag{3}$$

$$R\begin{array}{c}COOH\\OH\end{array} + M^{2+} = \left[R\begin{array}{c}COO\\O\end{array}M\begin{array}{c}OOC\\O\end{array}R\right]^{2-} + 4H^+ \tag{4}$$

甘布尔等人指出：pH $\geqslant 4$ 时，腐殖质羧基中的氢解离，而酚羟基中的氢解离则要 pH $\geqslant 7$，故 pH4 $\sim$ 7 之间时配合反应主要按(2)、(3)式进行，pH $\geqslant 7$ 以后则有利于反应(1)和(4)式的进行。

腐殖质的螯合能力随金属离子改变而改变，表现出较强的选择性，如湖泊腐殖质的螯合能力按 Hg^{2+}(20.1)、Cu^{2+}(8.42)、Ni^{2+}(5.27)、Zn^{2+}(5.05)、Co^{2+}(4.75)、Cd^{2+}(4.70)、Mn^{2+}(4.30)顺序递降(括号内数值为 pH $= 5$，$I = 0.01$ mol/L，采用离子选择性电极法测定的螯合物的不稳定常数的负对数值)。

腐殖质的螯合能力与其来源有关，并与同一来源的不同成分有关。一般分子量小的成分，对金属离子螯合能力强，反之螯合能力弱。腐殖质的螯合能力还同体系 pH 值有关，体系 pH 降低时螯合能力减弱。如 pH 值从 5.5 降到 4.0 时，土壤腐殖质对 Cu^{2+}、Ni^{2+} 和 Zn^{2+} 的螯合能力也随之减弱，它们的 $pK_{\text{不}}$ 分别由 5.86 降为 3.43，由 5.42 降为 2.75，由 4.82 降为 3.59。

腐殖质与金属离子的螯合或配合作用，对金属离子的迁移转化有着重要的影响，其影响决定于所形成的螯合物或配合物是难溶的还是易溶的，当形成难溶的螯合物时，就降低重金属离子的迁移性。一般在腐殖质成分中，腐黑物、腐植酸与金属离子形成的螯合物或配合物的可溶性较小，如腐植酸与 Fe、Mn、Zn 等离子结合形成难溶的沉淀物。而富里酸与金属离子的螯合物一般是易溶的。但金属离子与富里酸的物质的量浓度比值，对螯合物的溶解度影响很大，如当 Fe^{3+} 与 FA 的物质的量浓度比为 1：1 时，形成可溶性螯合物，而当比值增至 6：1 时，则形成的螯合物全沉淀下来。总之，腐植酸将金属离子较多地积蓄在水体底泥中，而富里酸则把更多的重金属保存在水层里。

上述螯合物的溶解性还与溶液的 pH 值有密切关系，通常腐黑物金属离子螯合物在酸性时可溶性最小，而富里酸金属离子螯合物则在接近中性时可溶性最小。

水体腐殖质除明显影响重金属形态、迁移转化、富集等环境行为外，还对重金属的生物效应产生影响,据报道,在腐殖质存在下可以减弱汞对浮游植物的抑制作用,也可降低汞对浮游动物的毒性;而且会影响鱼类软体动物富集汞的效应。

3. 氧化还原作用

环境化学中常用水体电位(用 E 表示)来描述水环境的氧化还原性质,它直接影响金属的存在形式及迁移能力。如重金属 Cr 在电位较低的还原性水体中,可以形成 $Cr(Ⅲ)$ 的沉淀,在电位较高的氧化性水体中,可能以 $Cr(Ⅵ)$ 的溶解态形式存在。两种状态的迁移能力不同,毒性也不同。水体电位决定于水体氧化、还原剂的电极电位及水体 pH 值。

在实际应用中,我们还可以采用 pE(或 pE°)来表示氧化还原能力的大小,相应于 pH = $-\lg[H^+]$,我们可以定义 $pE = -\lg[e]$,$[e]$ 表示溶液中电子的浓度(严格地说应为活度)。

对于反应 $2H^+(aq) + 2e \longrightarrow H_2$　　$E° = 0.00\,V$

当 $[H^+] = 1.0\,mol/L$,$p_{H_2} = 101.3\,kPa$ 时,则 $[e] = 1.00$,$pE = 0.00$。如果 $[e]$ 增加 10 倍,则 $pE = -1.0$,可见 pE 与 E 值一样反映了体系氧化还原能力的大小。pE 越小,电子浓度越高,体系提供电子能力的倾向就越强,即还原性越强。反之 pE 越大,电子浓度越低,体系接受电子能力的倾向就越强,氧化性越强。

对于任意一个氧化还原半反应

$$Ox + ne = Red \tag{1}$$

其中 Ox 代表氧化剂,Red 代表还原剂。

根据 Nernst 方程式,则

$$E = E° + \frac{2.303RT}{nF}\lg\frac{[Ox]}{[Red]} \tag{2}$$

25℃时,$E = E° + \dfrac{0.059}{n}\lg\dfrac{[Ox]}{[Red]}$ \tag{3}

反应达平衡时,$E = 0$

$$E° = \frac{2.303RT}{nF}\lg K$$

平衡常数　　$\lg K = \dfrac{nFE°}{2.303RT}$ \tag{4}

根据(1)式,平衡常数也可表示为　　$K = \dfrac{[Red]}{[Ox][e]^n}$ \tag{5}

两边取对数　　$\lg K = \lg\dfrac{[Red]}{[Ox]} - n\lg[e]$

根据 pE 的定义　　$pE = -\lg e = \dfrac{1}{n}\left(\lg K - \lg\dfrac{[Red]}{[Ox]}\right)$ \tag{6}

根据(2)式　　$\lg\dfrac{[Red]}{[Ox]} = \dfrac{(E° - E)nF}{2.303RT}$ \tag{7}

以(4)式和(7)式代入(6)式得:

$$pE = \frac{1}{n}\left[\frac{nFE^\circ}{2.303RT} - \frac{(E^\circ - E)nF}{2.303RT}\right]$$

整理后　　$pE = \dfrac{EF}{2.303RT} = \dfrac{E}{0.0591}$　　　　　　　(8)

同理可得　　$pE^\circ = \dfrac{E^\circ}{0.0591}$　　　　　　　(9)

对比(2)式得　　$0.0591pE = 0.0591pE^\circ + \dfrac{0.059}{n}lg\dfrac{[Ox]}{[Red]}$

$$pE = pE^\circ + \frac{1}{n}lg\frac{[Ox]}{[Red]}　　　　(10)$$

下面是某些反应的 E° 和 pE° 值：

$O_2 + 4H^+ + 4e = 2H_2O$	$E^\circ = 1.23 \text{ V}$	$pE^\circ = 20.81$
$NO_3^- + 4H^+ + 3e = NO + 2H_2O$	$E^\circ = 0.957 \text{ V}$	$pE^\circ = 16.19$
$Fe^{3+} + e = Fe^{2+}$	$E^\circ = 0.771 \text{ V}$	$pE^\circ = 13.05$
$2H^+ + 2e = H_2$	$E^\circ = 0.00 \text{ V}$	$pE^\circ = 0.00$
$Zn^{2+} + 2e = Zn$	$E^\circ = -0.7618 \text{ V}$	$pE^\circ = -12.89$

某些反应的 pE 值不仅与氧化态、还原态物质浓度有关，还与体系的 pH 有关，因此可用 $lgC—pE$ 图和 $pE—pH$ 图来表示它们之间的关系。

水溶液中存在着很多物质（包括水）的氧化还原电对，其电极电位随 pH 的变化而相应变化，若作出水和其他一些物质电对的电极电位随 pH 变化的关系图（$E—pH$ 图），不但可直接从图中查得在某 pH 时的电位值，而且对水中存在的氧化剂或还原剂能否与水发生氧化还原反应也一目了然。

以水作氧化剂或还原剂的电极反应可看出，其电位均与水溶液的 pH 有关。

$$2H^+ + 2e = H_2(g) \qquad E^0_{H^+/H_2} = 0.00 \text{ V}$$

$$O_2(g) + 4H^+ + 4e = 2H_2O \qquad E^0_{O_2/H_2O} = 1.23 \text{ V}$$

根据 Nernst 方程可求得 pH 值与相应电位的关系式：

$$E_{H^+/H_2} = E^0_{H^+/H_2} + \frac{0.059}{2}lg\frac{[H^+]^2}{p_{H_2}}　　　　(1)$$

$$E_{O_2/H_2O} = E^0_{O_2/H_2O} + \frac{0.059}{4}lg(p_{O_2}[H]^{4+})　　　　(2)$$

当 $p_{H_2} = p_{O_2} = 101.3 \text{ kPa}$ 时，代入上两式得：

$$E_{H^+/H_2} = -0.059pH　　　　(3)$$

$$E_{O_2/H_2O} = 1.23 - 0.059pH　　　　(4)$$

（3）、（4）两式是水作氧化剂和水作还原剂时的 E—pH 方程式,根据（3）、（4）式可作图得 E_{H^+/H_2}—pH 和 E_{O_2/H_2O}—pH 两条直线,分别称氢线和氧线。

由氧线和氢线将 pH 电位图划分为（A）（B）（C）三个区域。同理可作出其他电对的 E—pH 图。有一些电对的电位与 pH 值无关,在图上为平行于 pH 轴的直线,如 F 线、Cu 线、Na 线。

从理论上讲,某氧化剂（如 F）的电位高于 E_{O_2/H_2O} 时,就能将水分解放出 O_2,即在（A）区水是不稳定的。某还原剂（如 Na）的电位低于 E_{H^+/H_2},就能将水分解放出氢,即在（C）区水也是不稳定的。相反如某氧化剂（如 Cu^{2+}）的电位低于 E_{O_2/H_2O},或某还原剂（如 Cu）的电位高于 E_{H^+/H_2},则水不被氧化或还原,即（B）区是水的稳定区。

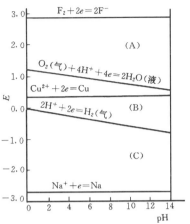

图 3 - 11　水的 E—pH 图

天然水体中有着各种各样的物质,进行着大量氧化还原反应,如水生植物的光合作用产生大量有机物,排入水体的耗氧有机物分解均属有机物的氧化还原反应。水体中的无机物也能发生氧化还原反应,如井水中的 Fe(Ⅱ) 可被氧或污水中的 Cr(Ⅵ) 等氧化剂氧化成 Fe(Ⅲ)。

天然水体中含有许多无机及有机的氧化剂和还原剂,是一复杂的氧化还原体系。水体中常见的氧化剂有溶解氧、Fe(Ⅲ)、Mn(Ⅳ)、S(Ⅵ)、Cr(Ⅵ)、As(Ⅴ)、N(Ⅴ) 等,其作用后本身依次转变成 H_2O、Fe(Ⅱ)、Mn(Ⅱ) 和 S(-Ⅱ)、Cr(Ⅲ)、As(Ⅲ)、N(-Ⅲ) 等。水中重要的还原剂有种类繁多的有机化合物和 Fe(Ⅱ)、Mn(Ⅱ)、S(-Ⅱ) 等。这些氧化剂和还原剂的种类和数量决定了水体的氧化还原性质。事实上,氧参与绝大多数的氧化还原反应,因此根据是否存在游离氧把环境分为氧化环境和还原环境。氧化环境是指水体中含有游离氧的部分,不含游离氧或含量极少部分称为还原环境。

水体的电位值处于水中各电对的电位值之间,而接近于含量较高电对的电位值,所以含量较高电对的电位称为决定电位。在多数情况下,天然水体中起决定氧化还原电位作用的物质是溶解氧。而在有机物积累的缺氧水中,有机物起着决定电位的作用。在上面两种状态之间的天然水中,决定电位的体系应该是溶解氧和有机物体系的综合。更确切的说法是,水体的决定电位是氧电位和有机质电位的综合。除氧和有机物外,Fe 和 Mn 是环境中分布相当普遍的变价元素,它们是天然水中氧化还原反应的主要参与者,在特殊条件下,甚至起着决定电位的作用。至于其他变价元素如 Cu、Zn、Pb、Cr、V 及 As 等,由于其含量甚微,对天然水氧化还原电位的影响一般可忽略不计,相反水体电位对他们的迁移转化却起着决定性的影响。

天然水体中的 E 与决定电位体系的物质含量有关,以溶解氧含量来说,随水深而减少,致使表层水呈现氧化性环境,深层水及底泥则为还原性环境;随温度升高,氧分压变小溶解氧含量降低,所以受天气变化的影响较大;同时还随水中耗氧有机物增加而减少,并与水生生物的分布、活动有关。总之,天然水中溶解氧的分布是不均匀的,时空变化比较明显。

天然水大体可分成两类,第一类是同大气接触富含溶氧 E 值高的氧化性水（河水、正常海洋水等）。第二类是同大气隔绝不含溶氧而富含有机物 E 值低的还原性水（富含有机质水等）。在第二类天然水中,当硫酸盐含量颇高时,将产生大量的硫化氢,其来源除由水中含硫有机物分解形成外,主要是厌氧细菌利用硫酸盐中的氧,来氧化有机物,而使硫酸盐被还原成硫化氢的结果。

天然水具有相应的电极电位,故有可能使水中污染物进行氧化还原转化,产生价态的变化。有时我们也把富含硫化氢的还原性天然水称为第三类天然水。

重金属元素在水体中的氧化还原转化。

V、Cu、Fe、Mn 的主要高、低价态的电位一般在上述第一类和第二、三类天然水的电位之间。因而在水中会发生如下的氧化还原转化:

$$V(Ⅱ) \xrightleftharpoons[\text{第二、三类还原性水}]{\text{第一类氧化性水}} V(Ⅴ)$$

$$Cu(Ⅰ) \xrightleftharpoons{\text{同上}} Cu(Ⅱ)$$

$$Fe(Ⅱ) \xrightleftharpoons{\text{同上}} Fe(Ⅲ)$$

$$Mn(Ⅱ) \xrightleftharpoons{\text{同上}} Mn(Ⅳ)$$

由于 V(Ⅴ)、Cu(Ⅱ)、Fe(Ⅱ)和 Mn(Ⅱ)化合物的溶解度较大,所以 V(Ⅴ)、Cu(Ⅱ)在氧化性水中,而 Fe(Ⅱ)、Mn(Ⅱ)在还原性水中呈现较强的迁移能力。相反,V(Ⅱ)、Cu(Ⅰ)、Fe(Ⅲ)和 Mn(Ⅳ)化合物的溶解度很小,因此 V(Ⅱ)、Cu(Ⅰ)在还原性水中,Fe(Ⅲ)、Mn(Ⅳ)在氧化性水中的迁移能力就大大减弱,会较快地转入底泥。

一般来说,重金属元素在高电位水中,将从低价氧化成高价或较高价态,而在低电位水中将被还原成低价态或与水中存在的 H_2S 反应形成难溶硫化物如 PbS、ZnS、CuS、CdS、HgS、NiS、CoS、Ag_2S 等。

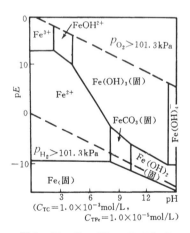

图 3-12 Fe—CO₂—H₂O 体系 pE—pH 图

(溶解的总无机碳量为 $1×10^{-3}$ mol/L,溶解的总铁量为 $1×10^{-5}$ mol/L)

水体中的氧化还原条件对重金属的形态及其迁移能力有着巨大的影响,以 Fe—CO₂—H₂O 体系为例,可以看出 Fe 的形态及迁移能力与 E、pH 的依赖关系。(见图 3-12)

根据反应及有关平衡常数,考虑可能有 Fe(s)、Fe(OH)₂(s)及 FeCO₃(s)存在的情况下,当溶解的总无机碳量为 $1×10^{-3}$ mol/L,溶解的总铁量为 $1×10^{-5}$ mol/L 时:在较高 pH 条件下,Fe 可达+3 价,但只是在 pH 值较小的酸性条件下,可以溶解态的形式(即 Fe^{3+}、$FeOH^{2+}$)存在于水相中,在天然水的 pH 值范围内(5~9)只能以 Fe(OH)₃(s)形态存在,所以迁移能力较低。在 E 值较低的情况下,主要形态为 Fe(Ⅱ),在某些地下水中 Fe(Ⅱ)可达到可观的水平,迁移能力较强,但在碱性较强的情况下,则形成 FeCO₃ 或 Fe(OH)₂ 沉淀,从而降低了迁移能力。若体系中还存在硫,则在 E 值较低的情况下,与 S^{2-} 或 HS^- 生成更难溶的硫化物沉淀而降低迁移能力。

一些元素如 Cr、V、S 等在氧化环境中形成易溶的化合物(铬酸盐、钒酸盐、硫酸盐),迁移能力较强。相反在还原环境中形成难溶的化合物而不易迁移。另一些元素(如 Fe、Mn 等)在氧化环境中形成溶解度很小的高价化合物,而很难迁移,而在还原环境中形成易溶的低价化合物。若无硫化氢存在时,它们具有很大的迁移能力,但若有硫化氢存在时,则由于形成的金属硫化物是难溶的,使迁移能力大大降低。在含有硫化氢的还原环境中可形成各种硫化物(如Fe、Zn、Cu、Cd、Hg 等)沉淀,从而降低了这些金属的迁移能力。

4. 溶解沉淀作用

沉淀和溶解是水溶液中常见的化学平衡现象,金属离子在天然水中的沉淀—溶解平衡对重金属离子在水环境中的迁移和转化具有重要的作用。衡量金属离子在水中的迁移能力大小可以使用溶解度或溶度积。下面介绍在天然水环境中金属氢氧化物、硫化物、碳酸盐的沉淀—溶解平衡。

(1) 氢氧化物

pH 是影响水体中重金属迁移转化的重要因素。水环境中各类重金属氢氧化物的解离度或沉淀,直接受 pH 值所控制。若不考虑其他的反应,可写成下列平衡式:

$$M(OH)_n \longrightarrow M^{n+} + nOH^-$$

$$K_{sp} = [M^{n+}][OH^-]^n \qquad ①$$

根据 K_{sp} 能求出它们的离子浓度与 pH 值的关系:

$$[M^{n+}][OH^-]^n = K_{sp}$$

$$[M^{n+}] = \frac{K_{sp}}{[OH^-]^n}$$

$$[OH^-][H^+] = K_w \qquad [OH^-] = \frac{K_w}{[H^+]}$$

代入得:$[M^{n+}] = \dfrac{K_{sp}}{\left(\dfrac{K_w}{[H^+]}\right)^n} \qquad ②$

两边取对数:

$$\lg[M^{n+}] = \lg K_{sp} - n\lg\frac{K_w}{[H^+]} \qquad ③$$

$$\lg[M^{n+}] = \lg K_{sp} + npH - n\lg K_w \qquad ④$$

$$或\ p[M^{n+}] = pK_{sp} + npH - npK_w \qquad ⑤$$

根据④式,以 $\lg[M^{n+}]$ 为纵坐标,pH 为横坐标作出不同金属离子在水溶液中的浓度和水体 pH 的关系图(见图 3-13),图中直线斜率等于 n,即金属的离子价态。直线横轴截距即 $-\lg[M^{n+}] = 0$ 或 $[M^{n+}] = 1.0$ mol/L 时的 pH 值:

$$pH = \frac{14 - 1}{npK_{sp}} \qquad ⑥$$

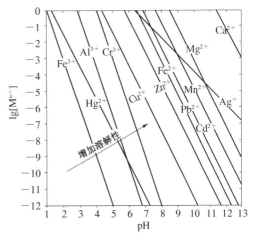

图 3-13　氢氧化物溶解度

根据上图能大致查出各种金属离子在不同 pH 水溶液中能存在的理论浓度。

但上图表示的关系并不能完全反映出水溶液中氢氧化物的溶解度,对于像 $Cu(OH)_2$ 和 $Zn(OH)_2$ 这样的两性氢氧化物,如果水体 pH 值过高时,它们又会形成羟基配离子而溶解,使水中铜离子或锌离子溶解度又升高,所以⑤、⑥式只在一定的 pH 值范围内适用,考虑到羟基的配位作用,水中氢氧化物的浓度应以下式表示:

$$M_T = [M^{Z+}] + \sum_1^n [M(OH)_n^{Z-n}]$$

如果已知金属离子羟基配合物的各级稳定常数,就能计算出水体中该金属离子的溶解度,对于能形成两性氢氧化物的金属离子来说,存在着这样一个 pH 值,在该 pH 值下,金属离子的溶解度最小,pH 增大或是减小时,溶解度都将增大。

(2) 硫化物

天然水体中除氧气、二氧化碳外,在通气不良的条件下,有时还有硫化氢气体存在。水体中硫化氢气体来自厌氧条件下,含硫有机物的分解及硫酸盐的还原,而大量硫化氢是火山喷发的产物。

硫化氢溶于水形成氢硫酸,是二元弱酸,在 25℃时,

$$K_1 = 9.1 \times 10^{-8}, \ K_2 = 1.1 \times 10^{-12}$$

由此可计算出,在不同 pH 下水中硫化氢各种形态之间的比例。

表 3-9　氢硫酸平衡系统中各离子间的比例(%)

pH	4	5	6	7	8	9	10
$[H_2S]$	99.91	99.10	91.66	52.35	9.81	1.09	0.11
$[HS^-]$	0.09	0.90	8.34	47.65	90.19	98.91	99.89
$[S^{2-}]$							0.002

可见,当 pH<7 时,水中 H_2S 存在形式以分子态为主;当 pH<5 时,在水中 HS^- 实际上已不存在而只有 H_2S;当 pH>8 时,主要存在形式为 HS^-;当 pH>9 时,水中以 H_2S 形态存在的含量已可忽略不计;只有当 pH=10 时,在水体中才有少量 S^{2-} 出现。

重金属硫化物的溶解度很小,除了碱金属和碱土金属以外,其他重金属的硫化物都是难溶物,Mn、Fe、Zn 和 Cd 的硫化物能溶于稀盐酸,Ni 和 Co 的硫化物能溶于浓盐酸,而 Pb、Ag、Cu 的硫化物只能溶于硝酸,Hg 的硫化物只能溶于王水。在水中只要含有微量的 S^{2-},重金属离子就能形成硫化物沉淀下来。

其在水溶液中的平衡如下式所示:

$$M_mS_n \longrightarrow mM^{n+} + nS^{2-}$$

$$K_{sp} = [M^{n+}]^m[S^{2-}]^n$$

$$[M^{n+}] = \sqrt[m]{\frac{K_{sp}}{[S^{2-}]^n}}$$

又因为

$$H_2S \longrightarrow 2H^+ + S^{2-}$$

$$[S^{2-}] = \frac{K_1 K_2 [H_2S]}{[H^+]^2}$$

$$[M^{n+}] = \sqrt[m]{\frac{K_{sp}[H^+]^{2n}}{K_1^n K_2^n [H_2S]^n}}$$

两边取对数得：

$$\lg[M^{n+}] = \frac{1}{m(\lg K_{sp} + 2n\lg[H^+] - n\lg(K_{a_1} K_{a_2}) - n\lg[H_2S])}$$

如果是二价金属离子的硫化物，则可简化为下式：

$$\lg[M^{2+}] = \lg K_{sp} + 2\lg[H^+] - \lg(K_{a_1} K_{a_2}) - \lg[H_2S]$$

根据上式，以 $\lg[M^{n+}]$ 为纵坐标，pH 为横坐标作出不同金属离子在水溶液中的浓度和水体 pH 的关系图（见图 3-14）。图中曲线上的任意一点代表该金属硫化物与水溶液所处的平衡状态：曲线的右方为该硫化物的沉淀区，曲线的左方则为沉淀溶解区。

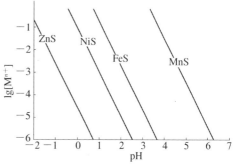

图 3-14　硫化物 pH 关系图

（3）碳酸盐

在 $M-H_2O-CO_2$ 体系中，碳酸盐沉淀实际上是一个二元酸的三相平衡问题，特别是要考虑 CO_2 的气相分压，由于大理石、方解石在天然水环境中的重要性，下面的讨论以 $CaCO_3$ 为例，其他二价重金属离子可以此类推。

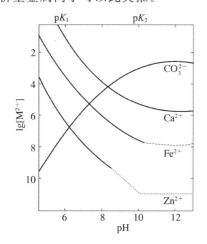

图 3-15　封闭体系中 C_T 为常数时，$MeCO_3$（s）的溶解度（$C_T = 3×10^{-3}$ mol/L）（W. Stumm, J. J. Morgan, 1981）

A. 封闭体系

碳酸盐解离平衡为：

$$CaCO_3 \longrightarrow Ca^{2+} + CO_3^{2-}$$

$$K_{sp} = [Ca^{2+}][CO_3^{2-}] = 10^{-8.32}$$

$$[Ca^{2+}] = \frac{K_{sp}}{[CO_3^{2-}]} = \frac{K_{sp}}{C_{TC} \cdot \alpha_2}$$

当水体的总碳量确定时，只要测定了水体的 pH，就能查得此时的 α 值，即可以计算得到自由 Ca^{2+} 的浓度。对于任何与碳酸盐平衡的二价金属离子，都可以推导得到类似方程式，并能给出 $\lg[M^{2+}]$—pH 关系图。（见图 3-15）

B. 开放体系

在开放体系中，由于存在二氧化碳的气水平衡，水中

碳酸化合物的总量与二氧化碳的分压有关,根据上一节碳酸平衡的讨论,可以得到下面的关系:

$$C_{TC} = \frac{[CO_2]}{\alpha_0} = \frac{1}{\alpha_0} K_i P_{CO_2}$$

$$[CO_2] = \frac{\alpha_2}{\alpha_0} K_i P_{CO_2}$$

由于要与气相中 CO_2 处于平衡,此时的 $[Ca^{2+}]$ 不再等于 C_{TC},但考虑电荷平衡:$2[Ca^{2+}] + [H^+] = C_{TC}(\alpha_1 + 2\alpha_2) + [OH^-]$

综合二氧化碳的气水平衡式和固水平衡式,可以得到如下的基本计算式:

$$[Ca^{2+}] = \frac{\alpha_0}{\alpha_2} \frac{K_{sp}}{K_i P_{CO_2}}$$

将此关系推广到其他二价金属离子碳酸盐,可以得到如图 3-16 的 lgC—pH 关系图。

最后必须指出的是,我们在这里讨论的沉淀—溶解现象,是从热力学角度出发的,没有考虑反应的动力学——即速度问题,实际上金属离子在天然水环境中的沉淀—溶解反应是非常复杂的,它涉及到非均相平衡,而在动态环境中这种平衡并不容易达到,同时还必须考虑水环境中其他离子的副反应。因此计算值往往和实际测定值有很大的差异。

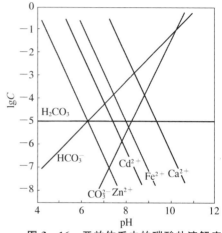

图 3-16 开放体系中的碳酸盐溶解度（W. Stumm, J. J. Morgan, 1981）

第五节 几种重要的重金属污染元素的水环境化学

5.1 汞

汞污染主要来自工业排放,据统计氯碱工业耗汞量占总耗汞量的四分之一以上,仪器仪表、电器设备、催化剂、化工、造纸工业等排放的废水废气中含有大量汞,此外,金属冶炼、燃料燃烧每年也排放大量汞。

随废水进入水体的汞,除金属汞外,常以二价汞的无机汞化合物（$HgCl_2$、HgS 等）和有机汞化合物（CH_3Hg^+、$C_6H_5Hg^+$）状态存在。

1. 汞的吸附作用

水体中的各种胶体对汞都有强烈的吸附作用,天然水体中的各种胶体相互结合成絮状物,或悬浮于水体,或沉积于底泥,沉积物对汞的束缚力与环境条件和沉积物的成分有一定关系。如含硫沉积物在厌氧条件下对汞的亲和力较大,在好氧条件下对汞的亲和力比粘土矿物为低。当水体中有 Cl^- 存在时,无机胶体对汞的吸附作用显著减弱,而对腐殖质来说,它对汞的吸附量不随 Cl^- 浓度的改变而改变。这可能是由于腐殖质对各种形态的汞都能强烈吸附所致。

由于汞的吸附作用和一般汞化合物的溶解度较小(除汞的高氯酸盐、硝酸盐、硫酸盐外),这就决定了各污染源排放出的汞,主要沉积在排污口附近的底泥中。

2. 汞的配合反应

有机汞离子和二价汞离子在水体中可与多种配离子发生配合作用:

$$Hg^{2+} + nX^- \Longrightarrow HgX_n^{2-n}$$

$$RHg^+ + X^- \Longrightarrow RHgX$$

式中 X^- 为任何可能提供电子对的配位基,如 Cl^-、Br^-、OH^-、NH_3、CN^-、S^{2-} 等,R 为有机基团,如甲基、苯基等。S^{2-}、HS^-、CN^- 及含有—HS 基的有机化合物,对汞离子的亲和力很强,形成的化合物很稳定。

Zepp 用计算法研究天然水中可能存在极稀浓度(如 1.0×10^{-10} mol/L)的甲基汞与多种无机、有机配位体的配合平衡,得出甲基汞的形态分布为:当溶解的总无机硫(即 $C_{TS} = [H_2S] + [HS^-] + [S^{2-}]$)的浓度在 $10^{-3} \sim 10^{-8}$ mol/L,pH 为 $5 \sim 7$ 时,甲基汞主要以 $(CH_3Hg)_2S$ 和 CH_3HgS^- 两种形态存在。

当 C_{TS} 低于甲基汞浓度时,则甲基汞与存在的有机硫化合物(RSH 或 RS$^-$,RS 代表半胱氨酸)配合形成 CH_3HgSR,而水中其他多种共存物如 Cl^-、OH^-、有机磷、NH_3、氨基酸、腐殖质等,均不会对上述配合产生明显的影响。

腐殖质与汞离子的配合能力也是很强的($\lg K = 18 \sim 22$),并且它在水体中是主要的有机胶体,当水体中无 S^{2-}、CN^- 及含 HS^- 的有机物存在时,汞离子主要与腐殖质配合,如中国科学院环化所对蓟运河水的汞污染状况进行了调查研究,结果认为淡水中 90% 以上的汞是以腐殖质汞为代表的有机结合态形式存在。

3. 水体 E 及 pH 值对汞形态的影响

汞离子和有机汞离子能发生水解反应生成相应的羟基化合物:

$$Hg^{2+} + H_2O \Longrightarrow HgOH^+ + H^+$$

$$Hg^{2+} + H_2O \Longrightarrow Hg(OH)_2 + 2H^+$$

水解反应依赖于 pH,对于 Hg^{2+} 来说,在 pH < 2 时不发生水解,在 pH 为 $5 \sim 7$ 范围时,Hg^{2+} 几乎全部水解为 $Hg(OH)_2$,所以在不同的 pH 值时汞存在的形态不同。

由于汞化合价有 0、$+1$、$+2$ 三种价态,因此水体的 E 条件不同,可出现不同的价态(见图 3-17)。

从图中可以看到,水体 pH 在 5 以上和中等氧化条件(E 约 $0.0 \sim 0.4$ V)的区域内是元素汞的优势区域。此时水体中汞的溶解度由金属汞的溶解度来控制,在 25℃ 时约为 25 $\mu g/L$,并在全部金属稳定区内溶解度是一定的。在氧化性酸性水体中,由于 $HgCl_2$ 或 $HgCl_4^{2-}$ 的形成,使汞的溶解度有很大提高。在氧化性的中性或碱性水体中,由于

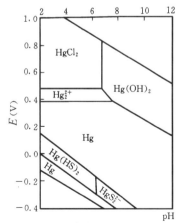

图 3-17 水相汞的 E—pH 图

(25℃,101.3 kPa,
含 Cl^-、S^{2-} 均为 10^{-3} mol/L)

李惕川主编,《环境化学》,中国
环境科学出版社,1990

$Hg(OH)_2$ 的形成,溶解度也是增加的。在还原性水体中,汞被沉淀为溶解度极小的硫化汞,接近中性时,汞的平衡溶解度仅为 $0.02~\mu g/L$。pH 在 9 以上时,若有较多还原态 S 存在,则 HgS_2^{2-} 变得非常稳定。被硫离子配合的汞,在还原性的沉积物中是固定汞的主要途径之一。

4. 汞的甲基化(methylation)反应

水体中的二价汞,在某些微生物的作用下,转化为甲基汞和二甲基汞的反应称为汞的甲基化反应。1967 年瑞典学者 S. Jensen 等人指出淡水水体底泥中厌氧细菌能使无机汞甲基化,形成甲基汞和二甲基汞。1968 年美国学者 J. M. Wood 的实验证实了在辅酶作用下,甲基钴胺素中的甲基能以 CH_3^- 的形式转移给 Hg^{2+},即汞的甲基化过程就是处于酶附近的汞捕获了正在转移的 CH_3^-,反应式为:

$$CH_3^- + Hg^{2+} \longrightarrow CH_3Hg^+$$

$$2CH_3^- + Hg^{2+} \longrightarrow CH_3—Hg—CH_3$$

以上反应无论在好氧条件下,还是在厌氧条件下,只要有甲基钴胺素存在,在微生物作用下反应就能实现,所以甲基钴胺素是微生物产生汞的甲基化的必要条件。

据研究,二甲基汞的合成速度比甲基汞的合成速度慢 6 000 倍。影响无机汞甲基化的因素是很多的:

(1) 无机汞的形态:研究表明,只有二价汞离子对甲基化是有效的,Hg^{2+} 浓度越高,对甲基化越有利。排入水体的其他各种形态的汞都要转化为 Hg^{2+} 后才能甲基化。而硫化物是重要的抑制因素。

元素汞和硫化汞的甲基化过程可表示如下:

$$Hg \overset{(\text{I})}{=\!=\!=} Hg^{2+} \overset{(\text{II})}{=\!=\!=} CH_3Hg^+ \qquad\qquad (1)$$

$$HgS \overset{(\text{I})}{=\!=\!=} Hg^{2+} \overset{(\text{II})}{=\!=\!=} CH_3Hg^+ \qquad\qquad (2)$$

实验结果表明:对元素汞来说,过程(II)是甲基化速度的控制步骤。对 HgS 来说,则由于过程(I)的速度极慢,控制着 HgS 的甲基化速度。据测定,元素 Hg 和 HgS 甲基化的速度比为 $1:10^{-3}$。

(2) 微生物的数量和种类:参与甲基化过程的微生物越多,甲基汞合成的速度就越快,所以水环境中的甲基化往往发生在有机沉积物的最上层和悬浮的有机质部分。但是,有些微生物能把甲基汞分解成甲烷和元素汞(反甲基化作用),反甲基化微生物的数量影响和控制着甲基汞的分解速度。

(3) 温度、营养物及 pH 值:由于甲基化速度与反甲基化速度都与微生物的活动有关,所以在一定的 pH 值条件下(一般为 4.5～6.5),适当地提高温度,增加营养物质,可以促进和增加微生物的活动,因而有利于甲基化或反甲基化作用的进行。

(4) 水体其他物质:如当水体中存在大量 Cl^- 或 H_2S 时,由于 Cl^- 对汞离子有强烈的配合作用,硫化氢和汞离子形成溶解度极小的 HgS,降低了 $[Hg^{2+}]$,而使甲基化速度减慢。

5. 水体中有机汞的反应

水体中的有机汞除可发生配合反应外,还能发生下列主要反应:

(1) 脱汞反应:指在有机汞化合物中脱除汞的反应。上述反甲基化反应是脱汞的途径之一,此外还可通过酸解、水解、卤解等反应脱除有机汞中的汞元素。

酸解反应:有机汞和有机汞盐中 C—Hg 键被一元酸解离的反应。如:

$$R_2Hg + 2HX \Longrightarrow 2RH + HgX_2$$

式中 X 为 Cl^-、Br^-、I^-、ClO^- 或 NO_3^-,据研究表明在天然水环境正常条件下,酸解反应速度是很缓慢的。

水解反应:有机汞盐与水的反应为:

$$RHgX + H_2O \Longrightarrow ROH + Hg + HX$$

该反应是一级反应,对于支链的烷基汞盐反应十分迅速,但对甲基汞盐反应很慢。

卤解反应:有机汞盐在有卤素共存时的脱汞反应。如:

$$CH_3HgCl(aq) + I_2 \Longrightarrow CH_3I + \frac{1}{2}HgI_2 + \frac{1}{2}HgCl_2$$

溴也能发生类似反应,但速度大约比碘慢 33 倍,在饱和的氯水中不发生反应。

有机汞的挥发:许多有机汞化合物具有较高的蒸气压,容易从水相挥发到气相,如二甲基汞是易挥发的液体(沸点 93～96℃),25℃时在空气和水之间的分配系数为 0.31,0℃时为 0.15。当水体在一定湍流情况下,通过实验数据估算二甲基汞的挥发半衰期大约为 12 小时,因此有机汞的挥发是影响水环境中汞的归宿的重要因素之一。

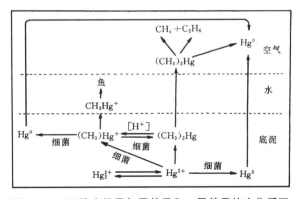

图 3-18　环境中的汞与甲基汞和二甲基汞的生化循环

G. S. Thomas, M. S. William, *Chemistry of the Environment*, Prentice-Hall, Inc., 1996

5.2 镉

Cd 在地壳中的丰度约为 0.55 克/吨。Cd 与 Zn 的化学性质相近似,故在自然界中经常共生。大部分情况下 Cd 存在于闪锌矿(ZnS)内。在各种岩石、矿物和海水中,Zn/Cd 比值在 100～800 之间,而在生物体中,其比值为 100 或以下,说明生物体相对富集了 Cd。

Cd 是严重污染元素之一。Cd 不是生物体必需元素,人体中的 Cd 全部是出生后从外界环境中摄取的。Cd 主要通过消化系统进入人体,在消化道中吸收率为 5%,职业性接触 Cd 进入人体的主要通道是呼吸道,吸收率可达 20%～40%,一般人由呼吸道从大气中吸入 Cd 为 0～1.5 $\mu g/d$。吸烟者可从烟草中吸入 10 $\mu g/d$(以每天吸烟 20 支计)。消化道吸收镉分别为:饮水吸入 0～20 $\mu g/d$,食物 20～25 $\mu g/d$。进入体内的 Cd 与血红蛋白结合,一部分与金属硫蛋白中的巯基(—SH)结合,随血液输送到内脏,蓄积在肝脏和肾脏中,导致镉中毒。中毒症状主要为:动脉硬化,肾萎缩或慢性球体肾炎。过多吸入 Cd 可导致 Cd 进入骨骼取代部分 Ca,使骨骼软化、变形,导致骨折。此外,Cd 可能有致癌、致突变和致畸的作用。

Cd 污染主要来自采矿、金属冶炼、废物焚化处理、磷肥制造、矿物燃料燃烧、电镀及其他工业部门。汽油中 Cd 约含 0.01～0.08 $\mu g/L$,所以汽车废气也会有少量 Cd 排放。Cd 不仅存在于锌矿中,也存在于铜矿、铅矿和其他含有锌矿物的矿石中。在矿石冶炼过程中,Cd 主要通过挥发作用和冲刷溶解作用而释放进入环境。

天然水体中的 Cd^{2+} 主要存在于底泥和悬浮物中,溶解性 Cd 的含量很低。未受污染的水体,Cd 的浓度低于 1 $\mu g/L$。对一个排放含 Cd 废水的工厂下游 500 米处进行测定的结果显示,水中 Cd 含量是 4 mg/L,而底泥中 Cd 含量达 80 mg/L。

Cd 进入水体以后的迁移转化行为主要决定于水中胶体、悬浮物等颗粒物对 Cd 的吸附。底泥对 Cd 的浓集系数在 5 000～50 000 之间。[浓集系数指吸附达平衡后,吸附剂上 Cd 的浓度与尚存于溶液中的 Cd 的浓度之比值。]其中,腐殖质对 Cd 的浓集系数远大于二氧化硅和高岭石对 Cd 的浓集系数,是河水中 Cd 离子的主要吸附剂。

J. Gardiner 1974 年的试验表明:河流底泥与悬浮物(它们主要由粘土矿物和腐殖质等组成)对河水中的 Cd 的吸附作用及其后可能发生的解吸作用,是控制河水中 Cd 浓度的主要因素。

通过实验,J. Gardiner 发现影响粘土矿物对 Cd 吸附的因素有:

(1) 矿物的种类和颗粒,不同矿物的饱和吸附量不同,对同种矿物来讲,粒径小比表面大时吸附量高。

(2) 介质 pH 值和碱度,发现 pH > 7 时,镉的吸附量随 pH 升高而增加,且在某一 pH 时,吸附量急剧上升。出现这一现象的原因,可能是由于在吸附的同时,发生 Cd 的沉淀反应。介质的碱度,影响沉淀的形式。出现沉淀时,Cd^{2+} 从水相转入固相主要由沉淀过程决定;无沉淀出现时,Cd^{2+} 转入固相主要由吸附控制。

Cd^{2+} 可与水体中常见的配位体 OH^-、Cl^- 及腐殖质配合。

Cd^{2+} 与 OH^- 的配合和 pH 有关,与 Cl^- 的配合则与 $[Cl^-]$ 有关。由计算表明当 $[Cl^-]$ < 10^{-3} mol/L 时,镉主要以简单离子形态存在。$[Cl^-]$ = 10^{-3} mol/L 时,开始形成 $CdCl^+$ 离子。$[Cl^-]$ > 10^{-1} mol/L 时,主要以 $CdCl^+$、$CdCl_2$、$CdCl_3^-$、$CdCl_4^{2-}$ 形态存在。在河水中 $[Cl^-]$ >

10^{-3} mol/L,海水中约为 0.5 mol/L,因此均不能忽视 Cl^- 与 Cd^{2+} 的配合作用。同时从 Cd—腐殖质配合的稳定常数分析,两者的配合能力较大,更是不能忽略。

CdS、$Cd(OH)_2$、$CdCO_3$ 均是较难溶的物质,当水体中不存在 S^{2-} 时,可能形成 $Cd(OH)_2$ 和 $CdCO_3$ 沉淀。在大多数天然水体中 Cd 的溶解度由 pH 值和 Cl^- 浓度所制约,在忽略氯的配合作用下:

若溶液中 $\dfrac{[OH^-]}{[CO_3^{2-}]} = R \gg 4.8 \times 10^{-3}$,则首先出现 $Cd(OH)_2$ 沉淀,Cd 的溶解度由 $Cd(OH)_2$ 沉淀控制。

若 $R \ll 4.8 \times 10^{-3}$,则首先出现 $CdCO_3$ 沉淀,Cd 的溶解度由 $CdCO_3$ 沉淀控制。

当天然水体中有溶解态的无机硫存在时,应考虑 CdS 沉淀的形成。CdS 溶解度很低,是控制水体中溶解镉的重要因素。

在一般水体中 Cd 主要以 Cd^{2+} 的形态存在,其沉淀反应由 $CdCO_3(s)$ 控制。pH 约为 10 时或在还原性体系中,镉的溶解度低于 10 $\mu g/L$,而在 pH < 7 时,Cd 有相当高的溶解度。

5.3 铅

铅在岩石、土壤、空气、水体和生物体各环境要素中均有微量分布,由于铅的溶解度很小,在大部分天然水中铅的含量为 0.01～0.1 $\mu g/L$ 之间,海水中含铅 0.03 $\mu g/L$。

金属铅和铅的化合物很早就被人类广泛应用于社会生活的许多方面。铅的污染来自采矿、冶炼、铅的加工和应用过程中。石油工业的发展,作为汽油防爆剂使用的四乙基铅所耗用的铅占总生产铅的十分之一以上。汽车排放废气中铅的含量高达每升 20～50 微克,其污染已经造成严重的公害。空气中铅的浓度较之 300 年前已上升了 100～200 倍。根据对大西洋中海水的分析,表层海水含铅达 0.2～0.4 $\mu g/L$,在 300～800 米深处,铅的浓度急剧降低,至 3 000 米深处,含铅仅 0.002 $\mu g/L$。这说明海水表层的铅主要来自空气污染。

散布于环境中的 Pb 主要以粉尘和气溶胶状态从呼吸道进入人体(20%～40%),部分从消化道吸入(3%～10%)。Pb 被吸收后,可以 $Pb(HPO_4)_2$、甘油磷酸化合物、蛋白质复合物或简单 Pb^{2+} 形态循环,大约 90%～95%的以不溶性磷酸铅沉积在骨骼中。铅中毒时,全身各系统、器官均可遭受危害,尤其是神经系统、造血系统、循环系统和消化系统。研究证实,Pb^{2+} 与人体内多种酶(特别是含 —SH 基)配合,扰乱机体内正常的生化和生理活动,因而出现高级神经机能障碍、大脑皮质兴奋、抑制机能受阻、肌肉内磷酸类化合物的合成受害,产生绞痛、功能性病变、寿命缩短等。

Pb 有 0、+2、+4 等三种不同的价态,但在大多数天然水体中,Pb 常以 +2 价的价态出现,水体的氧化还原条件一般不影响 Pb 的价态。

铅在天然水中的含量和形态明显地受 CO_3^{2-}、SO_4^{2-} 和 OH^- 等含量的影响。在天然水中,铅化合物和上述离子存在着沉淀—溶解平衡和配合平衡。

pH < 7 时,Pb 主要以 +2 价的形态存在,中性和弱碱性水体中,Pb^{2+} 受氢氧化物所控制。Pb^{2+} 在酸性条件下,受硫酸盐所限制。Pb^{2+} 在水中主要的存在形式为 $PbOH^+$、Pb_2OH^{3+}、$Pb(OH)_4^{2-}$ 等,在海水中主要以 Pb^{2+}、$PbCl^+$ 和 $PbSO_4$ 的形式存在。

Pb 同有机物,特别是腐殖质有很强的配合能力。天然水体中[Pb²⁺]很低,除 Pb 的化合物溶解度很低外,还由于水中悬浮物对 Pb 的强烈的吸附作用,特别是铁和锰的氢氧化物的存在,与铅的吸附存在着显著的相关性。工业排放的 Pb 大量聚集在排污口附近的底泥及悬浮物中,而 Pb 在水体中迁移的形式主要是随悬浮物被流水搬运迁移。

5.4 铬

铬在各类环境要素中均有微量分布。土壤中铬的含量多数在 $100 \sim 500 \ \mu g/g$ 之间,低层大气中平均含量为 $0.001 \ \mu g/m^3$,雨水中铬含量在 $2 \sim 4 \ \mu g/L$ 之间,地表水中铬的含量大部分小于 $10 \ \mu g/L$,少部分可达到 $50 \sim 100 \ \mu g/L$,地下水中铬的含量一般小于 $0.5 \sim 2 \ \mu g/L$。

铬的主要污染源为:铁路、耐火材料生产和煤燃烧排放含铬废气,电镀工业排放含铬废水,皮革鞣制、金属酸洗、染料、制药厂等排放含铬的生产废水等。

铬一方面是人体内糖和脂肪代谢的必需元素,人体缺乏铬将使人得粥状动脉硬化症,另一方面由于环境铬污染,高浓度铬将对人体和动物产生严重危害。

Cr(Ⅵ)毒性远比 Cr(Ⅲ)大。Cr(Ⅵ)能导致呼吸道疾病、肠胃病变、皮肤损伤等。呼吸道吸收 Cr(Ⅵ)能使鼻腔黏膜溃疡,损坏中枢神经,有致癌作用等,且有较长的潜伏期。

实验结果表明 $HCrO_4^-$ 比 $Cr_2O_7^{2-}$ 和 CrO_4^{2-} 毒性更强,这是由于只带一个电荷比两个电荷的阴离子更容易透过生物膜。

1. 三价铬的配合与沉淀作用

Cr(Ⅲ)有形成配合物的强烈倾向,能与氨、尿素、乙二胺、卤素、硫酸根、有机酸、蛋白质等形成配合物,这些配合物能被水体的颗粒物吸附,最后沉降于底泥中。三价铬的水解反应如下:

$$Cr^{3+} + H_2O = CrOH^{2+} + H^+ \qquad\qquad pK = 3.81$$

$$CrOH^{2+} + H_2O = Cr(OH)_2^+ + H^+ \qquad\qquad pK = 6.22$$

由于三价铬具有两性,因此水解反应也可用下式表示:

$$Cr^{3+} + 2H_2O = CrO_2^- + 4H^+$$

在中性或碱性条件下,三价铬主要形成氢氧化铬或水合的氢氧化铬$[Cr(OH)_3 \cdot nH_2O]$沉淀。pH 低于 5 时,三价铬的六水配合物是稳定的。pH 在 9 以上时,能生成带电荷的羟基配合物。在天然水的 pH 范围内,很少存在可溶性三价铬。

2. 六价铬的酸碱平衡

在水中六价铬以含氧酸根的阴离子形式存在,不与阳离子配合。因此,在天然水中六价铬远比三价铬活泼。六价铬在水中主要形态有 $HCrO_4^-$、$Cr_2O_7^{2-}$ 和 CrO_4^{2-},它们之间存在如下的酸碱平衡:

$$H_2CrO_4 = HCrO_4^- + H^+ \qquad\qquad pK = 0.75$$

$$HCrO_4^- = CrO_4^{2-} + H^+ \qquad\qquad pK = 6.45$$

$$Cr_2O_7^{2-} + H_2O = 2HCrO_4^- \qquad\qquad pK = 1.66$$

$$Cr_2O_7^{2-} + H_2O \Longrightarrow 2CrO_4^{2-} + 2H^+ \qquad\qquad pK = 14.59$$

$Cr_2O_7^{2-}$ 和 CrO_4^{2-} 是强氧化剂,特别是在酸性介质里,$Cr_2O_7^{2-}$ 氧化性更为突出,与还原态物质(一般是有机物)反应,生成三价铬。然而当水体氧化还原电位较高时,六价铬也能较稳定地存在。

$HCrO_4^-$、$Cr_2O_7^{2-}$ 和 CrO_4^{2-} 同 $Cr(OH)_3(s)$ 之间的平衡处于较低的 E 水平。

图 3-19 为 25℃时铬—水体系的形态优势图。体系中含有溶解铬的浓度为 1×10^{-4} mol/L。由图看出,$Cr(OH)_3(s)$ 与六价铬的各阴离子之间的分界线在氧线以下,处于水的稳定区,说明铬(Ⅵ)氧化剂在水中是稳定的。同时也可看到 $Cr(OH)_3$ 占有很大的优势区域,在天然水的 pH 和 E 范围内,$Cr(OH)_3(s)$ 是铬存在的主要形态,即使水体中有 Cl^-、SO_4^{2-}、CN^-、CrO_4^{2-} 及柠檬酸根等配位体存在,体系中出现的固相仍为溶解度较低的 $Cr(OH)_3(s)$。当然,由于配合作用,铬的溶解度会有所提高。

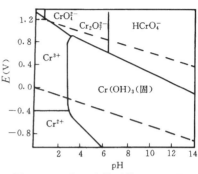

图 3-19 铬—水体系的 E—pH 图

李愓川主编,《环境化学》,中国
环境科学出版社,1990

3. 水体中 Cr(Ⅲ)与 Cr(Ⅵ)之间的转化

水体中常见的氧化剂,如溶解氧、二氧化锰等,能将 Cr(Ⅲ)氧化为 Cr(Ⅵ)。

实验表明溶解氧可将 Cr(Ⅲ)氧化为 Cr(Ⅵ),但在天然水体的环境中,这个反应的速度很慢,这可能是因为 Cr(Ⅲ)被溶解氧氧化之前就被吸附或已卷入了其他反应。

二氧化锰对 Cr(Ⅲ)有强烈的氧化作用,且氧化速度依赖于 MnO_2 的量。MnO_2 的量越大,氧化速度越快。其他吸附剂的存在对 Cr(Ⅲ)的氧化速度也有很大影响。实验结果表明,在含有颗粒物的湖水中,由于 Cr(Ⅲ)被强烈地吸附,使 Cr(Ⅲ)的氧化反应受到抑制。相反,在蒸馏水中,Cr(Ⅲ)的氧化速度要快得多。

水体中常见的还原剂,如 Fe^{2+}、可溶性硫化物和有机物等,对 Cr(Ⅵ)有还原作用。

将 Cr(Ⅵ)还原为 Cr(Ⅲ)以后,由于氢氧化铁能有效地吸附 Cr(Ⅲ),导致在底泥中 Fe 和 Cr 的累积,底泥中 Cr 和 Fe 的量呈正相关,证实了这一点。

实验证明,含硫离子和巯基的有机化合物能还原 Cr(Ⅵ),当然它们在天然水中的含量不可能很多,但含有羟基的有机物很多,这些有机物能还原 Cr(Ⅵ)。有人指出含有羟基的有机物还原 Cr(Ⅵ)时,主要包括酚羟基和醇羟基对 Cr(Ⅵ)的还原反应。模拟天然水条件进行试验的结果证实,在含有溶解的有机物的水体中主要进行 Cr(Ⅵ)转变为 Cr(Ⅲ)的过程。

由以上讨论可知,天然水体中 Cr(Ⅵ)转化为 Cr(Ⅲ)的速度较慢,而在有机物的作用下,Cr(Ⅵ)转为 Cr(Ⅲ)是主要过程,所以造成水体污染的 Cr 主要是 Cr(Ⅲ)。Cr(Ⅲ)主要以 $Cr(OH)_3$ 沉淀或吸附沉降于底泥,从而降低了它的迁移能力。

5.5 砷

砷在海水中的平均浓度为 3 ppm,但各海区的分布并不一致。天然淡水中砷的含量很低,

平均含量为 $1.5 \sim 2$ ppb,未受污染的河水中含量约为 1 ppb。

环境中砷的最大天然来源是地壳风化,其中大部分经河流汇集到海洋。此外火山活动也能释放出大量的砷以致造成局部地区土壤或泉水中砷含量提高。

砷的环境污染主要来自人类的工农业生产活动。工业上排放砷的部门有化工、冶金、炼焦、火力发电、造纸、皮革、玻璃、电子工业等,其中以冶金、化工排砷量较高。

农业方面,曾经广泛利用含砷农药作为杀虫剂和土壤消毒剂,其中用量较多的是砷酸钙、砷酸铅、亚砷酸钙、亚砷酸钠等,另有一些有机砷被用来防治植物病害。

砷的化合价常见有 -3、0、$+3$ 和 $+5$,还原态以 $AsH_3(g)$ 为代表,天然水体中主要以 $+3$ 和 $+5$ 价存在。

1. 砷的酸碱平衡

砷以亚砷酸和砷酸两种形式进入水体的酸碱平衡,亚砷酸由 As_2O_3 的溶解形成:

$$As_2O_3(s) + H_2O \rightleftharpoons 2HAsO_2 \qquad\qquad pK = 1.36$$

As_2O_3 在 25℃ 水中溶解度为 21 g/L,相当于 0.1 mol/L。

亚砷酸是两性的化合物:

$$HAsO_2 \rightleftharpoons AsO_2^- + H^+ \qquad\qquad pK = 9.21$$

$$HAsO_2 \rightleftharpoons AsO^+ + OH^-$$

或 $\quad AsO^+ + H_2O \rightleftharpoons HAsO_2 + H^+ \qquad\qquad pK = 0.34$

由平衡常数与 pH 对应关系可看出,当 $pH < -0.34$ 时,AsO^+ 占优势,$pH > 9.21$ 时,AsO_2^- 占优势,pH 在 $-0.34 \sim 9.21$ 之间时,$HAsO_2$ 占优势(当 As_2O_3 含量 < 21 g/L 时)。

As_2O_5 极易溶于水中,25℃ 时的溶解度为 658 g/L,相当于 2.86 mol/L。由 As_2O_5 溶液形成的砷酸是三元酸,在水中可形成三种阴离子:

$$H_3AsO_4 \rightleftharpoons H_2AsO_4^- + H^+ \qquad\qquad pK_1 = 3.60$$

$$H_2AsO_4^- \rightleftharpoons HAsO_4^{2-} + H^+ \qquad\qquad pK_2 = 7.26$$

$$HAsO_4^{2-} \rightleftharpoons AsO_4^{3-} + H^+ \qquad\qquad pK_3 = 12.47$$

哪种形态占优势决定于水体 pH。

由平衡常数分析:

$pH < 3.6$ 主要以 H_3AsO_4 为优势;

pH 在 $3.6 \sim 7.26$ 之间,$H_2AsO_4^-$ 为优势;

pH 在 $7.26 \sim 12.47$ 之间,以 $HAsO_4^{2-}$ 为优势;

$pH > 12.47$ 以 AsO_4^{3-} 为优势。

因此在水体的 pH 范围内,砷的含氧酸主要以 $HAsO_2$、$H_2AsO_4^-$ 及 $HAsO_4^{2-}$ 三种形态存在。

2. 砷的氧化还原平衡

由于存在有多种价态,因此水体的 E 条件影响砷在水中存在的形态。

砷在一般天然水中可能存在的形态为 $H_2AsO_4^-$、$HAsO_4^{2-}$、H_3AsO_4 和 $H_2AsO_3^-$。在大多数天然水中,砷主要以 $H_2AsO_4^-$ 和 $HAsO_4^{2-}$ 五价形态存在。此外在 pH > 12.5 的碱性水中,还可能存在 AsO_4^{3-} 甚至 $HAsO_3^{2-}$ 及 AsO_3^{3-},而在 pH < 4 的酸性水中则可能存在 H_3AsO_4,乃至 AsO^+,后者由下列反应产生:

$$H_3AsO_3 + H^+ \Longrightarrow AsO^+ + 2H_2O$$

但 AsO^+ 只在严重污染的废水中才有可能出现,至于天然水一般可以不加考虑。

在氧化性水体中,H_3AsO_4 是优势形态,在中等还原条件或低 E 值的条件下,亚砷酸变得稳定。E 值较低的情况下,元素砷变得稳定,但在极低的 E 时,可以形成 AsH_3,它在水中的溶解度极低,在 AsH_3 的分压为 101.3 kPa 时,溶解度约为 $10^{-5.3}$ mol/L。

天然水系统中富氧的表层与底层其氧化还原状况是完全不一样的,由于有机物的沉淀、积累以及气态分子氧难以向深层水中扩散,在低层低 E 水中,砷主要以三价存在。同时,pH 对不同价态的砷的存在也有一定影响。一般 pH < 4 时,三价砷比较稳定,随 pH 升高,三价砷向五价砷的转化率也相应增加。

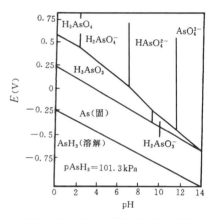

图 3 - 20　砷—水体系的 E—pH 图

李怵川主编,《环境化学》,中国
环境科学出版社,1990

上述体系以无其他离子存在为前提,若体系中存在其他离子,则形态优势区域会发生变化。若体系中有溶解的无机硫存在,则 pH < 5.5 和 E 在零伏以下,这时优势形态为 $HAsS_2$,由于它的溶解度很小($10^{-6.5}$ mol/L,相当于以 As 计 0.025 mg/L),体系中 As 含量若高于此值,则体系就会出现 As_2S_3 的稳定固相。

3. 砷的甲基化反应

砷与汞一样可以甲基化,砷的化合物可在微生物的作用下被还原,然后与甲基作用生成有机砷化合物。在甲基化过程中,甲基钴胺素 CH_3CoB_{12} 起着甲基供应体的作用。

$$HO{-}\underset{\underset{O}{\|}}{As^{5+}}{-}OH \xrightarrow[2e]{} \underset{\underset{O}{\|}}{As^{3+}}{-}OH \xrightarrow{(CH_3)} HO{-}\underset{\underset{O}{\|}}{\overset{CH_3}{As^{3+}}}{-}OH \xrightarrow[2e]{(CH_3)} HO{-}\underset{\underset{O}{\|}}{\overset{CH_3}{As^+}}{-}CH_3$$

（砷酸）　　　　　（亚砷酸）　　　　　（甲基胂酸）　　　　　（二甲基胂酸）

$$HO{-}\underset{\underset{O}{\|}}{\overset{CH_3}{As^+}}{-}CH_3 \quad \begin{array}{l} \xrightarrow{4e} CH_3{-}\overset{CH_3}{\underset{}{As^{3-}}}{-}H\,(二甲基胂) \\[2mm] \xrightarrow[4e]{(CH_3)} CH_3{-}\overset{CH_3}{\underset{}{As^{3-}}}{-}CH_3\,(三甲基胂) \end{array}$$

二甲基胂和三甲基胂易挥发、毒性很大,但二甲基胂在有氧气存在时不稳定,易被氧化成毒性较低的二甲基胂酸。

4. 砷在水环境中的迁移

有人认为,虽然砷的氧化物溶解度较高,但水相中可溶性砷的含量并不大,水体中的砷大都集中在悬浮物和底泥中,产生这一现象的原因可能是砷的沉淀与吸附沉降。

在 E 较高的水体中,砷以各种形态的砷酸根离子存在,它们与水体中其他阳离子(如 Fe^{3+}、Fe^{2+}、Ca^{2+}、Mg^{2+} 等)可形成难溶的砷酸盐(如 $FeAsO_4$ 等)。甲基胂酸盐和二甲基胂酸盐离子与 M^{3+}、M^{2+} 也可形成难溶盐而沉淀至底泥。在 E 较低时,有硫的体系可能出现砷的硫化物固相。

除形成砷的难溶化合物沉淀以外,还可发生吸附共沉淀现象。砷以各种酸根离子的形态存在时,它们都带有负电荷,因此均可被带有正电荷的水合氧化铁、水合氧化铝等胶体吸附,并形成共沉淀。这种吸附作用被认为是阴离子与羟基的交换或取代作用。

砷化物毒性很大程度上取决于它们的分子结构、形态和价态。一般认为,大多数有机砷要比无机砷毒性小得多,在无机砷中,三价砷的毒性大大高于五价砷的毒性,对人来说,亚砷酸盐的毒性比砷酸盐要大 60 倍。这是由于亚砷酸盐可以与蛋白质中的巯基反应,而砷酸盐则不能。砷酸盐对生物体的新陈代谢有影响,但毒性很低,而且只是在还原成亚砷酸盐后才表现出来。三甲基胂的毒性比亚砷酸盐更大。砷具有积累中毒作用。近年来,发现砷是致癌元素之一。慢性砷中毒可引起皮肤色素沉着、皮炎,进一步可发展成皮肤癌。

第六节 水体的氮、磷污染和富营养化

水体的富营养化现象,是水体中的浮游生物繁殖量和生长量的增大而产生的。富营养物质则是指那些含氮、含磷的化肥或洗涤剂等物质,它们进入水体后,使植物营养物增多,藻类大量繁殖,消耗水中溶解氧,从而影响鱼类生长。目前国内外许多湖泊、内海、江河发生富营养化(eutrophication)现象。

6.1 引起富营养化的物质

引起富营养化的物质,主要是浮游生物增殖所必需的碳、氮、磷、硫、镁、钾等 20 多种元素,以及维生素、腐殖质等有机物。

1. 营养盐类

对于生物的生长、繁殖,碳、氮、磷、硫、钙、镁、钾等是不可缺少的营养元素,而其中特别是以碳、氮、磷最为重要。碳来源于与大气的交流,比较恒定,变化不大,而氮、磷在水中的含量一般情况下比较少,成为水体营养状态的制约因子。氮以硝酸盐、亚硝酸盐、氨、尿素等形式存在于水中,作为氮源而被有效地利用,特别是硝酸盐,作为浮游生物的氮源是最好的。以无机物或有机物形式存在于水中的磷源都能被有效地利用,尤以无机物形式的磷源利用率更高,但有时有机物形式存在的磷源也能显著地促进浮游生物的繁殖。

2. 微量元素

如铁、锌、锰、铜、硼、钼、钴、碘、钒等是植物生长、繁殖所不可缺少的元素,研究表明,在这

些微量元素中,特别是铁和锰具有促进浮游生物繁殖的功能。一般情况下,铁多来自于自然界的河流及底泥,在河水中的含量很高,锰主要来自电镀厂、冶炼厂、钢铁厂等工业废水。海水中铁、锰的溶解度很低,大部分与有机物生成螯合物而存在。

3. 维生素类

维生素对浮游生物的生长、繁殖起着重要的作用,其中维生素 B_{12} 是多数浮游生物的生长和繁殖不可缺少的要素,是限制其繁殖和分布的重要生理生态要素。

4. 有机物

有机物具有与铁、锰等微量元素螯合及作为维生素补给源的作用,某些特殊的有机物对浮游生物的增殖有显著的促进作用,如据报道,酵母、谷氨酸等能使鞭毛藻类增殖 5～40 倍。

6.2 氮和磷在水体中的存在及其形态

由于氮元素具有多变的价态,因此在天然水体中的存在形态与水体的 E 条件有关。

在天然水中主要无机氮化物有 NH_4^+、NO_2^- 和 NO_3^- 离子,下面讨论中性天然水电位对它们互变的影响。

上述化合物在溶液中存在以下氧化还原平衡:

$$\frac{1}{6}NO_2^- + \frac{4}{3}H^+ + e \longrightarrow \frac{1}{6}NH_4^+ + \frac{1}{3}H_2O \qquad E^\circ = 0.89 \text{ V}$$

$$\frac{1}{6}NO_3^- + H^+ + e \longrightarrow \frac{1}{6}NO_2^- + \frac{1}{2}H_2O \qquad E^\circ = 0.84 \text{ V}$$

$$\frac{1}{8}NO_3^- + \frac{5}{4}H^+ + e \longrightarrow \frac{1}{8}NH_4^+ + \frac{3}{8}H_2O \qquad E^\circ = 0.88 \text{ V}$$

从上述氧化还原平衡可以看出,中性天然水中铵盐是主要存在价态,无机氮的低价态的转化占优势;在高电位时,硝酸盐是主要存在价态,无机氮高价态的转化占优势,而在两者之间,已是还原环境,主要存在价态为亚硝酸盐,氮中间价态的转化占优势。

表层水电位较高,可以认为其中无机氮的优势价态是硝酸盐,因而必须注意它的含量水平。因为过量硝酸盐不仅本身有毒性,特别会引起儿童血液中变性血红蛋白的增加,而且还具有潜在危害性。人和动物体液由于溶氧不足电位下降时,就会将含有的硝酸盐还原成亚硝酸盐或亚硝酸铵,前者能毒害血液,引起贫血和肾脏障碍,后者则是致癌物质。我国规定饮用水中硝酸盐以氮计不得超过 10 mg/L。

在天然水体的 E 条件下,磷元素一般不发生氧化还原变化,天然水体中的磷主要以无机磷酸盐存在外,还以种种有机磷的形式溶解于水中。浮游生物以磷酸盐的磷作为营养盐,除此之外,鞭毛藻类也有摄取有机态磷的。

浮游生物把可摄取的磷吸入体内,不断分裂、增殖,新产生的浮游生物依次被高一级的营养者所捕食,生物体内的磷进行了传递,新产生的各级营养者以分泌物、排泄物等形式释放出磷,死亡后产生遗骸和分解产物,在细菌分解它们的同时,磷又回复到水中及沉积物中。溶出磷的底泥,仅限于表面 1 cm 左右极薄的一层,但由于底栖生物的活动以及外来的搅动,使原来沉积在底泥中的磷,能移动到底泥的表面,有可能溶解于底层水中,再参与水体中磷的循环。

6.3 氮和磷的发生源

进入水体的氮、磷营养物,来源是多方面的。据估计,全球河流溶解氮和磷年自然排放量(根据对未受污染河流的测量)分别为 1 500 万吨和 1 000 万吨。全球每年向河流的人为排放量估计为:溶解氮 700 万~3 500 万吨,溶解磷 60 万~375 万吨。这些营养物中仅有约 44 万吨的氮和 30 万吨的磷进入到深海的悬浮沉积物中。

1. 生活污水

生活污水中常含有一定数量的氮、磷等营养物,大部分是来自人类的排泄物和洗涤剂。

生活污水中的氮,主要来自人体食物中蛋白质代谢的废弃产物。新鲜生活污水中的有机氮约占 60%,氨态氮约占 40%,硝酸态氮仅微量,陈旧生活污水中有机氮转变成氨态氮而使其比例上升。

人体代谢废物中还含有磷,特别是 20 世纪 50 年代以来含磷合成洗涤剂的大量使用,使生活污水中的磷含量急剧上升。

2. 工业废水

工业废水也是水中氮、磷的重要来源,不少工厂在生产过程中会产生含氮、磷的废水。如焦化厂、化肥厂、石油化工厂、纺织印染厂、制药厂等废水中均含有大量氮,而食品加工、发酵、鱼品加工、化肥、洗涤剂生产、金属抛光等工厂的废水中含有大量的磷。

生活污水和工业废水经生化处理后,剩余的大部分氮、磷随出水排入河道,这是城市附近河道中氮、磷的主要来源。

3. 农业排水

农田中施用的氮、磷肥料,除一部分真正被农作物吸收利用外,其余的被土壤吸附、残留和溶于水中,相当部分通过雨水冲淋入江河湖泊。据统计,农田中施用的氮肥的 30%、磷肥的 5% 因此流失。近年来,化肥的大量使用,以及可耕地土壤质量的降低,导致肥料成分容易流失,氮和磷大量进入水体。

4. 家畜排泄

大量饲养家畜家禽,其废弃物和排泄物中含有大量氮、磷,如以单位个体计,牛排泄物的污染量约为人体排泄物污染量的 4 倍,随着雨水的冲刷,大量地进入水体。

5. 水产养殖

水产养殖业的发展,由于残饵、悬浮物以及鱼类的排泄物、粪便的污染,引起了养殖场和其周围水域的水质、底泥的环境恶化及水中氮、磷含量的增加。

6. 大气

来自大气的氮和磷,与人类活动有着密切的关系,通过雨水而进入水体。大气中的氮,以硝酸盐态为主,其次为亚硝酸盐及氨态氮,磷酸盐也有一定的浓度。

7. 底泥

在底泥表层或其上面的新生沉积物中所含的氮、磷,直接或通过底泥粒子间的间隙水等,溶入水中,形成二次污染源。湖泊和海域底质中所含氮和磷的量,几乎没有什么差别,氮为

1 000～10 000 $\mu g/L$,磷为数百至数千 $\mu g/L$。

氮、磷的溶除,机理上有所不同,氮依靠细菌的作用,在间隙水中溶出,溶出的溶解态无机氮在底泥表面的水层中进行扩散,在贫氧水中,以氨态氮溶出为主,在富氧水中,则以硝酸态氮为主,其溶出速度以前者为快。底泥中的磷,主要是无机态的正磷酸盐占大部分,形成钙、铝、铁等不溶性盐类,在接近底泥表面的水中有充分的溶解氧时,正磷酸盐不溶出,反之,溶解氧不充分时,磷就溶出,底泥中磷酸铁的减少和磷的溶出量成比例。

Vollenweider 根据总磷和无机氮的浓度,把湖泊的营养状态分成五种类型,见表 3 - 10。通常,总磷超过 0.02 mg/L,无机态氮超过 0.3 mg/L,就可以看成是处于危险状态。

表 3 - 10　湖泊营养状态的分类

营 养 状 态	无机氮(mg/L)	总磷(mg/L)
极 贫 营 养	0.2 以下	0.005 以下
贫—中营养	0.2～0.4	0.005～0.01
中 营 养	0.3～0.65	0.01～0.03
中—富营养	0.5～1.5	0.03～0.1
富 营 养	1.5 以上	0.1 以上

R. A. Vollenweider, Scientific fundamental of the eutrophication of lakes and flowing water, with particular reference to nitrogen and phosphorus as factors in eutrophication Technical report, DAS/CSI 68. 27, OECD, 1968

表 3 - 11　伊利湖磷污染来源

污 染 源	磷酸盐(pound/d)
农村雨水带入	20 000
城市使用洗涤剂的污水	70 000
人排泄物	30 000
城市雨水	6 000
工业废水排放	6 000
合　　计	132 000

徐亚同,《废水中氮磷的处理》,华东师范大学出版社,1996

6.4　氮、磷污染的危害性

1. 氮、磷对水体的污染主要体现在引起水体富营养化

富营养化会使水中藻类恶性繁殖,大多数种类的蓝藻会使水产生霉味和腥臭味。许多种藻类还会产生毒素,可富集在水生生物体内,并通过食物链影响人类的健康。藻类死亡腐败后被微生物分解,消耗大量溶解氧,严重影响鱼类的生存。含有大量藻体可使水流变缓,长期下去大量藻类遗体可使河流和湖泊变浅、淤塞,最终成为沼泽地。近海水域由于氮、磷污染造成海域营养过剩,耗氧藻类过度繁殖会引起鱼类和无脊椎动物的大量死亡,改变底栖生物群落的组成,使珊瑚礁窒息死亡,由此引起的赤潮、棕潮、绿潮(依海藻颜色不同而称呼),在世界沿海

海区都有发现,其中包括如波罗的海、瓦登海、北海、黑海、日本濑户内海、墨西哥湾、北卡罗来纳沿海、爱德华王子岛沿海、东海、黄海等处,给海洋渔业资源和海洋生态环境带来极大的破坏。

近年来的研究表明,藻类的过量繁殖,与磷酸盐的含量之间存在着某些平行关系,引起过量繁殖的那些藻类,往往能积累大量正磷酸盐。从藻类的生长来看,磷的需要尤为重要。这是因为水中氮的补充可以通过多种途径,特别是可以通过固氮微生物和蓝藻等来补充。据估计,一些固氮微生物固定大气中的氮的量,可满足湖泊中藻类需氮量的50%左右。根据 Liebig 最低营养限制定律,水体中藻类的生长量受磷的含量限制更为明显,磷污染对水体富营养化的影响更大,控制磷污染对控制和防治水体富营养化显得尤为重要。

据调查,我国绝大多数湖泊属于磷控制湖,控制磷污染对控制和防治水体富营养化显得尤为重要。水体中的磷根据其来源,可分为外源性磷和内源性磷,内源性磷是指来自水体内部的磷,而湖泊沉积物是湖水内源性磷的主要来源。通过人为的努力,外源性磷可以受到控制,而水体的内源性磷的释放,特别是面积较大的水体,很难进行控制。

世界合成洗涤剂年产量已将近2 000万吨。我国目前使用的洗衣粉配方中大多含有17%左右的三聚磷酸钠(含磷量约4%),从1986到1996的10年间,我国洗衣粉产量增加了5倍。洗涤废水排放入江河湖泊后造成较高的磷负荷,成为一些湖泊水域富营养化进程加快的原因之一。从20世纪70年代初开始,世界上许多国家研究发现,造成富营养化污染的磷主要来源是工业污水和生活污水,生活污水中的磷又主要来源于人体排磷和含磷洗衣粉废水。到1994年,美国50个州中,有27个州,占人口总量42%的地区实行了禁磷措施。日本到1988年时,无磷洗衣粉产量已占到总产量的97%。目前世界上无磷洗衣粉和含磷洗衣粉的产量之比约为1∶1。

然而近年来,随着富营养化问题研究的深入和城市三级污水厂建设的逐年普及,人们对禁磷措施的科学性和有效性又提出了一些新的观点。如英国绿色和平运动委员会主席行拜恩·琼斯教授通过分析认为,含磷洗衣粉对环境的正面影响与负面影响大体相当,甚至是前者还好于后者。1992年联合国《关于洗涤剂中磷酸盐及其替用品的研究报告》指出,降低水体中磷负荷的主要措施是:(1)禁(限)用含磷洗衣粉。(2)将污水引排到对富营养化不敏感的水域中。(3)加强生活污水的三级处理。

磷酸盐作为合成洗涤剂的有效助洗剂,目前尚未能找到性能、价格上优于磷酸盐的代用品,在替代品中较好的是4A沸石、柠檬酸钠、层状硅酸盐等,国际上公认的是4A沸石。我国大多数地区水质硬度较高,使用无磷洗衣粉效果较差。实际上,湖泊富营养化现象的发生及对污染源的控制是一个十分复杂的过程,洗衣粉禁磷的措施虽然对缓解湖泊富营养化进程有一定积极作用,但仅能削减磷负荷的一小部分(10%～20%),收效甚微,而生活污水的三级处理可削减磷负荷的90%以上,是消除水域富营养化的最有效的途径。

2. 增加了给水处理的成本

在自来水厂加氯处理时,原水中氮含量的增加会使加氯量大大增加,每克氨态氮须增加8～10克氯气。原水中的藻类会堵塞滤池,同时增加脱色、除臭、除味所加的化学试剂的量。

3. 还原态氮对溶解氧的影响

还原态氮排入水中会因硝化作用而消耗水中大量的溶解氧,一个氨态氮氧化成硝酸态氮需耗去四个氧,其质量为氨态氮的 4.57 倍,从而使水中溶解氧降低。实验证明,水中溶解氧低于 4 mg/L 时,鱼类就难以生存。溶解氧耗尽后,有机物在厌氧条件下分解会放出 H_2S 和 NH_3 的臭气,使水质进一步恶化。

4. 化合态氮的毒性

化合态氮对生物和人体具有毒性,水中氨氮含量超过 1 mg/L 时,即会使水生生物血液结合氧量降低,超过 3 mg/L 时,可于 24～96 小时内使金鱼、鳊鱼等死亡。若饮用氨态氮含量超过 10 mg/L 的水(或硝酸态氮 50 mg/L),可引起高铁血红蛋白症。即当亚硝酸盐存在时,它可以把血液中输氧血红蛋白中的二价铁氧化成三价铁,变成高铁血红蛋白,从而失去输氧作用,严重时会发生窒息现象。

有机氮化物在水中经微生物作用,可硝化分解为硝酸盐,再经还原为亚硝酸盐。它们在人体中可与仲胺作用生成强烈致癌致畸物亚硝胺。

$$\begin{array}{c} R_1 \\ {>}NH + NO_2^- \longrightarrow \\ R_2 \end{array} \qquad \begin{array}{c} R_1 \\ {>}N-NO + OH^- \\ R_2 \end{array}$$

仲胺　　　亚硝酸根　　亚硝胺

6.5 富营养化的防治

富营养化是封闭型水域如湖泊、海域特有的现象,从引起富营养化的原因主要是由于氮、磷等污染物来看,无非是从入口和出口两个方面来进行控制。由于排入水体的氮、磷的人为因素与生活污水和工业废水的排放有关,因此使用低磷或无磷洗涤剂和肥皂、恰当处理食物残渣、加强水产养殖的管理、限制污染源排水、对污水进行深度处理,都是减少污染的选用方法。其中使用各种物理化学和生物化学的方法去除污水中的氮和磷,是防治富营养化最主要的方法。

在排出的污水中,氮主要以蛋白质、氨基酸之类的有机态氮和氨态氮、硝酸态氮(包括硝酸盐和亚硝酸盐)存在,去除后水中氮最理想的产物应该是氮气。物理化学法只能去除废水中的氨态氮,其他形态的氮无法去除。常用的物理化学去氮法有加氯气法、吹脱法、选择性离子交换法等。

生物脱氮是最有效的脱氮技术。生活污水中的含氮物质主要是有机氮和氨态氮,生活污水中的生物除氮通常包括以下三个基本的过程:

一是由于活性污泥或生物膜微生物物质的生长,使污水中的有机氮转化为氨态氮。

二是氨态氮通过硝化作用被硝化细菌转化成硝态氮。

三是通过反硝化细菌将硝态氮转化为氮气(或氧化亚氮),并进入大气。

其主要生化反应为:

$$NH_4^+ + \frac{3}{2}O_2 \xrightarrow{\text{亚硝化细菌}} NO_2^- + 2H^+ + H_2O$$

$$\text{NO}_2^- + \frac{1}{2}\text{O}_2 \xrightarrow{\text{硝化细菌}} \text{NO}_3^-$$

$$\text{NO}_3^- \xrightarrow{①} \text{NO}_2^- \xrightarrow{②} \text{NO} \xrightarrow{③} \text{N}_2\text{O} \xrightarrow{④} \text{N}_2$$

反应式中,① 硝酸盐还原酶;② 亚硝酸盐还原酶;③ 氧化氮还原酶;④ 氧化亚氮还原酶。

目前多数情况下,磷被认为是引起富营养化的主要物质。在除磷方法中,物理化学除磷法常用来弥补生化处理时除磷的不足。其中最广泛使用的是化学沉淀法,即加入沉淀剂以生成难溶性的磷酸盐或羟基磷酸盐沉淀,进行分离从而去除水中的磷。化学法除磷简便易行,适合水量小、水质成分波动大的含磷废水处理。然而除磷沉淀后污泥量很大,难以处置,因此物理化学除磷法成本较高。

生物除磷法,即活性污泥过量除磷,主要假说为生物诱导的化学沉淀作用和生物积磷作用。其原理是由于污泥微生物的代谢作用,导致微环境发生变化,结果使废水中的溶解性磷酸盐转化成难溶化合物沉积于污泥上,从而随剩余污水的排放一起去除。

第七节　有机污染物的水环境化学

7.1　有机物污染程度的指标

1. 溶解氧(dissolved oxygen，DO)

溶解在水中的氧称为溶解氧,溶解氧以分子状态存在于水中。水中溶解氧量是水质重要指标之一。

水中溶解氧含量受到两种作用的影响:一种是使 DO 下降的耗氧作用,包括耗氧有机物降解的耗氧,生物呼吸耗氧;另一种是使 DO 增加的复氧作用,主要有空气中氧的溶解,水生植物的光合作用等。这两种作用的相互消长,使水中溶解氧含量呈现出时空变化。

若以 CH_2O 代表有机物,则有机物氧化分解反应式为:

$$\text{CH}_2\text{O} + \text{O}_2 = \text{CO}_2 + \text{H}_2\text{O}$$

如果水中有机物含量较多,其耗氧速度超过氧的补给速度,则水中 DO 量将不断减少,当水体受到有机物的污染时,水中溶解氧量甚至可接近于零,这时有机物在缺氧条件下分解就出现腐败发酵现象,使水质严重恶化。

天然水体中 DO 的数量,除与水体中的生物数量和有机物的数量有关外,还与水温和水层深度有关。在正常情况下地表水中溶解氧量为 $5\sim10$ mg/L,在有风浪时,海水中溶解氧量可达 14 mg/L,在水藻繁生的水体中,由于光合作用使放氧量增加,也可能使水中的氧达到过饱和状态,地下水中一般溶解氧较少,深层水中甚至完全无氧。

2. 生化需氧量(biochemical oxygen demand，BOD)

地面水体中微生物分解有机物的过程消耗水中的溶解氧的量,称生化需氧量,通常记为BOD,常用单位为 mg/L。一般有机物在微生物作用下,其降解过程可分为两个阶段,第一阶段是有机物转化为二氧化碳、氨和水的过程,第二阶段则是氨进一步在亚硝化细菌和硝化细菌的作用下,转化为亚硝酸盐和硝酸盐,即所谓硝化过程。BOD 一般指的是第一阶段生化反应的耗氧量。微生物分解有机物的速度和程度同温度、时间有关。最适宜的温度是 15～30℃,从理论上讲,为了完成有机物的生物氧化需要无限长的时间,但是对于实际应用,可以认为反应可以在 20 天内完成,称为 BOD_{20}。根据实际经验发现,经 5 天培养后测得的 BOD 约占总 BOD 的 70%～80%,能够代表水中有机物的耗氧量。为使 BOD 值有可比性,因而采用在 20℃条件下,培养五天后测定溶解氧消耗量作为标准方法,称五日生化需氧量,以 BOD_5 表示。BOD 反映水体中可被微生物分解的有机物总量,以每升水中消耗溶解氧的毫克数来表示。BOD 小于 1 mg/L 表示水体清洁;大于 3～4 mg/L 表示受到有机物的污染。城市生活污水 BOD_5 一般小于 100 mg/L,而焦化、皮革、炼油、造纸等工业废水 BOD_5 常大于 1 000 mg/L,甚至可高达 20 000 mg/L。但 BOD 的测定时间长,对毒性大的废水因微生物活动受到抑制,而难以准确测定。

3. 化学需氧量(chemical oxygen demand,COD)

水体中能被氧化的物质在规定条件下进行化学氧化过程中所消耗氧化剂的量,以每升水样消耗氧的毫克数表示,通常记为 COD。在 COD 测定过程中,有机物被氧化成二氧化碳和水。水中各种有机物进行化学氧化反应的难易程度是不同的,因此化学需氧量只表示在规定条件下,水中可被氧化物质的需氧量的总和。当前测定化学需氧量常用的方法有高锰酸盐指数(permanganateindex)法(用 COD_{Mn} 或 I_{Mn} 表示)和 K_2CrO_7(用 COD_{Cr} 或 COD 表示)法,前者用于测定较清洁的水样,后者用于污染严重的水样和工业废水。同一水样用上述两种方法测定的结果是不同的,因此在报告化学需氧量的测定结果时要注明测定方法。

COD 与 BOD 比较,COD 的测定不受水质条件限制,测定的时间短。但是 COD 不能区分可被生物氧化的和难以被生物氧化的有机物,不能表示出微生物所能氧化的有机物量,而且化学氧化剂不仅不能氧化全部有机物,反而会把某些还原性的无机物也氧化了。所以采用 BOD 作为有机物污染程度的指标较为合适,在水质条件限制不能做 BOD 测定时,可用 COD 代替。水质相对稳定条件下,COD 与 BOD 之间有一定关系:一般重铬酸钾法 $COD_{Cr} > BOD_5 > COD_{Mn}$。

4. 总有机碳(total organic carbon,TOC)与总需氧量(total oxygen demand,TOD)

由于 BOD 测定费时,为实现快速反映有机物污染程度的目的,而采用 TOC 与 TOD 测定法。它们都是使用化学燃烧法,前者测定结果以 C 表示,后者则以 O 表示需氧有机物的含量。由于测定时耗氧过程不同,而且各种水中有机物成分不同,生化过程差别也较大,所以各种水质之间,TOC 或 TOD 与 BOD_5 不存在固定的相互关系。在水质条件基本相同的条件下,BOD_5 与 TOC 或 TOD 之间有一定相关性。

7.2　有机物的化学降解反应

各类有机污染物的共同特点是降解,所谓降解就是较高分子量的有机物分解成较小分子量的物质,最后变成简单化合物(如 CO_2 和 H_2O)的过程。有机物的降解过程包括化学降解、生物降解和光化学降解。有机物在水环境介质中的降解过程是环境污染自然净化的主要过程。难降解有机物从水体中消除的途径主要通过吸附在悬浮固体颗粒表面,然后随之一起沉降到底泥中或被浮游生物摄取或吸收,结果是随食物链富集传递或随浮游生物残体沉降至沉积物中。

对环境中有机物的毒性大小,还须考察其进入环境后的降解过程包括分解速率及分解产物的毒性。

有机物的化学降解可通过氧化、水解、还原等反应完成。

1. 氧化反应

在有机物分子中加氧或脱氢的反应称为有机物的氧化反应,如:

$$2CH_3OH + O_2 \longrightarrow 2CH_2O + 2H_2O \qquad (脱氢氧化)$$

$$2CH_2O + O_2 \longrightarrow 2HCOOH \qquad (加氧氧化)$$

能被氧化是各类有机物的共同特性,所以氧化反应是有机物降解的重要方式之一。但各类有机物氧化的难易程度差别很大。环境中的有机物来源于动植物残体及其分解产物、生物分泌物、人类生活废物和某些工业废物,大多为复杂的有机物,对它们的氧化性应分别加以具体分析。

最易氧化的是醛(如甲醛、丙烯醛)、酚类(如苯酚、甲酚)、芳香胺(如苯胺、甲苯胺),较易氧化的是烷基或硝基取代的芳香族化合物(如甲苯、乙苯、硝基苯、三硝基苯)、不饱和的烯烃、炔烃、醇及含硫化合物的硫醇、硫醚、碳水化合物(如糖类、淀粉、纤维素)、脂肪酮类(如丙酮)、羧酸(如醋酸、己酸)、酯类(如醋酸丁酯)、胺类(如甲胺);不易氧化的是饱和的脂肪烃、含有苯环结构的芳香烃、含氮的脂肪胺类化合物、卤代烃(如四氯化碳、溴代苯)。

石油中烷烃化合物的氧化过程可表示如下:

$$R-CH_2 \cdot CH_3 \longrightarrow \begin{array}{c} R-CH_2 \cdot CH_2 \\ \big\Updownarrow \text{自由基平衡} \\ R \cdot CH-CH_3 \end{array}$$

$$R-CH_2 \cdot CH_2 \xrightarrow{[O]} R-CH_2-CH_2OH \xrightarrow{[O]} RCH_2COOH$$

$$R \cdot CH-CH_3 \xrightarrow{[O]} R-CHOH-CH_3 \xrightarrow{[O]} R-CO-CH_3$$

即该过程首先形成自由基,然后自由基氧化为醇(伯醇或仲醇),最后形成羧酸和酮,羧酸(除甲酸外)和酮一般较难进行化学氧化。

只含 C、H、O 三种元素的有机物,其氧化的最终产物是 CO_2 和 H_2O,含 N、S、P 的有机物氧化的最终产物中除有 CO_2 和 H_2O 外,还分别有含 N、含 S 和含 P 的化合物。有机物的氧化最终结果是转化为简单的无机物,但实际环境中各类污染物种类繁多,结构复杂,它们的氧化是有限度的,往往不能进行到底。

2. 还原反应

在有机物分子中加氢或脱氧的反应称为有机物的还原反应。如:

$$CH_2O + H_2 \longrightarrow CH_3OH \quad （加氢还原）$$

我国的研究工作者用金属催化还原 DDT、六六六实验证明，Cu—Zn 或 Cu—Fe 金属对可将 DDT 还原为 DDD，将六六六还原为苯及氯离子。在反应中 Zn 或 Fe 起还原剂的作用，Cu 起催化剂的作用。六六六的催化还原反应可表示如下：

总反应 $C_6H_6Cl_6 \longrightarrow C_6H_6 + 6Cl$

实验证明：在中性条件下，Zn 或 Fe 对六六六均无还原作用，只有与 Cu 组成金属对以后，才能将六六六还原。说明金属对的奇异的还原作用，其机理可能为：金属对在水中犹如一个小电池，与水中极少量的氢离子发生电子转移，产生下述一系列反应：

$$Cu—Zn + 2H^+ \Longrightarrow Cu + Zn^{2+} + 2H$$

$$C_6H_6Cl_6 + 6H \Longrightarrow C_6H_6 + 6HCl$$

$$HCl \longrightarrow H^+ + Cl^-$$

H^+ 反复参与反应直至六六六反应完毕。在酸性条件下，上述反应速度很快是由于 H^+ 浓度高的原因。在纯丙酮中的实验证明，由于无 H^+ 而六六六不被金属对还原。

3. 水解反应

有机物在酸或碱的催化作用下，与水反应生成分子量较小的物质，为有机物的水解降解反应。脂类物质容易水解，饱和的卤代烃及芳香烃如氯乙烯、氯苯、多氯联苯等，在一般条件下极难水解。

脂类物质中羧酸可在酸或碱的催化作用下水解，反应可示意如下：

$$RCOOR' + H_2O \Longrightarrow RCOOH + R'OH$$

下面介绍部分有机农药的水解反应。

（1）氨基甲酸酯类（carbamic acid ester）

此类农药结构中含氨基甲酸酯，常用于防治植物病、虫、草害，多数高效、低毒、易降解、低残留。

如除草剂 N-（间-氯苯基）氨基甲酸异丙酯（chlorprophem）能够被碱催化水解：

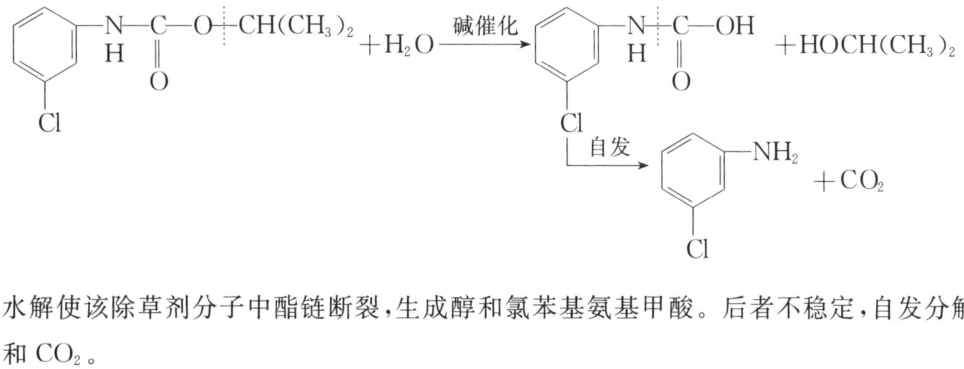

水解使该除草剂分子中酯链断裂，生成醇和氯苯基氨基甲酸。后者不稳定，自发分解成氯苯胺和 CO_2。

与此同时，该除草剂也可按下式进行分解：

$$\text{(3-Cl-C}_6\text{H}_4)\text{NH—C(O)—O—CH(CH}_3)_2 + H_2O \xrightarrow{\text{碱催化}}$$

$$\text{(3-Cl-C}_6\text{H}_4)\text{NH}_2 + HO—C(O)—O—CH(CH}_3)_2$$

$$\xrightarrow{\text{自发}} HOCH(CH_3)_2 + CO_2$$

即酰胺键被水解断裂,生成氯苯胺和碳酸单酯,后者不稳定,自发分解为醇和 CO_2,途径不同,但最终产物是相同的。

（2） 卤代烃

是烃分子中一个或多个氢原子被卤素原子取代后生成的衍生物,包括卤代烷、卤代烯烃、卤代芳香烃,DDT、多氯联苯、氟氯烃等都是卤代烃类衍生物。

不少饱和卤代烃(halogenated hydrocarbon)可以水解,并能被碱催化,但是酸的催化还未被证实,水解反应可由下式代表:

$$R—CR_2—X + H_2O \longrightarrow R—CR_2—OH + HX$$

不同的饱和卤代烃的水解速度可以有很大的差别。

至于不饱和卤代烃以及芳香卤化物,如氯乙烯、氯苯、多氯联苯等,在一般条件下,极难水解,这是因为如氯苯中氯原子的未共用 p_z 电子同苯环上 π 电子形成 $p-\pi$ 共轭体系。这样,Cl、C 原子间不仅有 σ 键,而且还有大 π 键相互联系着,一般就不易水解而断裂。其他有关化合物难以水解的原因,可以照此类推。

（3） 有机磷酸酯类(organophosphorus ester)

它是磷酸中羟基或氧被某些官能团取代而形成的有机物。

有机磷酸酯类容易发生水解。如敌敌畏在酸性下可逐渐水解,而在中性,尤其碱性情况下水解更快。

$$(CH_3O)_2P(O)—O—CH=CCl_2 + H_2O \xrightarrow{\text{碱}} (CH_3O)_2P(O)—OH + HO—CH=CCl_2$$

上式中产物二烷基磷酸酯还可继续水解,但仅能被酸催化水解(与第一步水解催化条件相反),其反应为:

$$(CH_3O)_2P(O)—OH + H_2O \xrightarrow{\text{酸}} (CH_3O)(HO)P(O)—OH + CH_3OH$$

$$\underset{\underset{\displaystyle O}{\|}}{\overset{\displaystyle CH_3O}{\underset{\displaystyle HO}{\diagdown}}} P-OH + H_2O =\!=\!= \underset{\underset{\displaystyle O}{\|}}{\overset{\displaystyle HO}{\underset{\displaystyle HO}{\diagdown}}} P-OH + CH_3OH$$

有机磷杀虫剂二嗪农的水解反应为：

$$\overset{\displaystyle RO}{\underset{\displaystyle RO}{\diagdown}} P \overset{\displaystyle S}{\underset{\displaystyle OR'}{\diagup}} + H_2O \xrightarrow{\text{酸、碱催化}} \overset{\displaystyle RO}{\underset{\displaystyle RO}{\diagdown}} P \overset{\displaystyle S}{\underset{\displaystyle OH}{\diagup}} + HO-R'$$

总之,不少有机磷酸酯类比较容易水解,作为农药使用,则可减轻对环境的影响,然而,不同类型有机磷酸酯的水解速度也可有明显差别,在选作农药时需加考虑。

表 3-12 有机磷农药水解速率
[在 70℃,乙醇—pH 6 缓冲液(1∶4)]

农 药 名 称	半衰期(h)	农 药 名 称	半衰期(h)
对氧磷	28.0	乐果	12.0
对硫磷	43.0	茂果	18.4
甲基对硫磷	8.4	马拉硫磷	7.8
杀螟松	11.2	马拉氧磷	7.0
倍硫磷	22.4	灭蚜蜱	5.9
皮蝇磷	10.4	灭蚜松	27.6
甲基内吸磷-S	7.6	敌敌畏	1.35
甲基内吸磷亚砜	12.4	敌百虫	3.2
甲基内吸磷砜	5.1	毒虫畏	93.0
内吸磷-S	18.0	速灭磷 α	3.7
二甲硫吸磷	17.0	速灭磷 β	4.5
乙拌磷	32.0	磷胺 α	10.5
甲拌磷	1.75	磷胺 β	14.0
甲拌磷氧相似物	0.5	二嗪农	37.0
三硫磷	110.0	治线磷	29.2
芬硫磷	92.0	治线磷氧相似物	8.2
乙硫磷	37.5	甲氟磷	212.0
保棉磷	10.4	八甲磷	96 h 后水解仍不易察觉

李天杰主编,《土壤环境学》,高等教育出版社,1996

7.3 有机物的生化降解反应

有机物在微生物的催化作用下,发生降解的反应称有机物的生化降解反应。水体中各种有机物的降解主要是通过生化反应实现的。有机物生化降解的基本反应可分为两大类,即水解反应和氧化反应。对于有机农药等有机物,在降解过程中除上述两种基本反应外,还可发生脱氯、脱烷基等反应。

1. 生化水解反应

生化水解反应是指有机物在水解酶的作用下与水发生的反应。如：

$$蔗糖分子 + 水 \xrightarrow{\text{蔗糖水解酶}} 葡萄糖 + 果糖$$

$$R—CH=CH—R' + H_2O \xrightarrow{\text{烯水解酶}} R—CH_2—CHOH—R'$$

某些有机物在发生生化水解的同时，还可以放出如氨分子等其他小分子。

$$CH_3—CH(NH_3)—COOH + H_2O \xrightarrow{\text{肽水解酶}} \underset{\text{乳酸}}{CH_3CH(OH)COOH} + NH_3$$

该过程经常被称为水解脱氨过程。

许多酰胺类农药和无机酸酯农药如对硫磷、马拉硫磷等除能发生如上述酸、碱催化作用下的水解反应外，在微生物的作用下，其分子中的酰胺和酯链也容易发生水解。

2. 生化氧化反应

在微生物的作用下，发生有机物的氧化反应称生化氧化反应。大多数生化氧化是脱氢氧化。

脱氢氧化时可从 —CH(OH)— 基团和 —CH_2—CH_2— 基团上脱氢：

脱去的氢转给受氢体，若以氧分子作为受氢体，则该脱氢氧化称有氧氧化过程。

若以化合态氧（如 CO_2、SO_4^{2-}、NO_3^- 等）作为受氢体，则为无氧氧化过程。

在微生物作用下脱氢氧化时，从有机物分子上脱落下来的氢原子往往不是把氢直接交给受氢体，而是首先将氢原子传递给氢载体 NAD：

$$有机物 + NAD \longrightarrow 有机氧化物 + NADH_2$$

在有氧氧化时，氢原子经过一系列的氢载体的传递，最后与受氢体氧分子结合形成水分子。

在无氧氧化时，大多数情况下，$NADH_2$ 直接把氢原子传递给含氧的有机物或其他受氢体。如在甲烷细菌作用下，CO_2 作为受氢体接受氢原子形成甲烷：

$$CO_2 + 4NADH_2 \longrightarrow CH_4 + 2H_2O + 4NAD$$

硫酸盐还原菌对有机物实行无氧氧化时，可以把硫酸根作为受氢体，接受氢原子最终形成硫化氢。

$$SO_4^{2-} + 10H - 2e \longrightarrow H_2S + 4H_2O$$

有些厌氧细菌可以利用 NO_3^- 和 NO_2^- 作为有机物氧化的受氢体：

$$NO_3^- + 2H \longrightarrow NO_2^- + H_2O$$

$$NO_2^- + 7H - e \longrightarrow NH_3 + 2H_2O$$

各类有机物氧化时，常按照一定的顺序演变，形成某种固定的格式，这种格式称为径路。

常见的径路有下列这些：

（1）饱和烃的氧化径路按醇、醛、酸的程序进行：

$$R—CH_2CH_3 \xrightarrow{-2H} R—CH═CH_2 \xrightarrow{+H_2O} R—CH_2—CH_2OH \xrightarrow{-2H}$$

$$R—CH_2—CHO \xrightarrow[-2H]{+H_2O} RCH_2—COOH$$

（2）苯环的开裂：芳香族化合物的氧化径路按酚、二酚、醌、环开裂的程序进行：

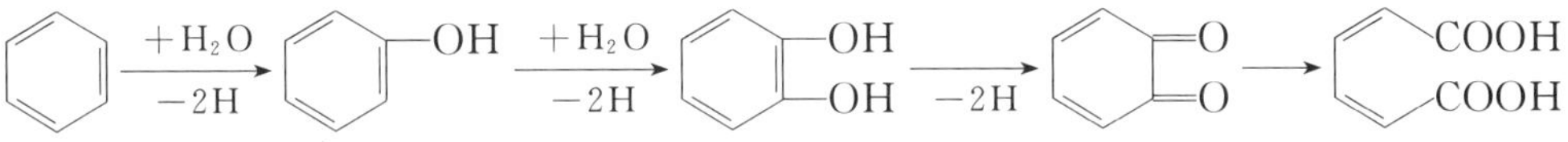

（3）有机酸的β-氧化：在有机酸分子中，从羧酸碳原子开始的第三碳原子称为β-碳原子，即：

$$R—CH_2—CH_2—COOH$$

β碳原子

氧化反应发生在β-碳原子上，故称β-氧化。

有机酸在含有巯基（—SH）的辅酶A（以HSCoA表示）作用下发生β-氧化：

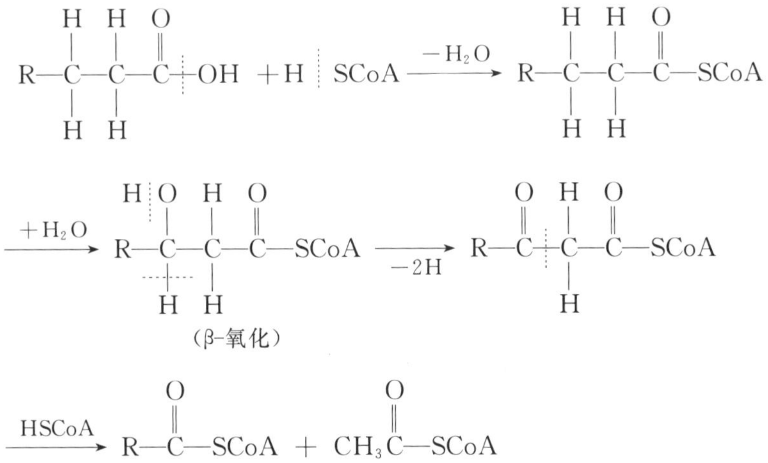

生成乙酰辅酶A和脱去两个碳原子后与辅酶A结合形成有机酰辅酶A。后者可进一步进行β-氧化使碳链不断缩短。

若有机酸的碳原子总数为偶数，则最终产物为醋酸。

若碳原子总数为奇数，则最终脱去醋酸后，同时生成甲酰辅酶A。甲酰辅酶A立即水解生成甲酸并进一步脱氢氧化生成二氧化碳：

$$H—\underset{\underset{O}{\|}}{C}—SCoA + H_2O \longrightarrow HCOOH + HSCoA$$

$$HCOOH \xrightarrow{-2H} CO_2$$

酶催化剂 HSCoA 继续起催化作用,反应中生成的乙酰辅酶也可水解生成醋酸,然后氧化为二氧化碳和水:

$$CH_3COOH + 2O_2 \Longrightarrow 2CO_2 + 2H_2O$$

有机农药除发生上述水解、氧化反应外,还可发生下列一些反应。

3. 脱氯反应

有机氯农药脱去氯原子的反应。如六六六、2,4-D、多氯联苯在微生物作用下均能发生脱氯反应。

如 2,4-D 在微生物作用下的脱氯反应可如下表示:

DDT 可通过微生物脱氯,变为 DDD,或是脱氢脱氯变为 DDE,而 DDE 可进一步氧化为 DDA。

再如林丹即高丙体六六六,经芽孢杆菌和大肠杆菌的作用,可脱氯形成苯和一氯苯。

4. 脱烷基反应

是在农药分子中脱去烷基的反应,如胺乐灵、氟乐灵等农药,在微生物作用下均能发生脱烷基反应。

下面是二烷基胺三氮苯在微生物作用下脱去烷基的过程:

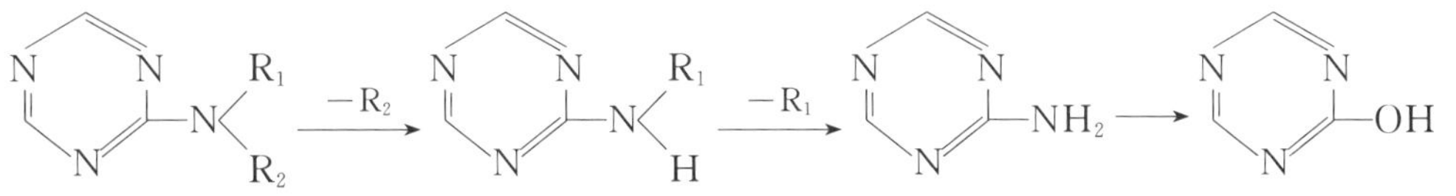

连接在氮、氧或硫原子上的烷基,在微生物作用下能发生脱烷基反应,连在碳原子上的烷基一般更容易被降解。

5. 生化还原反应

在厌氧条件下,由于微生物的作用发生脱氧加氢的反应。

如氟乐灵在厌氧条件下的生化还原反应可表示如下:

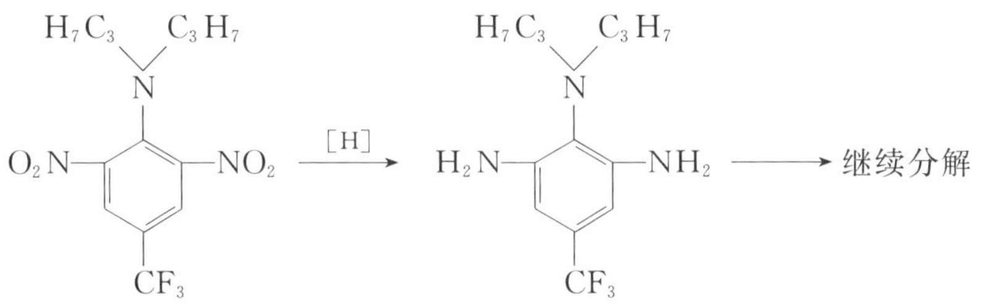

五氯硝基苯可被多种微生物还原成五氯苯胺:

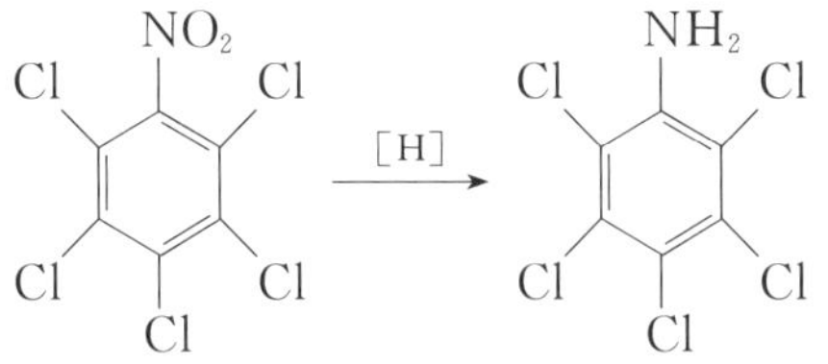

马拉硫磷的硝基部分在微生物作用下可还原成胺基对硫磷。

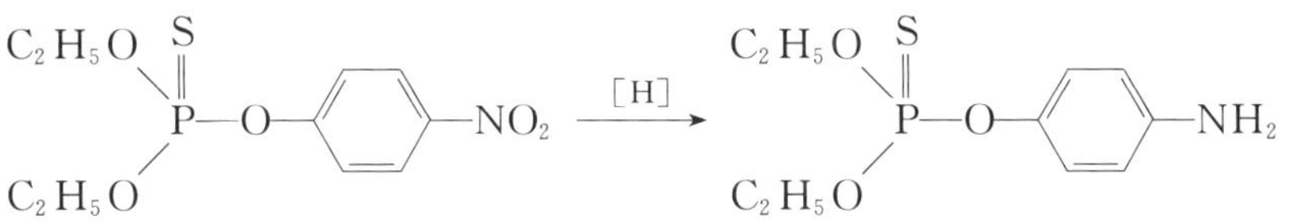

7.4 有机物的光化降解反应

光解作用同样是水体中有机物发生降解的重要途径之一,尤其是化学性质不稳定的农药,光化降解尤为重要。一般情况下,吸收波长在 700 nm 以下的紫外光或可见光,才可能导致有机物的降解反应。光化学反应包括了光分解作用和伴随着自由基等产生的光转化过程,是确定水环境中有机污染物去向的一个重要因素。

实验证明，DDT、2，4－D、辛硫磷、三硝基甲苯、苯并[a]蒽等均可发生光化学反应。

如有人用波长 254 nm 的紫外光照射 DDT 的乙烷溶液，发现 DDT 在 0.25 小时内损失 43%，1 小时内损失 70%，4 小时内损失 97%。光化学反应的主要产物是 DDE 和 DDD。

反应过程如下表示：

DDT 分子吸收光能后，使分子直链上碳氯键断裂，产生活泼的自由基，自由基进一步同其他成分作用得到产物 DDD 和 DDE。（下式中 A 代表 ⬡—Cl ）

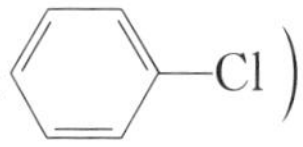

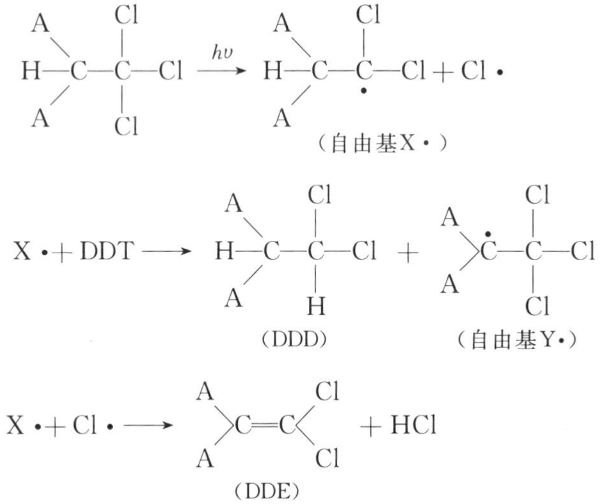

有机物的光化降解反应可分为两类，第一类称为直接光解，这是有机物本身直接吸收了太阳光能而进行的化学反应；第二类为间接光解，水体中存在的物质（光敏剂）包括水中的腐殖质、过渡金属离子、有机自由基和氧化性物质如氧化物、原子态氧和臭氧等被光照激发，然后又将其激发态的能量转移到有机物发生分解反应。

影响物质进行光化学反应速度的因素较多，除与物质的分子结构、吸收光波长有关外，还与物质的光照条件有关。物质在水体表层容易发生光化反应，在水下几米的深处，光化反应可能很缓慢。此外物质的光化反应还受到光敏剂存在的影响，还需考虑水环境介质中悬浮物、沉积物、表面活性剂等的影响。

在光化反应中有些反应物不能直接吸收某波长的光进行反应，但若有光敏剂存在，则光敏剂可吸收该波长的光，并把光能传递给反应物而发生光化反应。例如叶绿素是植物光合作用的光敏剂，鱼藤和鱼藤酮是农药狄氏剂的强光敏剂。环境中存在许多天然的光敏剂，对物质的光化反应起着重要的影响。

光氧化被认为是水环境多环芳烃和某些持久性有机物光化学分解的重要方式，对苯并[a]蒽及苯并[a]芘在天然水体中的存在形态、水中溶解氧及 pH 条件对光解的影响以及其光解速率常数作了研究，发现在紫外光照射下，一些双环和三环物可转化为对水生生物有害的产物，但对多环芳烃的光解反应机理、反应速度和结构的关系的研究尚少报道。

第八节 水污染防治

8.1 水质量标准

水质量标准是对水体污染物或其他物质的最大容许浓度所作的规定。

按水资源用途可分为生活饮用水、渔业用水、工业用水、农业灌溉用水、工业排放废水、地面水等水质标准。

其中生活饮用水水质标准共分成四大类标准(见表3-13)。

表3-13 生活饮用水水质标准

项 目		标 准
感官性状和一般化学指标	色	色度不超过15度,并不呈现其他异色
	浑浊度	不超过3度,特殊情况超过5度
	臭和味	不得有异臭、异味
	肉眼可见物	不得含有
	pH	$6.5\sim8.5$
	总硬度(以碳酸钙计)	450 mg/L
	铁	0.3 mg/L
	锰	0.1 mg/L
	铜	1.0 mg/L
	锌	1.0 mg/L
	挥发酚类(以苯酚计)	0.002 mg/L
	阴离子合成洗涤剂	0.3 mg/L
	硫酸盐	250 mg/L
	氯化物	250 mg/L
	溶解性总固体	1 000 mg/L
毒理学指标	氟化物	1.0 mg/L
	氰化物	0.05 mg/L
	砷	0.05 mg/L
	硒	0.01 mg/L
	汞	0.001 mg/L
	镉	0.01 mg/L
	铬(六价)	0.05 mg/L
	铅	0.05 mg/L
	银	0.05 mg/L
	硝酸盐(以氮计)	20 mg/L

（续　表）

项　　目		标　　准
	氯仿*	60 μg/L
	四氯化碳*	3 μg/L
	苯并[*a*]芘*	0.01 μg/L
	滴滴涕*	1 μg/L
	六六六*	5 μg/L
细菌学指标	细菌总数	100 个/L
	总大肠菌群	3 个/L
	游离性余氯	在与水接触 30 min 后应不低于 0.3 mg/L。集中式给水除出厂水应符合上述要求外，管网末梢水不应低于 0.05 mg/L
放射性指标	总 α 放射性	0.1 Bq/L
	总 β 放射性	1 Bq/L

　　Bq(becquerel)：放射性活度的国际单位制(SI 制)专用名称，1 Bq 等于每秒钟核衰变数为 1，等于 2.703×10^{-11} Ci（居里）（以前使用的放射性活度单位）。

　　*　试行标准

《生活饮用水卫生标准》，GB 5749 – 85

　　（1）感官性状和一般化学指标。

　　包括色、浑浊度、臭和味、肉眼可见物、pH、总硬度（以碳酸钙计）、铁、锰、铜、锌、挥发酚类、阴离子合成洗涤剂、氯化物等。

　　（2）毒理学指标。

　　包括氟化物、氰化物、砷、硒、汞、铬（六价）、铅、氯仿等。

　　（3）细菌学指标。

　　包括细菌总数、大肠菌群、游离性余氯等。

　　（4）放射性指标。

8.2　控制水体污染

　　水是重要的自然资源，要认真保护。污染水体的污染物主要来自城市生活污水、工农业废水和径流污水，因此水污染是与各种环境污染相互联系的，控制水体污染，必须从综合的观点进行考虑，才能取得较好的成效。

　　废水排放是引起水污染的一个重要方面，目前可供考虑的控制废水的技术措施有：

　　1. 合理用水，减少排污

　　工业废水有两种，一种是工业冷却水，与原料和产品不直接接触，杂质较少，只要把热量回收或稍加处理后，就能循环使用。另一种是工艺废水，它与原料直接接触，含有各种杂质。由于工业种类繁多，工艺条件差异，废水中的物质与浓度各不相同，比较复杂。若废液中物质浓度较高，则尽可能回收利用，或经一定处理后，再次返回原工序使用。

2. 改进生产工艺,减少废水排放,发展"绿色工艺"

3. 对废水进行处理后再排放(废水处理)

(1)建立污水处理厂,对城市生活污水和工业废水进行处理后再决定排放或是加以利用。

(2)应用土壤处理系统(让污水通过土壤、草地过滤后进行牧草灌溉、林地灌溉)、净化塘、生物净化等自然净化污水技术。污水水质达标后再排放或引灌森林、种花、风景地、草地及经济作物、饲料作物、工业用粮等种植业。

8.3　污水处理的基本方法

废水处理是用物理、化学或生物方法,或几种方法配合使用以分离并去除废水中的有害物质,或将其转化为无害和稳定的物质,从而使污水得到净化。

排放到污水处理厂的污水及工业废水,可利用各种分离和转化技术进行无害化处理,其基本方法可分为物理法、化学法、物理化学法和生物法。

表 3－14　污水处理常用方法

※	基　本　原　理	常　用　技　术
物　理　法	通过物理或机械作用去除废水中不溶解的悬浮固体及油品	过滤、沉淀、离心分离、气浮等
化　学　法	加入化学物质,通过化学反应,改变废水中污染物的化学性质或物理性质,使之发生化学或物理状态的变化,进而从水中除去	中和、氧化、还原、分解、絮凝、化学沉淀等
物理化学法	运用物理和化学的综合作用使废水得到净化	汽提、吹脱、吸附、萃取、离子交换、电解、电渗析、反渗析等
生　物　法	利用微生物的代谢作用,使废水中的有机污染物氧化降解成无害物质的方法,又叫生物化学处理法,是处理有机废水最重要的方法	活性污泥、生物滤池、生活转盘、氧化塘、厌氧消化等

1. 物理法

通过物理或机械作用去除废水中不溶解的悬浮固体或油品,主要处理技术有:过滤、沉淀、离心分离、气浮等。

过滤法是利用格栅、微滤机、砂滤机、真空滤机、压滤机等截留污水中的悬浮物,使之与污水分离而去除。

气浮法是利用高度分散的微小气泡作为载体去粘附废水中的悬浮物,使其随气泡升到水面加以分离驱除的一种水处理方法。气浮分离的对象是乳化油以及疏水性细微固体悬浮物。

2. 化学法

在污水中加入化学物质,通过化学反应,改变废水中污染物的化学性质或物理性质,使之发生化学或物理状态的变化,进而从水中分离并除去,回收污水中的有用物质,或将有害物质转变为无害物质。主要处理技术有:中和、氧化、还原、分解、絮凝、化学沉淀等。

中和法常用于预处理酸性或碱性废水。向酸性废水中加入石灰、氢氧化钠、石灰石等碱性物质,使废水变为中性。在碱性废水中可通入含 CO_2 的烟道气或加入酸性物质进行中和。

氧化还原法是向废水中投加氧化剂或还原剂,使水中溶解态的有机或无机物发生氧化还原反应,转变成无害的物质。氧化法多用于处理含酚、含氰废水,常用的氧化剂有空气、氯气、臭氧、漂白粉、二氧化氯等。还原法多用于处理含铬、含汞废水,常用还原剂则有硫酸亚铁、铁屑等。

絮凝法适用于处理含油废水、染色废水和脱毛废水等。废水中的污染物,往往由于带负电荷互相排斥呈胶体状态而不易沉淀下来,在废水中加入带相反电荷的电解质(絮凝剂),可使胶体颗粒呈电中性而凝结成大颗粒沉聚下来。常用的絮凝剂有硫酸铝、三氯化铁、高分子絮凝剂等。

3. 物理化学法

运用物理和化学的综合作用使废水得到净化,主要处理技术有:汽提、吹脱、吸附、萃取、离子交换、电解、电渗析、反渗析等。

吹脱法是除去废水中溶解气体或某些易挥发性溶质的处理方法。其实质是让废水与空气充分接触使水中溶解气体或易挥发物通过气液界面,向空气中扩散的传质过程,从而达到除污的目的,并可回收有用资源。

汽提是采用热蒸汽与废水接触,使废水升温至沸点,利用蒸馏作用使废水中的挥发性溶解污染物挥发到大气中去的一种处理方法。

电解法是在废水中插入电极,并通以电流,使阳极上发生氧化作用,在阴极上发生还原作用,电解法可用来处理含铬及含氰废水。

吸附法是使污水通过固体吸附剂,废水中溶解的有机或无机污染物被吸附到吸附剂上而去除。吸附剂在脱附后可多次使用。常用的吸附剂为活性炭。吸附法可吸附废水中的酚、氰、铬、汞等有毒物质,还具有除臭、脱色等作用。一般用于深度处理。

离子交换法是水质软化和除盐的主要方法之一。在废水处理中,主要用于去除废水中的金属离子。离子交换法的实质是不溶性离子化合物(离子交换剂)上的可交换离子与溶液中的其他同性离子的交换反应,是一种特殊的吸附过程,通常是可逆性化学吸附。

电渗析是在直流电场的作用下,使废水中的离子朝带相反电荷的极板方向迁移,利用阴阳离子交换膜对溶液中阴、阳离子的选择透过性(即阳膜只允许阳离子通过、阴膜只允许阴离子通过),而使溶液中的溶质与水分离的一种物理化学过程。电渗析系统由一系列阴、阳膜置放于两电极之间组成,离子减少的隔室称淡室,其出水为淡水;离子增多的隔室称浓室,其出水为浓水,与电极板接触的隔室称极室,其出水为极水。此法可用于酸性废水回收、含氰废水处理等。

反渗析是用一种半透膜将淡水和盐水隔开,只让水分子通过,而不让溶质通过,在盐水侧施加压力大于该盐水渗透压时,则盐水中的水分子将流向淡水中去,使盐水增浓,从而使有害物质分离出去。

4. 生物法

生物法是利用微生物的代谢作用,使污水中呈溶解和胶体状态的有机污染物氧化降解成无害物质的方法,使污水得以净化。此法又叫生物化学处理法,是处理有机废水最重要的方法,主要处理技术有:活性污泥、生物膜、生物滤池、生活转盘、氧化塘、厌氧消化等。

活性污泥法:向曝气池中的污水不断地注入空气,维持水中有足够的溶解氧,经过一段时间后,污水中即生成一种絮凝体。这种絮凝体由大量繁殖的微生物构成,能够吸附水中的有机物,易于沉淀分离,使污水得以澄清,这就是"活性污泥"。活性污泥法就是以悬浮在水中的活性污泥为主体,在微生物生长有利的环境条件下和污水充分接触,使污水净化的一种方法。

氧化塘又称稳定塘或生物塘,是一种类似池塘(天然或人工修建的)的处理设施。氧化塘净化污水的过程和天然水体的自净过程很相似,污水在塘内经长时间缓慢流动和停留,通过微生物(细菌、真菌、藻类和原生动物)的代谢活动,使有机物降解,污水得以净化。水中溶解氧主要由塘内生长藻类通过光合作用和塘表面的复氧作用提供。

好氧附着生长系统是使细菌等好氧微生物和原生动物、后生动物等好氧微型动物附着在某些物料载体(如碎石、炉渣等)上进行生长繁殖,形成生物膜。污水通过与膜的接触,水中的有机污染物作为营养被膜中生物摄取并分解。从物料载体上脱落下来的死亡生物膜随污水进入沉淀池,从而使污水得到净化。这种处理技术有代表性的处理工艺有生物滤池、生物转盘和生物接触氧化等。

生物转盘又称旋转式生物发生器,由盘片、接触反应槽转轴和驱动装置等部分组成。转盘约有 40% 浸泡在槽内的污水中。生物转盘运转时,污水在反应槽中顺盘片间隙流动,盘片在转轴带动下缓慢转动,污水中的有机污染物为转盘上的生物膜所吸附,当这部分盘片转离水面时,盘片表面形成一层污水薄膜,空气中的氧不断地溶解到水膜中,生物膜中微生物吸收溶解氧,氧化分解被吸附的有机污染物。盘片每转动一周,即进行一次吸附—吸氧—氧化分解的过程。转盘不断转动,污染物不断地被氧化分解,生物膜也逐渐变厚衰老,在水流剪切力作用下脱落,并随污水排至沉淀池。转盘转动也使槽中污水不断地被搅拌充氧,脱落的生物膜在槽中呈悬浮状态,继续起净化作用,因此生物转盘兼有活性污泥池的功能。

生物接触氧化法是在曝气池中设置填料,作为生物膜的载体,经过充氧的废水以一定的流速流过填料与生物膜接触,利用生物膜和悬浮活性污泥中微生物的联合作用净化污水的方法。它是介于活性污泥法和生物滤池法两者之间的生物处理法,所以又称为接触曝气法或淹没式生物滤池。

厌氧生物处理是在无氧的条件下,利用兼性菌和厌氧菌分解有机物的一种生物处理法,由于有机物厌氧处理的最终产物是以甲烷为主体的可燃气体,可以作为能源回收利用;处理过程中产生的剩余污泥量较少且易于脱水浓缩,可作为肥料使用,运转费也远比好氧生物处理低。最近的研究结果表明,厌氧生物处理技术不仅适用于污泥稳定处理,而且适用于高浓度和中等浓度有机废水的处理。

有机物的厌氧分解过程在微生物学上可分为前后两个阶段:酸性消化(发酵)阶段和碱性消化(发酵)阶段。在酸性消化阶段,不溶性的有机物在细菌释放出的外酶的作用下,水解生成水溶性的有机物。如淀粉和纤维素水解为单糖,蛋白质水解为肽和氨基酸,脂肪水解为丙三醇和脂肪酸。接着,水解产物渗入细胞,在内酶的作用下,转化为丁酸、丙酸、乙酸等挥发性有机酸类和醇、氨、硫化物、二氧化碳、氢等无机物并释放能量。

碱性消化阶段:酸性消化阶段后期随 pH 值的逐渐回升,甲烷细菌经一段时间的适应后,开始分解有机酸,使溶液 pH 值上升,产气量增加,甲烷细菌能利用产酸菌产生的挥发性脂肪酸、挥发醇、氢作为营养来源,代谢产物为甲烷、二氧化碳、微量硫化氢、氨和氢组成的气体。

近年来,在水资源再生利用研究中,人们十分关注各种纳米、微米级颗粒污染物去除的问题。水中的纳米、微米级颗粒污染物是指尺寸小于 1 μm 的细微颗粒,其组成极其复杂,如各种微细的粘土矿物质、合成有机物、腐殖质、油类和藻类物质等。微细粘土矿物作为一种吸附力较强的载体,表面常吸附着各种有毒重金属离子、有机污染物、病原细菌等污染物,而天然水体中的腐殖质、藻类物质等,在水净化处理的氯消毒过程中,可与氯形成氯代烃类致癌物,这些纳米、微米级颗粒污染物的存在不仅对人体健康具有直接或潜在的危害作用,而且严重恶化水质条件,增加水处理难度,如在城市废水的常规处理过程中,造成沉淀池絮体上浮、滤池易穿透,导致出水水质下降、运行费用增加等困难。而目前采用的传统常规处理工艺无法有效去除水中这些纳米、微米级污染物,一些深度处理技术如超滤膜、反渗透等又由于投资及费用昂贵,难以得到广泛应用,因此迫切需要研究和发展新型、高效、经济的水处理技术。

8.4 水污染处理基本工艺流程

按照水质状况及处理后出水的去向确定其处理程度,污水处理一般可分为一级、二级和三级处理。

一级处理采用物理处理方法,即用格栅、筛网、沉砂池、沉淀池、隔油池等构筑物,去除废水中的固体悬浮物、浮油,初步调整 pH 值,减轻废水的腐化程度。废水经一级处理后,一般达不到排放标准(BOD 去除率仅 25%~40%)。故通常为预处理阶段,以减轻后续处理工序的负荷和提高处理效果。

二级处理是采用生物处理方法及某些化学方法来去除废水中的可溶性有机物和部分胶体污染物。通过二级处理后,废水中 BOD 的去除率可达 80%~90%,即 BOD 含量可低于 30 mg/L。经过二级处理后的水,一般可达到农灌标准和废水排放标准,故二级处理是废水处理的主体。

但经过二级处理的水中还存留一定量的悬浮物、生物不能分解的溶解性有机物、溶解性无机物和氮、磷等藻类植物营养物,并含有病毒和细菌。因而不能满足要求较高的排放标准,如处理后排入流量较小、稀释能力较差的河流就可能引起污染,也不能直接用作自来水、工业用水和地下水的补给水源。

三级处理是进一步去除二级处理未能去除的污染物,包括生物难以降解的有机污染物和磷、氮等能导致水体富营养化的可溶性无机污染物、病原体等。废水的三级处理是在二级处理的基础上,进一步采用化学法(氧化还原、混凝沉淀、活性炭吸附、硅藻土过滤法等)、物理化学法(离子交换、膜分离技术、电渗析、反渗析等)、生物法(生物脱氮、氧化塘法、改良接触氧化法)以除去某些特定污染物的一种"深度处理"方法。污水经三级处理后可以重复利用于生活或生产,既能充分利用水资源,又能改善水环境质量。但三级处理厂的基建投资和运行费用都很昂贵,约为二级处理费用的 2~3 倍。

污水处理的基本流程可见图 3-21。

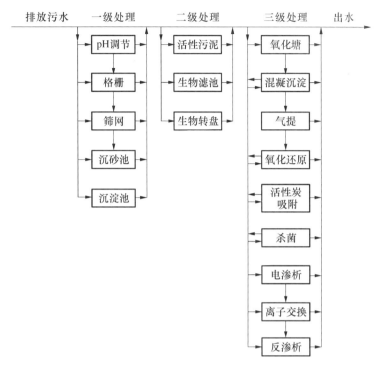

图 3-21 污水处理基本工艺流程

本章思考题和练习题

1. 计算 101.325 kPa 压力下 25℃时氮气、氧气、二氧化碳在水中的溶解度,以 mg/L 表示。

2. 腐殖质可分为哪几类? 它的结构特点是什么?

3. 水体中腐殖质对重金属污染物为什么具有螯合作用? 对重金属污染物在水体中的迁移有什么影响?

4. 计算 pH=7 时,总无机碳浓度为 1.0×10^{-3} mol·L^{-1} 时,水体中 CO_2、HCO_3^- 和 CO_3^{2-} 的浓度。($K_1 = 4.45 \times 10^{-7}$,$K_2 = 4.69 \times 10^{-11}$)

5. 从湖水中取出深层水,其 pH=7.0,含溶解氧浓度为 0.32 mg/L,请计算 E 和 pH。

6. 为什么砷的氧化物在水中溶解度较高,但水相中可溶性砷的含量却不高?

7. 为什么排污口附近常常是重金属污染物富集的区域?

8. 为什么重金属污染物对水体常会发生次生污染现象?

9. 已知 $Mn(OH)_2$、$Cr(OH)_3$、$Al(OH)_3$ 的 K_{sp} 分别等于 4.0×10^{-14}、6×10^{-31} 和 1.3×10^{-33},试计算当水体 pH=8 时,在假设不发生其他化学反应的情况下,水体中 Mn^{2+}、Cr^{3+} 和 Al^{3+} 的浓度。

10. 为什么可以用 NaCl 或 $CaCl_2$ 来消除沉积物中的汞污染?

11. 在河水水样中 $[Cl^-] = 10^{-3}$ mol/L,$[HgCl_2(aq)] = 10^{-8}$ mol/L,求水中 Hg^{2+}、$HgCl^+$、$HgCl_3^-$、$HgCl_4^{2-}$ 的浓度各是多少? 已知 Hg^{2+} 和 Cl^- 各级配合物的稳定常数为 $K_1 = $

5.6×10^6、$K_2 = 3 \times 10^6$、$K_3 = 7.1$、$K_4 = 10$。

12. 从 pH=7.4 的水样中测得[Cr(Ⅲ)]=0.5 nmol/L，[Cr(Ⅵ)]=0.5 nmol/L，求处于平衡状态时的 pE 值和 pE° 值。已知铬的两种形态间的转换反应为：$CrO_4^{2-} + 6H^+ + 4e^- \Longrightarrow Cr(OH)_2 + 2H_2O$，$K = 1\,066.1$。

13. 含镉废水通入 H_2S 达到饱和并调节 pH 值为 8.0，试计算水中剩余镉离子浓度。（已知 CdS 的溶度积为 7.9×10^{-27}）

14. 为什么在厌氧条件下的水体中不易产生甲基汞？为什么具有低 pH 的水体中容易产生甲基汞？

15. 有机物污染程度的指标有哪些？其中最重要的是什么？

16. 在含有机物的水样中存在如下各无机离子：NH_4^+、NO_2^-、Fe^{2+}、SO_3^{2-}、Cl^-，它们的存在是否会干扰 BOD、COD、TOC、TOD 的测定？

17. 无氧氧化过程，可作为受氢体的有哪些物质？

18. $CH_3CH_2CH_2CH_2COOH$ 通过 β-氧化，最终产物是什么？请表示其 β-氧化过程。

19. 试判断下列化合物的生物易降解性：$CH_3(CH_2)_{10}COOH$、$(CH_3)_3C(CH_2)_{10}COOH$、$CH_3(CH_2)_{10}CH_3$ 和 $C_6H_5(CH_2)_{10}CH_3$。

20. 卤代烃一般较易水解，但为何多氯联苯在通常条件下很难水解？

第四章　土壤环境化学

土壤(soil)环境位于地球陆地表面的疏松土壤圈,其上界面直接与大气圈相接,下界面则主要与岩石圈及地下水相接,生物圈的主要组成部分植物则植根于土壤环境中。土壤环境在整个地球环境系统中占据着特殊的空间地位,处于大气圈、水圈、岩石圈及生物圈的交接地带,是联接无机环境和有机环境的纽带,它介于生物界与非生物界之间,是一切生物赖以生存的基础。

人类通过生产活动从自然界取得生活必需的资源和能源,而在生产和消费过程中产生的废物,直接或间接通过大气、水体和生物排入土壤,使土壤造成污染。

这些污染物质一旦进入土壤,就成为影响一切生物循环的一部分。它们或者通过作物吸收,使作物生长发育不良造成减产;或者被作物吸收累积在可食部分,污染食物或饲料,通过食物链危害人类的健康。

土壤环境有较强的自净能力、较大的环境容量,因而它在地球环境系统的污染净化过程中起着极为重要的作用,但土壤环境的这种稳定和缓冲作用是有限的,若进入土壤环境的污染物质的数量和速度超过了土壤的自净能力,或超过了土壤环境的容纳能力,不但会使土壤环境遭受污染,导致土壤生态系统平衡的破坏,而且可通过各种迁移途径,使大气、水和生物环境发生"次生污染"。

本章在了解土壤本身的组成、结构、性质的基础上,讨论主要的污染物在土壤中的迁移转化及其归宿。

第一节　土壤的形成和性质

1.1　土壤的形成

土壤是指陆地地表具有肥力并能生长植物的疏松表层物质。它是在地球表面岩石的风化(weathering)过程和土壤母质的成土过程两者综合作用下形成的。

地壳中各类岩石在长期风化过程中,逐渐破碎成大小不等的颗粒,同时改变了原来的化学组成和性质,形成了矿物碎屑(即土壤母质),并产生某些特性,如透水性、保水性、通气性,并含有少量可溶性矿物元素等。这些特性是岩石所不具备的,这时所形成的土壤母质,不含氮元素,不具备绿色植物生长所必需的肥力条件,所以土壤母质并不等于土壤;但在土壤母质中,某些微生物特别是固氮微生物可以繁殖,为土壤母质积累一定的氮素养料,继而开始出现绿色植物。在绿色植物生命活动过程中,从土壤母质中选择吸收大量的营养元素组成自己的躯体,死亡后其残骸留于土壤母质中,经微生物活动,一部分形成高分子腐殖质,一部分分解为简单的可溶性养分元素,供下一代植物生长所需,这一过程使土壤母质不断增加和积累有机体的分解产物及营养元素,使土壤母质逐渐具备肥力,这样土壤母质才逐步变为土壤。使土壤母质发展肥力,从而转变成土壤的过程就叫做成土作用,而有机质的合成与分解是成土作用的实质。

$$岩石 \xrightarrow{风化} 土壤母质 \xrightarrow[微生物分解残骸形成腐殖质]{积累氮素养料生长绿色植物} 土壤$$

1.2　土壤的组成

土壤是由固、液、气三相物质组成的疏松多孔体,在固相物质之间,存在着大小不同的空隙,空隙中存在着水分和空气。

固相:土壤矿物质,土壤有机质,土壤生物,包括数量众多的细菌和微生物,占土壤重量的90%～95%。

液相:指土壤水分及其中所含的可溶物质,称为土壤溶液。

气相:指土壤空气。

土壤是以固相为主,三相共存,其具体组成因土壤种类和环境条件而异,三相物质互相联系、制约,构成一个有机整体。

1. 土壤矿物质(soil mineral matter)

土壤矿物质是由岩石风化形成的。

$$岩石风化\begin{cases}物理风化 & 坚硬的岩石由大块变成细小颗粒,化学成分不变 \\ 化学风化 & 岩石的成分和性质发生变化 \\ 生物风化 & 包括生物物理和生物化学作用\end{cases}$$

$$土壤矿物质\begin{cases}原生矿物 \\ 次生矿物\end{cases}$$

(1) 原生矿物(primary mineral):

岩石中的原始部分。即原始岩石只经历了物理风化,风化过程中没有改变成分和结构,而只遭到破碎。因此原生矿物的粒径较大,如土壤中的砂粒(粒径 0.02～2 mm)、粉砂粒(粒径 0.002～0.02 mm)。它具有坚实而稳定的晶格,不透水性,而不具有物理化学吸收性能,不膨胀。原生矿物主要是硅酸盐类,如石英、长石、云母、橄榄石等。土壤中的砂粒主要是石英。

(2) 次生矿物(secondary mineral):

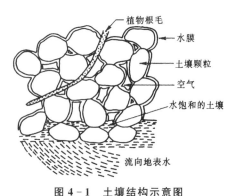

图 4-1　土壤结构示意图

S. E. Manahan,《环境化学》,南开
大学出版社,1993

原生矿物经历化学风化形成的新矿物,包括各种简单盐类、水合氧化物、次生铝硅酸盐(如伊利石、蒙脱石、高岭土等)。其粒径较小,大部分以胶体(粒径 < 0.002 mm)分散状态存在。许多次生矿物具有活动的晶格、较强的吸收能力,吸水后膨胀,有明显的胶体特征,使土壤具有吸附能力、粘性和可塑性,并出现毛细现象,有一定蓄水性,同时也释放出一些可溶性盐类,是植物养分的来源。

无定形的次生矿物:主要包括无定形的含水氧化锰、氧化铁、氧化铝、氧化硅、石英等。

晶质的次生矿物:主要包括铝硅酸盐类粘土矿物。根据构成晶层时硅氧片(由硅四面体连接而成)与水铝片(由铝八面体连接而成)的数目和排列方式,粘土矿物可分为下列三大类:

高岭土类:由一层硅氧片和一层水铝片组成一个晶层,是 1:1 型的二层粘土矿物。晶层的一面都是氧原子,另一面是氢氧原子组,晶层与晶层之间通过氢键相连接。晶层之间的距离很小,故内部空隙不大,水分子和其他离子难以进入层间(图 4-2)。

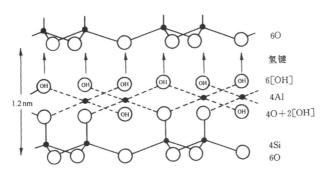

图 4-2 1:1 型粘土矿物(高岭石)结构示意图

蒙脱石类:由两层硅氧片和一层水铝片组成一个晶层,是 2:1 型的三层粘土矿物。晶层表面都是氧原子,没有氢氧原子组,晶层与晶层之间没有氢键结合。晶层之间有一定距离,水分子和其他交换性阳离子可以进入层间,因此具有较高的阳离子交换容量(图 4-3)。

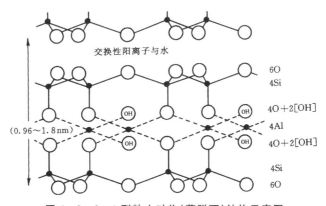

图 4-3 2:1 型粘土矿物(蒙脱石)结构示意图

伊利石类:晶体结构与蒙脱石类似,也是由两层硅氧片和一层水铝片组成一个晶层,是 2:1 型的晶格。不同之处是伊利石类粘土矿物中总有一部分硅被铝代替,由此取代产生的正电荷不足,由处于两个晶层间的钾离子所补偿(图 4-4)。

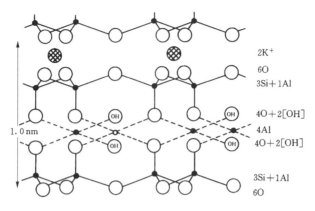

图 4-4 伊利石结构示意图

* 图 4-2,4-3,4-4 资料来源：李悑川，《环境化学》，中国环境科学出版社，1990

次生矿物的生成包括原生矿物的分解与次生粘土矿物的生成两个阶段。

原生矿物的分解：原生岩石经过物理、化学和生物化学作用，破碎并分解为简单矿物。其中化学风化对原生矿物的分解有着十分重要的作用，在水与大气中的二氧化碳、氧气作用下，通过溶解、水化、水解和氧化作用，生成次生矿物。如钾长石的分解：

$$3KAlSi_3O_8 + H_2O + CO_2 \longrightarrow KH_2Al_3Si_3O_{12} + K_2CO_3 + 6SiO_2$$

或　　$$2KAlSi_3O_8 + 2H_2O + CO_2 \longrightarrow Al_2O_3 \cdot 2SiO_2 \cdot 2H_2O + K_2CO_3 + 4SiO_2$$

土壤中含磷矿物氟磷灰石$[Ca_3(PO_4)_2 \cdot CaF_2]$，经水解作用，形成可溶性酸式磷酸盐：

$$Ca_3(PO_4)_2 + H_2O + CO_2 \longrightarrow 2CaHPO_4 + CaCO_3$$

$$2CaHPO_4 + H_2O + CO_2 \longrightarrow Ca(H_2PO_4)_2 + CaCO_3$$

又如含铁矿物黄铁矿的氧化：

$$2FeS_2 + 7O_2 + 2H_2O \longrightarrow 2FeSO_4 + 2H_2SO_4$$

次生粘土矿物的生成：次生粘土矿物大多为各种铝硅酸盐和铁硅酸盐，在风化过程中，产生一些可溶性产物，互相结合，形成非晶质凝胶，再经过自晶化作用，形成粘土矿物。

2. 土壤有机质(soil organic matter)

进入土壤的有机物包括植物、动物及微生物等死亡残体，经分解转化逐渐形成土壤有机质，成为土壤的组成部分，它与土壤矿物质一起构成了土壤的固相部分。

非特异性的：包括糖类化合物、蛋白质、脂类、碳水化合物、蜡、树脂、有机酸等，占土壤有机质总量10%～15%。

特异性的：腐殖质，包括富里酸、腐植酸和胡敏酸，占土壤有机质总量85%～90%。

3. 土壤生物(soil organisms)

土壤中生活着一个生物群体，土壤生物可分为三大类：

土壤微生物，包括细菌、放线菌、真菌与藻类。

土壤微动物,包括原生动物、蠕虫、节肢动物等。

土壤动物,包括脊椎动物中的两栖类、爬行类和哺乳动物。

土壤生物在土壤系统中主要起着分解者的作用,同时又是消费者,还有少数则为生产者。土壤生物主导着土壤有机质转化的基本过程,又是土壤有机质的重要来源,土壤生物也是净化土壤有机污染的主力军。

4. 土壤溶液(soil solution)

土壤中水分的主要来源是降雨、降雪和灌溉。在地下水位接近于地面(2~3 m)的情况下,地下水也是上层土壤水分的重要来源。

水分进入土壤以后,由于土壤表面的吸附力和微细空隙的毛细管力,而把水保持住。土壤固体保持水分的牢固程度,在相当程度上决定了土壤中的水分运动和植物对水分的利用。

土壤中的水分并不纯净。当水分进入土壤后,即和土壤中其他组成物质发生作用,土壤中的一些可溶性物质,如盐类和空气都将溶解在水里。这种溶有盐类和空气的土壤水,称为土壤溶液。

土壤溶液是植物生长所需养分的主要来源。土壤溶液也是自然界水循环的一个组成环节,处在不断的运动和变化过程中,它的变化和运动,影响到土壤中各种物质的迁移,是影响土壤环境污染状况的一个重要因素。

5. 土壤空气(soil air)

土壤是一个多孔体系。在水分不饱和的情况下,孔隙中总是有空气存在的。

土壤中空气的来源:从大气透进来的;土壤中进行的生物化学过程所产生的。

土壤空气不同于大气的是:

(1) 土壤空气是不连续的,而是存在于被土壤固体隔开的土壤空隙中。这一情况使土壤空气的组成在不同空隙中并不相同,在局部土穴中,产生气体的化学反应能够大大改变土壤空气的组成。

(2) 土壤空气一般比大气有较高的含水量。在土壤含水量适宜时,土壤相对湿度接近100%。

(3) 土壤空气的二氧化碳含量远比大气的含量高,氧气的含量则低于大气。其二氧化碳的浓度往往是大气中浓度的几百倍,氧气的浓度则相应下降,在极端情况下也不会超过10%~12%。造成这种差别的原因,是土壤中各种生物,如植物根系和动物、微生物的呼吸作用,以及有机质的分解,都消耗了大量氧气而产生大量的二氧化碳。

表 4-1　土壤空气与大气组成的比较

	氧　气	二氧化碳	氮　气
土壤空气			
英格兰(England)	20.65	0.25	79.2
衣阿华(Iowa)	20.40	0.20	79.4
纽约(New York)	15.10	4.50	81.4
近地面大气	20.97	0.03	79.0

严健汉、詹重慈,《环境土壤学》,华中师范大学出版社,1985

土壤空气含量和组成在很大程度上取决于土—水关系。作为气体混合物的土壤空气,只进入未被水分占据的那些土壤空隙。雨后,大孔隙中的水分首先腾空,接着由于蒸发和植物吸收,中孔隙中的水分也腾空。因此,土壤空气通常先占据大孔隙,随着土壤变干,再占据那些中等孔隙。这说明了细孔隙比例大的土壤,通气条件较差。在这些土壤中,水分占优势,土壤空气的含量和组成不适宜植物的最佳生长。

1.3 土壤的性质

土壤是一个活跃的、开放的复杂体系,其中生存着多种生命有机体,如植物的根系、真菌、细菌、昆虫及各种小动物,同时还包含着形形色色的无机物。在这些物质的各相界面上进行着多种多样物理的、化学的、生物化学的变化,因此,土壤是组成环境的各个部分(大气圈、水圈、岩石圈和生物圈)相互作用的地方,是环境中物质和能量不断进行循环和交换的区域。土壤在生态环境中发挥着重大的作用。

1. 土壤的物理性质

土壤为固、液、气三相共存的多相体系,因此具有各种类型的界面,同时存在许多孔隙。因其疏松多孔,一些污染物挥发或呈气体状态。另一些污染物溶解于水中或被吸附于固体颗粒上,它们在土壤空隙中随土壤空气和水分的运动而挥发、扩散、稀释和浓集,以至迁移出土壤之外。这一过程与土壤温度和含水量的变化以及土壤孔隙的大小、数量和分布情况有关。

土壤颗粒大小不同反映颗粒的表面活性。土壤固体的分散程度越高,直径越小,它的总表面积就越大。比表面积大的物质具有较高的表面能,表现出胶结、吸附等物理和物理化学性质。如细颗粒土壤具有特别大的胶结性和吸附能力。

一般把土壤颗粒的空间排列方式及其稳定程度、孔隙的分布和结合的状况称为土壤的结构。土壤结构良好有利于植物根系活动,有利于保气、保水、保肥。为了土壤结构良好,通常要求土壤颗粒小、土粒细、粘结力强。作为胶粒的土壤需要有引起土壤聚合的因素,如 Ca^{2+}、Fe^{3+} 等高价阳离子,能促进胶体凝聚、胶粒脱水、胶体老化,需要丰富的有机物、腐殖质作为胶结剂,参与土壤颗粒的团聚。再加上植物根系对土壤的穿插、挤压或微生物活动,土壤的干湿交替和冻融交替都有利于土壤良好结构的形成。

以上性质,决定了土壤的密度、土壤的粘结性、粘着性和结构特性等土壤的物理性质。

2. 土壤的胶体性质

土壤胶体是土壤中具有胶体性质的微细颗粒。土壤中含有无机胶体和有机胶体以及有机与无机的复合胶体。无机胶体包括粘土矿物和各种水合氧化物,有机胶体主要是腐殖质,还有少量的木质素、纤维素、多糖类和蛋白质及肽等高分子有机化合物。

土壤胶体因其颗粒微细而具有很大的表面积。无机胶体中以蒙脱石类表面积最大(600~800 m^2/g),不仅有外表面,而且有巨大的内表面,伊利石次之,高岭石最小(7~30 m^2/g)。有机胶体具有巨大的外表面(约 700 m^2/g,与蒙脱石相当)。颗粒越小,具有的表面能越大。

土壤胶体通常带有负电荷。粘土矿物所带的负电荷部分是由晶体中同晶替代作用产生的,是永久负电荷(与介质 pH 值无关);部分是由晶格表面羟基解离出 H^+ 后产生的可变负电荷,它随介质 pH 值而改变,亦称 pH 依变电荷。有机胶体所带的负电荷则是由腐殖质分子中

羧基或羟基的 H^+ 解离产生。它也是可变电荷,其负电量高于粘土矿物胶体。

在粘土矿物的形成过程中,常常发生半径相近的离子取代一部分铝(III)或硅(IV)的现象。这种取代作用称为同晶取代作用。一般是半径相近的较低价正离子的取代,如 Mg^{2+}、Fe^{2+} 等离子取代铝(III),Al^{3+} 取代硅(IV)。同晶取代的结果,使粘土矿物微粒具有过剩的负电荷。此负电荷由处于层状结构外部的正离子钾、钠等平衡。

土壤胶体因其高度分散性,并带有电荷,因此具有从土壤溶液中吸附和交换离子的特殊能力。其吸附交换量既与胶体的比表面积大小有关,也与胶体所带电荷量的大小有关。因此,土壤胶体的种类和数量以及介质的 pH 值影响其吸附交换量的大小。

3. 土壤的配合和螯合作用

土壤中有许多有机、无机配位体。它们能和金属离子发生配合和螯合作用。

有机配位体主要是大分子结构的各种官能团。不同配位基与金属离子亲和力的大小次序大致是:

$$—NH_2 > —OH > —COO^- > —C=O$$

重金属元素与土壤腐殖质形成螯合物的稳定序列为:

$$Pb^{2+} > Cu^{2+} > Ni^{2+} > Zn^{2+} > Cd^{2+} > Fe^{2+} > Mn^{2+} > Hg^{2+}$$

土壤中常见的无机配位体有 Cl^-、SO_4^{2-}、HCO_3^-、OH^- 等。它们均能取代水合金属离子中的配位水分子,而与金属生成配离子,如 $Cu(OH)^+$、$Cu(OH)_2$、$CuCl^+$、$CuCl_2$、$CuCl_3^-$ 等。

生成的配合物、螯合物的性质影响着土壤中金属离子的迁移活性。

4. 土壤的氧化还原性质

土壤中存在着多种有机物和无机物的氧化、还原态物质,并经常进行着氧化还原反应。

无机物有溶于土壤中的氧气和许多变价元素(Fe、Mn、Cu、S、P 等),它们在土壤中常见的氧化还原价态可简单地归纳为表 $4-2$。

表 $4-2$ 土壤中一些无机变价元素常见的还原态与氧化态

元 素	还 原 态	氧 化 态	元 素	还 原 态	氧 化 态
C	CH_4、CO	CO_2	Fe	Fe^{2+}	Fe^{3+}
N	NH_3、N_2、NO	NO_2、NO_3^-	Mn	Mn^{2+}	MnO_2
S	H_2S	SO_4^{2-}	Cu	Cu^+	Cu^{2+}
P	PH_3	PO_4^{3-}			

有机物指酸、酚、醛和糖、微生物及其代谢产物、根系分泌物等。

土壤中氧化还原作用的强弱可用氧化还原电位(E)表示。土壤中的游离氧、高价金属离子为氧化剂,低价金属离子、土壤有机质及其在厌氧条件下的分解产物为还原剂。如果游离氧占优势,则以氧化作用为主;如果有机质起主导作用,则以还原作用为主。因此,土壤 E 的变化,与土壤的通气状况有关。旱地以氧化作用为主导,E 值较高;越向土壤深处,E 值随之降低;水田淹水条件下,还原作用占优势,E 可降至负值。另外,E 还与土壤溶液的 pH 有关,溶液 pH 降低，E 有增高的趋势。

土壤中 E 的变化影响有机物和无机物的存在形态、元素和化合物的溶解性，并进而影响它们在土壤中的迁移转化，特别是对那些变价元素来说尤为明显。

土壤中的氧化还原作用还会影响土壤的酸碱性，氧化作用可使土壤酸化，如可把氧化亚铁氧化成氧化铁，把氧化锰氧化成二氧化锰，把硫化氢氧化成硫酸，而还原作用可增加土壤碱性。

5. 土壤的酸碱性

土壤微生物的活动、有机物的分解、营养元素的释放和土壤中元素的迁移都与土壤溶液的酸碱性有关。各种植物生长都有各自适合的酸碱范围。

土壤的酸碱性取决于土壤溶液中氢离子的浓度。

土壤中的 H^+ 来源于土壤空气中 CO_2 溶解于水生成的碳酸、有机物分解产生的有机酸、土壤中的各种无机酸以及施肥时加入的酸性物质、酸雨中带来的硫酸、硝酸等，统称为活性酸度（active acidity）。

土壤的酸碱性还取决于吸附在胶体表面上的正离子的种类。这种酸度是由胶体吸附的氢离子（或铝离子）在被土壤的盐溶液中的阳离子所代换时才表现出来的，所以又称代换性酸（exchangeable acidity）或潜在酸（potential acidity）。

$$\text{土壤胶体} \equiv H + KCl \longrightarrow \text{土壤胶体} \equiv K + HCl$$

$$\text{土壤胶体} \equiv Al^{3+} + 3KCl \longrightarrow \text{土壤胶体} \equiv \underset{K^+}{\overset{K^+}{K^+}} + AlCl_3$$

$$AlCl_3 + H_2O \longrightarrow Al(OH)_3 + 3HCl$$

潜在酸在决定土壤性质上有很大作用，因为胶体吸附的 H^+ 及 Al^{3+} 在溶液浓度改变时，会转入溶液而引起酸碱性变化，影响土壤性质、养分的供给和生物的活动。

一般土壤活性酸的 $[H^+]$ 很少，而潜在酸的 $[H^+]$ 较大，因而土壤的酸碱性主要决定于潜在酸度。土壤的活性酸和潜在酸同处于一个平衡系统中，在一定条件下可以互相转化，活性酸可以被胶体吸附成为潜在酸，而潜在酸也可被交换生成活性酸。

$$\text{土壤胶体} \equiv Ca^{2+} + 2H^+（活性酸） \longrightarrow \text{土壤胶体} \equiv \underset{H^+}{\overset{H^+}{}}（潜在酸） + Ca^{2+}$$

土壤的酸化主要发生在多雨的条件下，土壤中盐类离子淋溶于水体，而 H^+ 取代胶体上的金属离子被土壤吸附。此外，施肥所残留的酸根、有机酸及生物分泌物都将加强土壤的酸化作用。

正常土壤的 pH 值在 5～8 之间，酸性土壤的 pH 值可能小于 4，碱性土壤的 pH 值则可高达 11。

土壤酸碱度直接或间接地影响污染物在土壤中的迁移转化，因此，pH 也是土壤的重要指标之一。

6. 土壤的生物学性质

土壤中存在由土壤动物、原生动物和微生物组成的生物群体。特别是在土壤表层即腐殖质层中,每克土壤含有数以十亿计的细菌、真菌、放线菌和酵母等微生物。它们能产生各种专性酶,因而在土壤有机质的分解转化过程中起着重要作用。土壤之所以对有机污染物质具有强大的自净能力,即生物降解作用,就是由于微生物和其他生物共同作用的结果。

7. 土壤的自净作用

在土壤中有氧气作氧化剂,有水作溶剂,有大量的胶体表面,能吸附各种物质并降低它们的反应活化能。此外,还有各种各样的微生物,它们产生的酶对各种结构的分子分别起到特有的降解作用。这些条件加在一起,使得土壤具有优越的自身更新能力。土壤的这种自身更新能力,称为土壤的自净作用。

当污染物进入土壤后,就能经生物和化学降解变为无毒害物质;或通过化学沉淀、配合和螯合作用、氧化还原作用变为不溶性化合物;或是被土壤胶体吸附较牢固,植物较难加以利用,而暂时退出生物小循环,脱离食物链或被排除至土壤之外。

土壤的自净能力决定于土壤的物质组成和其他特性,也和污染物的种类与性质有关。不同土壤的自净能力(即对污染物质的负荷量或容纳污染物质的容量)是不同的。土壤对不同污染物质的净化能力也是不同的。一般来说,土壤自净的速度是比较缓慢的。

第二节　土壤的化学污染

2.1　土壤污染源和土壤污染物

1. 土壤环境背景值

土壤环境背景值(background value)是指未受或少受人类(特别是人为污染)影响的土壤环境本身的化学元素组成及其含量。它与地壳岩石圈的化学组成及成土过程有关。由于成土过程仍在继续进行,成土环境条件不断改变,特别是随着人类社会的发展,科学技术和生产水平不断提高,人类对自然环境的影响不断增强,目前已难以找到绝对不受人类活动影响的土壤,因此,现在所得到的土壤环境背景值已不能完全反映土壤的原始化学组成。

表 4 - 3　我国部分地区不同地形土壤环境背景值(mg/kg)

元　　素	中　　山	低山丘陵	山前平原	平　　原
Hg	0.027 3	0.033 4	0.043 6	0.069 0
Cd	0.128	0.125	0.125	0.118
As	8.92	8.21	8.44	7.92
Pb	15.58	15.39	14.09	11.57
Cr	58.1	50.0	58.6	52.1
Ni	26.27	25.15	22.36	20.39
Cu	20.01	22.69	19.46	14.48
Zn	71.2	69.66	55.25	46.69
F	359.9	379.6	364.8	335.6
Co	11.1	11.98	8.50	8.17
Mo	0.837	0.810	0.624	0.588
Mn	609.9	541.2	488.7	514.2

然而,测定和研究土壤环境背景值在环境研究和保护工作中具有重要的意义:土壤环境背景值是土壤环境质量评价,特别是土壤污染综合评价的基本依据,在评价土壤环境质量、判断土壤是否已发生污染、划分污染等级时均须以区域土壤环境背景值作为对比的基础和评价的标准,并用以判断土壤环境质量状况和污染程度,以制定防治土壤污染的措施,以及作为土壤环境质量预测和调控的基本依据;土壤环境背景值也是研究和确定土壤环境容量,制定土壤环境标准的基本依据;土壤环境背景值还是研究污染元素和化合物在土壤环境中的化学行为的依据,污染物进入土壤环境之后的组成、含量、形态和分布变化及其在土壤环境中的扩散、迁移、转化、归宿,都需要与土壤环境背景值比较才能加以分析和判断。

完整的土壤环境元素背景值统计表内应包括最小值、最大值、中位值、不同置信区数值、算术平均值及其标准差、几何平均值及其标准差。但有时也简化为算术平均值表示。表4-3为以算术平均值表示的我国部分地区土壤环境背景值数据。从统计数据中可以看出,不同区域的土壤环境背景值差异很大,这是因为,影响土壤环境背景值分布差异的因素有土壤母质、气候、地形条件及土地的利用方式、耕作历史等。

2. 土壤环境容量

环境容量(environmental capacity)是指"在人类生存和自然生态不致受害的前提下,某一环境单元(或要素)所能容纳的污染物的最大负荷量"。即在一定条件下环境对污染物的最大容纳量。

土壤环境容量"系指土壤环境单元所容许承纳的污染物质的最大数量或负荷量。"土壤环境容量实际上是土壤污染起始值和最大负荷值之间的差值。如把土壤环境标准作为土壤环境容量的最大允许极限值,则该土壤的环境容量的计算值,便是土壤环境标准值减去背景值,即该土壤环境的基本容量,有时也称之为土壤环境的静容量。

土壤环境的静容量虽然反映了污染物生态效应所容许的最大容纳量,但尚未考虑到土壤环境的自净作用和缓冲性能,即外源污染物进入土壤后的积累过程。由于土壤环境系统是由多层次、多相物质组成,并具有疏松多孔的复杂结构,土壤中各土层以及固、液、气相物质之间的相互作用、相互影响和相互制约,在土壤中时刻进行着各种物理、化学和生物的迁移及转化过程。污染物一旦进入土壤环境以后,就受到土壤环境系统的环境条件、性质的影响和制约,并与土壤多相物质相互作用,进行着复杂的迁移与转化过程,如污染物的输入与输出、吸附与解吸、沉淀与溶解、累积与降解等等,这些过程都处在动态变化中,其结果都能影响污染物在土壤环境中的最大容纳量,因此环境学界认为,土壤环境容量应是静容量加上这部分土壤的净化容量,才是土壤的全部环境容量。即将土壤环境容量定义为"一定土壤环境单元,在一定时限内,遵循环境质量标准,既维持土壤生态系统的正常结构与功能,保证农产品的生物学产量与质量,也不使环境系统污染时,土壤环境所能容纳污染物的最大负荷量"。

土壤环境系统不是孤立的,而是地球表层环境系统中一个全方位开放的子系统,土壤环境系统与其他环境子系统之间不断进行着物质与能量的迁移和交换,污染物既可以通过大气、水和生物迁移途径进入土壤环境,使之在土壤环境中逐渐累积,导致土壤污染;同样地,通过同样途径,污染物也可以从土壤环境向大气、水和生物环境系统输出,从而"净化"土壤环境。只要它们之间的这种"进出"的条件和平衡体系不被打破,保持着一种动态平衡,土壤环境系统也就可能对污染物保持着一定的动态容量。

确定土壤环境容量的因素有土壤类型,包括土壤的组成、结构、物理化学性质和生物学特性以及土壤的温度、水分条件；污染元素和化合物的特性及形态特征；作物生态效应和土壤生物的影响；环境效应即污染物对地球表层环境系统的综合影响。这些都是造成土壤环境容量区域差异的重要原因。

土壤环境容量可应用于制定土壤环境标准；制定农田灌溉用水水质和水量标准；制定污泥施用量标准，进行区域土壤污染物预测和土壤环境质量评价以及污染物总量控制管理等方面，从而能帮助我们更有效、更充分地使用土壤、防治土壤污染。

3. 土壤污染源

人为污染源：

过量使用农药、化肥及污水灌溉等。城市固体废弃物、阴沟污泥、工矿业废渣等任意堆积、排放。大气、水体中的污染物迁移入土壤。

自然污染源：

在某些矿床或元素和化合物的富集中心周围，由于矿物的自然分解与风化，往往形成自然扩散带，使附近土壤中某元素的含量超出一般土壤的含量。

4. 土壤中主要污染物质

土壤中的污染物质与大气特别是和水体中的污染物质很多是相同的。

重金属：如镉、汞、铬、铜、锌、铅、镍、砷等。

有机物：其中数量较大而又比较重要的是化学农药，主要是有机氯、有机磷、有机氮、氨基甲酸酯类、苯氧羧酸类、苯酰胺类农药等。此外还有洗涤剂、酚、多环芳烃、多氯联苯、石油和有害微生物等。

氮素和磷素化学肥料。

放射性物质：^{137}铯、^{90}锶等。

病原微生物：肠道细菌、炭疽杆菌、肠寄生虫、结核杆菌等。

其中重金属和农药的污染是当前研究的重点。

表 4-4　土壤环境主要污染物质

污 染 物 种 类			主　要　来　源
无机污染物	重金属	Hg	制烧碱、汞化物生产等工业废水和污泥、含汞农药、汞蒸气
		Cd	冶炼、电镀、染料等工业废水、污泥和废气，肥料杂质
		Cu	冶炼、铜制品生产等废水、废渣和污泥，含铜农药
		Zn	冶炼、镀锌、纺织等工业废水和污泥、废渣、含锌农药、磷肥
		Pb	颜料、冶炼等工业废水、汽油防爆燃烧排气、农药
		Cr	冶炼、电镀、制革、印染等工业废水和污泥
		Ni	冶炼、电镀、炼油、染料等工业废水和污泥
		(As)	硫酸、化肥、农药、医药、玻璃等工业废水、废气、农药
		(Se)	电子、电器、油漆、墨水等工业的排放物
	放射性物质	^{137}Cs	原子能、核动力、同位素生产等工业废水、废渣、核爆炸
		^{90}Sr	原子能、核动力、同位素生产等工业废水、废渣、核爆炸
	其他	F	冶炼、氟硅酸钠、磷酸和磷肥等工业废水、废气、肥料
		盐、碱	纸浆、纤维、化学等工业废水
		酸	硫酸、石油化工、酸洗、电镀等工业废水、大气酸沉降

（续　表）

污 染 物 种 类		主　　要　　来　　源
有机污染物	有机农药	农药生产和使用
	酚	炼焦、炼油、合成苯酚、橡胶、化肥、农药等工业废水
	氰化物	电镀、冶金、印染等工业废水、肥料
	苯并[*a*]芘	石油、炼焦等工业废水、废气
	石　油	石油开采、炼油、输油管道漏油
	有机洗涤剂	城市污水、机械工业污水
	有害微生物	厩肥、城市污水、污泥、垃圾

刘培桐主编,《环境学概论》,高等教育出版社,1985

表 4-5　有机化学品的降解性分类

类　　　别	在土壤中的滞留期	举　　　例
易降解	1～3 个星期	醋酸
降解	1～3 个月	苯甲酸
难降解	3 个月～1 年	己内酰胺
非常难降解	1～2 年	氯苯
极难降解	2 年以上	六氯苯

王连生,《环境健康化学》,科学出版社,1994

2.2　重金属在土壤中的行为

1. 重金属对土壤的污染及危害

土壤中的重金属污染问题较为复杂,因为土壤本身均含有一定量的重金属元素,其中很多是作物生长所需的微量营养元素,如锰、铜、锌等。因此,只有当进入土壤的重金属元素积累的浓度,超过了作物的需要和可忍受的程度,而表现出受毒害的症状;或者作物生长并未受害,但产品中某种重金属的含量超过卫生标准,造成对人、畜的危害时,才能认为土壤被重金属所污染。

土壤中的重金属主要来自以下方面:由于矿物燃料燃烧、矿物开采和冶炼、建筑材料开采和生产等使重金属元素进入大气,沉降到土壤表面;由于农业生产所使用的矿物质肥料和农药中含有的重金属进入土壤;随污水、污泥和垃圾进入土壤的重金属以及堆放的固体废弃物经雨水冲刷,渗漏进土壤。

表 4-6　我国土壤重金属背景测定值（ppm）

元　素	样品数	最小值	最大值	中位值	算术平均值	算术标准差	几何平均值	几何标准差	95%范围
Cd	4 095	0.001	13.4	0.097	0.097	0.079	0.074	2.118	0.017～0.333
Zn	4 095	2.6	593	68.0	74.2	—	67.71	32.8	28.4～161
Pb	4 095	0.68	1 143	23.5	26.0	12.37	23.6	1.54	10.0～56.1

（续 表）

元素	样品数	最小值	最大值	中位值	算术平均值	算术标准差	几何平均值	几何标准差	95%范围
Cu	4 095	0.33	272	20.7	22.6	11.41	20.0	1.66	7.3～55.1
Cr	4 094	2.20	1 209	57.3	61.0	31.07	53.9	1.67	19.3～150.2
Hg	4 092	0.001	45.9	0.038	0.065	0.080	0.040	2.602	0.006～0.272
As	4 093	0.01	626	9.6	11.2	7.86	9.2	1.91	2.5～33.5

中国环境监测总站全国土壤监测结果,1990

重金属不能被土壤微生物降解,而在土壤中不断积累,且可为植物所富集,通过食物链,重金属浓度可增加到对链的一些成员有害的水平,并最终在人体内蓄积,达到危害的程度。如镉污染造成的骨痛病,汞污染造成的水俣病等。由于重金属不能被土壤微生物降解,土壤一旦遭受重金属污染,就很难予以彻底消除,随后向地表水或地下水迁移,加重了水体的污染。

重金属侵入人体产生的危害,是由重金属的性质决定的,重金属的潜在毒性,主要与它的结构、物理性质和化学性质有关,与重金属元素的离子价态、离子半径、电荷-离子半径比、第一电离能、电化当量、结合能、熔点、沸点、熔化热、汽化热等性质有关。在实际环境中,还与重金属元素氧化物的性质有关。我国研究者张维新等,根据重金属的理化性质,用模糊数学方法,对常见的51种重金属元素进行了分类及排序,并根据其在环境中的行为,进行了调整,得出了重金属的分类及毒性顺序。

表 4-7 重金属潜在毒性的分类及顺序

类别	重 金 属*	毒 性
1	Hg、Cd、Tl、Pb、Cr、In、Sn	有较强毒性,多数有致癌致畸作用,易蓄积
2	Ag、Sb、(Zn)、(Mn)、Au、(Cu)、Pr、Ce、(Co)、Pd、Ni、V、(Os)、Lu、Pt	生活中常接触,有一定毒性,有些又是人体必需的微量元素(加括号者)
3	Bi、Yb、Eu、Ga、Fe、Sc、Al、Ti、Ge、Rh、Zr	毒性较小
4	Hf、Ru、Ir、Tc、Mo、Nb、Ta、Re、W、Tm、Dy、Nd、Er、Ho、Gd、Tb、La、Y	毒性很小,一般情况下,不会对人类健康造成危害

* 每类重金属中,其毒性次序自左向右依次递减。
资料来源:王连生,《环境健康化学》,科学出版社,1994

2. 重金属在土壤中的迁移转化

重金属进入土壤后,可能被土壤吸附,或与土壤有机质形成配合物,也可能与土壤中其他物质形成难溶盐沉积。土壤中重金属的存在形态受到土壤物理化学性质及环境条件的控制,如稻田灌水时,氧化还原电位降低,金属可能以硫化物形态沉积在土壤中;而当排水时,变成氧化环境,重金属转化为较易迁移的形态而被植物吸收。因此,土壤中重金属总量并不能完全反映土壤重金属污染的状态和植物对其吸收的有效性,为了研究重金属在土壤中的存在形态及转化规律,必须在测定土壤中重金属总量的同时测定生长在土壤上的植物中的金属含量,并寻找两者的相关性。

(1)土壤胶体对重金属的吸附:土壤胶体对金属离子吸附的能力与金属离子的性质及胶体的种类有关。

交换性阳离子与土壤胶体之间相互作用力的大小称为阳离子与胶体的结合强度。

对阳离子来说,此结合强度主要取决于阳离子电荷的多少以及离子半径的大小。

阳离子的价态愈高,电荷愈多,土壤胶体与阳离子之间的静电作用力也就愈强,吸引力愈大,因此结合强度愈大。一般说来,不同价态的阳离子对土壤胶体的结合强度的大小按下列顺序排列:$Me^{3+} > Me^{2+} > Me^+$。

具有相同价态的阳离子,半径大的水化度小,水膜较薄,水化离子的半径相对较小,在胶体表面引力的作用下,也容易脱水,也就愈能接近土壤胶体的表面而被吸附。

土壤胶体种类对阳离子吸附作用的影响主要与土壤胶体的结构、其电荷密度及电荷分布等因素有关。

表 4-8 粘土矿物的阳离子吸附容量(pH=7)

粘土矿物名称	阳离子吸附容量(mN/100 克土)
高岭石	3~15
伊利石	10~40
蒙脱石	80~150

蒙脱石是高度分散的矿物,<0.001 mm 的颗粒含量常高达 80%,其中胶体约占 60%;而且蒙脱石晶格内晶层间距离大,因此具有大的吸附性能;高岭石的分散度较小,颗粒含量 20%~25%,胶体含量 5%~10%,故吸附容量小。

研究结果表明,粘土矿物对阳离子吸附作用的影响,没有一个统一的阳离子代换序列可以作为对所有各种不同的粘土矿物的共同特征而加以普遍应用。

交换性活跃的粘土矿物对金属离子的吸附顺序一般是:

$Cu^{2+} > Pb^{2+} > Ni^{2+} > Co^{2+} > Zn^{2+}$

$Ba^{2+} > Sr^{2+} > Ca^{2+} > Mg^{2+} > Na^+ > Li^+$

其中蒙脱石的吸附顺序是:

$Pb^{2+} > Cu^{2+} > Ca^{2+} > Ba^{2+} > Mg^{2+} > Na^+ > Li^+$

高岭石是:

$Hg^{2+} > Cu^{2+} > Pb^{2+}$

若溶液浓度不同,或有配合剂存在时,将会打乱胶体对阳离子吸附的顺序。

有机胶体属于无定形胶体,比表面大,因此其吸附容量比矿质胶体大,可达 150~700 mN/100 g 土,平均为 300~400 mN/100 g 土。

有机胶体对金属离子的吸附顺序是：

$$Pb^{2+} > Cu^{2+} > Cd^{2+} > Zn^{2+} > Ca^{2+} > Hg^{2+}$$

（2）重金属的配合螯合作用：土壤中的重金属可与土壤中的各种无机配位体及有机配位体发生配合、螯合作用。

重金属离子与羟基和氯离子以及与腐殖质的配合反应，在受配位体的浓度、金属离子的本性、水质的 pH 值等对配合程度的影响方面，土壤中的情况与水体中相似。

如在土壤表层的土壤溶液中，Hg 主要以 $Hg(OH)_2$ 和 $HgCl_2$ 形式存在，而在氯离子浓度高的盐碱土中，则以 $HgCl_4^{2-}$ 为主。

Cd^{2+}、Zn^{2+}、Pb^{2+} 则可生成 MCl_2、MCl_3^-、MCl_4^{2-} 型配合物。盐碱土的 pH 值高，重金属也可发生水解，生成羟基配离子，此时即发生羟基配合作用与氯配合作用相竞争，或形成各种复杂的配离子如 $HgOHCl$、$CdOHCl$ 等。

重金属的羟基和氯配合作用，可提高难溶重金属化合物的溶解度，同时减弱土壤胶体对重金属的吸附作用，从而促进重金属在土壤中的迁移转化。

土壤有机配合物和螯合物的稳定性，既与配合—螯合剂及金属本性有关，也取决于环境条件，特别是pH 值。

土壤有机质对金属的配合—螯合能力的顺序为：$Pb > Cu > Ni > Zn > Hg > Cd$。一般五原子或六原子环的螯合物最为稳定。螯合物的稳定性还密切受介质 pH 值的影响。pH 值低时，H^+ 与金属离子争夺螯合剂，所以螯合物的稳定常数较小。反之，当 pH 值较高时，金属离子可形成氢氧化物、硅酸盐或碳酸盐，往往形成不溶性化合物。

形成有机螯合物对金属迁移的影响取决于所形成的螯合物的可溶性大小。

胡敏酸与金属形成的胡敏酸盐（除一价碱金属盐外），一般是难溶的。

富里酸与金属形成的螯合物则一般为易溶的。

重金属污染物与腐殖质生成可溶性稳定螯合物能够有效地阻止重金属作为难溶盐而沉淀。

腐殖质与 Fe、Al、Ti、V 等金属形成的螯合物易溶于中性、弱酸或弱碱性土壤溶液中，使它们以螯合物形式迁移。当缺乏腐殖质时它们便析出为沉淀。

腐殖质对金属离子的螯合作用与吸附作用是同时存在的。一般认为，当金属离子浓度高时，以吸附交换作用为主；而在浓度低时以配合、螯合作用为主。

（3）土壤中重金属的沉淀和溶解：重金属化合物的溶解和沉淀作用，是土壤中重金属化合物迁移的主要形式。它实际上是各种重金属难溶电解质在土壤固相和液相间的多相离子平衡。可根据溶度积的一般原理，结合土壤环境的具体条件，了解其变化规律。

环境条件中至关重要的是土壤的 E 和 pH 值。

作为过渡元素的重金属，在不同土壤条件下，往往可以以多种价态存在，其价态变化是通过氧化还原反应实现的。

A·N·彼列尔曼曾根据游离氧、硫化氢等存在的情况，将土壤氧化还原条件分为下列三种基本类型：富含游离氧的氧化环境；不含硫化氢的还原环境；含硫化氢的还原环境。

金属在这三种不同的环境中具有不同的化学性质和迁移转化特征。

富含游离氧的氧化环境：在碱性条件下，E 略高于 0，通常 $E > +0.15\text{ V}$，最高可达 $0.6 \sim 0.7\text{ V}$；在酸性条件下，$E > +0.4 \sim 0.5\text{ V}$。在这种强氧化性环境中，钒、铬呈高氧化态，形成可溶性铬酸盐、钒酸盐等，具有很高的迁移能力。而铁、锰则相反，形成高价难溶性化合物沉淀，迁移能力很低。

不含硫化氢的还原环境：在酸性条件下，$E < 0.5\text{ V}$；在碱性条件下，$E < 0.15\text{ V}$，可使钒和铜等还原。

含硫化氢的还原环境：$E < 0$，甚至达 $-0.5 \sim -0.6\text{ V}$，由于硫化氢的含量很高，可使金属形成难溶性的硫化物沉淀，阻止金属的迁移。

pH 是影响土壤中重金属迁移转化的重要因素。如土壤中 Cu、Cd、Zn、Pb 等重金属氢氧化物的解离度或沉淀，直接受 pH 值所控制。若不考虑其他的反应，可写成下列平衡式：

$$\text{Cu(OH)}_2 \longrightarrow \text{Cu}^{2+} + 2\text{OH}^- \qquad K_{\text{sp}} = 1.6 \times 10^{-19}$$

$$\text{Cd(OH)}_2 \longrightarrow \text{Cd}^{2+} + 2\text{OH}^- \qquad K_{\text{sp}} = 2.0 \times 10^{-14}$$

$$\text{Zn(OH)}_2 \longrightarrow \text{Zn}^{2+} + 2\text{OH}^- \qquad K_{\text{sp}} = 4.5 \times 10^{-17}$$

$$\text{Pb(OH)}_2 \longrightarrow \text{Pb}^{2+} + 2\text{OH}^- \qquad K_{\text{sp}} = 4.2 \times 10^{-15}$$

根据 K_{sp} 能求出它们的离子浓度与 pH 值的关系。现以 Cd(OH)_2 为例说明如下：

$$[\text{Cd}^{2+}][\text{OH}^-]^2 = K_{\text{sp}} \qquad [\text{Cd}^{2+}] = \frac{K_{\text{sp}}}{[\text{OH}^-]^2}$$

$$[\text{OH}^-][\text{H}^+] = K_{\text{w}} \qquad [\text{OH}^-] = \frac{K_{\text{w}}}{[\text{H}^+]}$$

代入得：$[\text{Cd}^{2+}] = \dfrac{K_{\text{sp}}}{\left(\dfrac{K_{\text{w}}}{[\text{H}^+]}\right)^2}$

两边取对数：$\lg[\text{Cd}^{2+}] = \lg K_{\text{sp}} - 2\lg \dfrac{K_{\text{w}}}{[\text{H}^+]}$

以 K_{sp}、K_{w} 数值代入：$\lg[\text{Cd}^{2+}] = \lg 2.0 \times 10^{-14} - 2\lg 10^{-14} - 2\text{pH} = \lg 2.0 \times 10^{-14} + 28 - 2\text{pH}$

故 $\qquad\qquad \lg[\text{Cd}^{2+}] = 14.3 - 2\text{pH} \qquad\qquad (1)$

依同理求得：$\lg[\text{Cu}^{2+}] = 9.2 - 2\text{pH} \qquad\qquad (2)$

$$\lg[\text{Zn}^{2+}] = 11.65 - 2\text{pH} \qquad\qquad (3)$$

$$\lg[\text{Pb}^{2+}] = 13.62 - 2\text{pH} \qquad\qquad (4)$$

当土壤中有 Cu、Cd、Zn、Pb 的氢氧化物存在时，根据(1)、(2)、(3)、(4)式可以计算出任一种 pH 条件下土壤溶液中某一金属离子的理论浓度。

上述方程式还表明，土壤溶液中 Cu、Cd、Zn、Pb 等离子浓度随着土壤 pH 的上升而下降。但 Cu(OH)₂ 和 Zn(OH)₂ 为两性氢氧化物，如果土壤 pH 值过高时，它们又会溶解，使土壤溶液中铜离子或锌离子浓度又升高，所以(2)、(3)式只在一定的 pH 值范围内适用，反之，随着 pH 的下降，土壤中的重金属又会溶解出来，对作物的危害也随之增强。这就是土壤 pH 值低时作物易受害的原因之一。因此，在 Cu、Cd、Zn、Pb 为害的地区，已有人采取施用石灰等办法来减轻它们对作物的危害。

在石灰性土壤的碳酸盐体系中，则其碳酸盐解离平衡为：

$$ZnCO_3 \longrightarrow Zn^{2+} + CO_3^{2-} \qquad\qquad K_{sp} = 10^{-10.85}$$

$$CdCO_3 \longrightarrow Cd^{2+} + CO_3^{2-} \qquad\qquad K_{sp} = 10^{-11.28}$$

而 $CO_2 + H_2O \longrightarrow 2H^+ + CO_3^{2-}$

$$K = \frac{[CO_3^{2-}][H^+]^2}{p_{CO_2}}$$

$$[CO_3^{2-}] = \frac{K \cdot p_{CO_2}}{[H^+]^2}$$

$$[Zn^{2+}] = \frac{K_{sp}}{[CO_3^{2-}]} = \frac{K_{sp} \cdot [H^+]^2}{K \cdot p_{CO_2}}$$

金属离子与 pH 的关系则为：

$$\lg[Zn^{2+}] = 7.4 - \lg p_{CO_2} - 2pH$$

$$\lg[Cd^{2+}] = 6.7 - \lg p_{CO_2} - 2pH$$

当土壤空气中二氧化碳含量为 350 ppm 时，$p_{CO_2} = 0.036\ kPa$，则 $\lg[Zn^{2+}] = 10.86 - 2pH$。盆栽试验表明，用石灰调节土壤 pH 值，能显著地降低糙米中的含镉量。

表 4-9　糙米中的含镉量与土壤 pH 值的关系

加　镉　量（ppm）	土壤 pH 值	糙米中的含镉量（ppm）
10	5.3	0.33
10	8.0	0.06

3. 主要重金属在土壤中的行为

（1）汞：

土壤中一般含汞为 0.1～1.0 mg/kg，但受污染的土壤中汞含量可能高得多。

土壤中的汞按其化学形态可分为金属汞、无机化合态汞和有机化合态汞。在正常的 E 和 pH 范围内，汞能以零价态存在是土壤中汞的主要特点。

各种形态的汞在一定条件下能互相转化。

在一价汞离子和二价汞离子之间可以有下列氧化还原反应：

$$Hg_2^{2+} \longrightarrow Hg^{2+} + Hg$$

通过氧化还原反应，无机汞和有机汞都可以转化为金属汞。

Hg^{2+} 在含有硫化氢的还原条件下将生成极难溶的硫化汞。当氧充足时,硫化汞又可慢慢氧化成亚硫酸盐和硫酸盐。

汞化合物进入土壤中时,95％以上的汞被吸附而固定在土壤中。汞的吸附与下列因素有关:汞化合物的化学形态、土壤胶体的化学性质、土壤 pH、土壤氧化还原电位的高低等。

以阳离子形式存在的汞很容易被土壤胶体吸附。土壤中的粘土矿物和腐殖质主要带负电荷,它们能吸附 Hg^{2+}。以阴离子形式存在的汞,如 $HgCl_3^-$、$HgCl_4^{2-}$,也可被带正电荷的氧化铁、氢氧化铁或粘土矿物的边缘所吸附。由于含汞化合物和土壤组成成分之间强烈的相互作用,除了还原成金属汞以汞蒸气挥发外,其他形式的移动和排出是很缓慢的。

土壤有很强的积累汞的能力,除二甲基汞较容易挥发外,其他汞化合物均不易挥发,因此,汞一旦进入土壤就将长期地保留在那里。由于土壤腐殖质等与汞有强烈的螯合作用,土壤有机质对汞在土壤中的固定有着重要作用。

北京市农科院环保室等的研究结果发现,水稻对土壤中汞的吸收量,首先决定于土壤中汞的形态,其次才决定于汞的含量。在实验所投加的汞化合物中,$HgCl_2$ 最易为水稻所吸收,其次是 HgO,HgS 极难被水稻吸收。

进入土壤的含汞化合物在一定条件下可由微生物作用转化成甲基汞,甲基汞还可进一步转化为二甲基汞,使原来不能被食物摄取的不溶性无机汞转变为水溶性的易被吸收的有机汞,通过食物链富集而构成对人体的危害。

大多数植物中汞的背景值为 $10\sim200\ \mu g/kg$,很多生物都能富集汞。植物能通过根部吸收汞,通过植物的叶片的气孔吸收汞是另一途径。在很多情况下,土壤中的汞化合物先转化为金属汞或甲基汞后才被植物吸收。不同形态汞化合物被植物吸收的顺序为氯化甲基汞＞氯化乙基汞＞赛力散(一种有机汞杀菌剂)＞$HgCl_2$＞HgO＞HgS,上述程序与它们的挥发性和溶解度有关。挥发性愈高、溶解度愈大的汞化合物愈易为植物所吸收。因此土壤中有时汞含量很高,但作物的含汞量不一定高。

(2) 镉:

镉在自然条件下,往往与锌共存。镉在地壳中的丰度为 $5\ mg/kg$,一般情况下土壤含镉量在 $1\ mg/kg$ 以下。

土壤中镉的存在形态可分为水溶性镉、吸附性镉和难溶性镉。

进入土壤的镉容易被土壤吸附而积蓄在土壤中。土壤对镉的吸附决定于土壤的类型和土壤的 E 和 pH 条件。大多数土壤对镉的吸附率在 $80％\sim95％$ 之间,并依下列顺序而降低:腐殖质土壤＞混有火山灰的冲积土壤＞重壤质冲积土＞壤质土＞砂质冲积土。土壤中各种胶体对镉都有吸附作用。在吸附过程中,pH 是最重要的影响因素之一。研究表明,在同一原始浓度下进行吸附时,镉的吸附值随 pH 的升高而增加。

镉的吸附除受土壤 pH 和 E 的影响外,还受相伴离子如 Zn^{2+}、Pb^{2+}、Fe^{2+}、Cu^{2+}、Ca^{2+} 的影响。日本学者小林在研究日本某地的土壤时发现,在污染土壤中,镉的含量与铅、锌的含量有很好的相关关系。

在 $0\sim10\ cm$ 土层中:

$$[Zn^{2+}] = 57[Cd^{2+}] + 81 \qquad (相关系数 = 0.96)$$

$$[Pb^{2+}] = 7.5[Cd^{2+}] + 34 \qquad (相关系数 = 0.77)$$

在 10~30 厘米土层中：

$$[Zn^{2+}] = 67[Cd^{2+}] + 4 \qquad (相关系数 = 0.94)$$

$$[Pb^{2+}] = 6.1[Cd^{2+}] + 13 \qquad (相关系数 = 0.88)$$

土壤中吸附的镉可为水所溶出，土壤中镉的移动性受 pH 的影响很大，随 pH 减小，土壤溶液中镉离子浓度增大，移动性增强，容易被作物所吸收。pH 为 4 时，溶出率超过 50%，pH 大于 7.5 时，镉则很难溶出。

镉在土壤中的移动性受 E 值的影响也很大。一般在淹水条件下，形成还原环境，有机物不能完全分解而产生硫化氢；还有当使用硫酸铵肥料时，由于硫还原细菌的作用，土壤中硫酸根可还原为硫化氢，镉易以硫化镉形态存在，是不可溶态；而在非淹水条件下，土壤中的镉以碳酸镉、硫酸镉、磷酸镉、氢氧化镉等形式存在，使镉的可溶性增大，容易被植物吸收。如形成 $CdCO_3$ 的反应式为：

$$Cd^{2+} + CO_2 + H_2O \longrightarrow CdCO_3 + 2H^+ \qquad \log K = -6.07$$

当 CO_2 分压为 0.034 kPa（以土壤空气中 CO_2 量计）时，则：

$$\log[Cd^{2+}] = -2pH + 9.59$$

当 pH = 8 时，水溶性的简单镉离子最高可达 60~70 $\mu g/kg$。

据研究，在淹水情况下，土壤中镉含量为 640 $\mu g/kg$ 土时，水稻就不能生长。水稻在生长期间，表层不为水淹的天数越多，所收获的谷粒中镉含量越高。这些都清楚地说明 E 值对土壤中镉的存在形态的影响。

在盆栽试验中，发现随着向土壤中加入的镉量的增加，小麦和水稻籽粒中的含镉量也在增加，而小麦的含镉量增加尤其相关（见表 4-10）。

表 4-10 盆栽试验土壤镉加入量对稻、麦籽粒含镉量的影响

镉的加入量	0	10 ppm	30 ppm	100 ppm
稻米含镉量	—	0.28	0.40	5.0
小麦含镉量	—	8.3	16	139

植物体内镉的常见浓度介于 0.2~0.8 mg/kg 之间，但在个别情况下，含镉量可高达 80 mg/kg 以上，高浓度镉含量可能使作物产量下降，不同植物含镉量可有很大差异，而镉在植物体内各部分的含量也不一样，其中植物的繁殖器官积累较多。镉在植物体内可能取代锌，破坏参与呼吸和其他生理过程的含锌酶的功能，从而造成植物生长受抑制以至死亡。

镉可通过水→土壤→粮食或水→生物而进入人体，日本确认"骨痛病"是镉中毒引起，因此在土壤重金属污染中，都把镉作为研究的重点。

（3）铅：

铅在地壳中的丰度为 $15\sim17$ mg/kg，土壤中铅的平均背景值为 $0.1\sim20$ mg/kg。在矿区附近严重污染的土壤中，铅含量甚至可高达 5 000 mg/kg。

粮食作物中的铅大多来自大气污染，而土壤中的铅大部分不能被作物吸收。这是因为在土壤溶液中铅的含量一般很低，由于汽油燃烧而使铅进入土壤时，可能有卤化物形态的铅存在，但它进入土壤后就转化为难溶性的化合物，如碳酸铅、氢氧化铅、硫酸氢铅和硫酸铅等，可溶性铅的含量极低，这使铅的移动性和对作物的吸收有效性都大大降低。

C. N. Reddy 等人发现，随着土壤氧化还原电位的升高，土壤中可溶性铅的含量降低。他认为这可能是由于在氧化条件下，土壤中的铅与高价铁、锰的氢氧化物结合在一起，降低了溶解性的缘故。pH 对土壤中可溶性铅含量也有影响，酸性土壤中铅（可溶性）含量较高，碱性土壤中含量较低，当土壤 pH 值降低时，部分被固定的铅有可能释放出来。

铅的作用和影响还与土壤中存在的其他重金属有密切关系。据研究，当土壤中同时存在铅和镉时，土壤镉可能降低作物体中铅的含量，而铅会增加作物体内镉的含量。

植物从土壤中吸收铅，主要是吸收存在于土壤溶液中的铅离子，约占土壤总铅量的四分之一。植物从水溶液中吸收的铅远远多于从土壤中吸收的铅。

铅在植物组织中的积累可导致植物的氧化过程、光合作用和脂肪代谢过程减弱，铅还会促使植物吸收水量减少，耗氧量增加，阻碍植物生长，甚至引起植物死亡。但进入植物体内的铅，大部分被截留在植物根部，对小麦的试验表明，进入小麦籽粒和茎秆的铅数量很少。

表 4-11　分蘖期和成熟期小麦不同器官中铅含量（mg/kg 风干重）

铅用量（mg/kg）	分　蘖　期		成　熟　期		
	叶	根	籽粒	茎秆	根
0	2.6	8.2	0.5	3.3	6.6
25	7.6	315.2	0.7	7.2	431.5
50	11.2	421.2	0.7	10.5	2 228.6
100	24.0	428.1	0.6	10.5	1 843.0
200	28.2	3 584.5	0.8	16.9	11 107.0

杨景辉，《土壤污染与防治》，科学出版社，1995

（4）铬：

铬在土壤中的含量因成土母质不同而差异很大，一般土壤中铬的平均背景值约为 $20\sim200$ $\mu g/g$。

土壤中的铬主要有三价和六价两种价态，以 Cr^{3+}、$Cr_2O_7^{2-}$、CrO_4^{2-} 的形式存在。

土壤中铬的迁移转化受 E 影响较大。在强酸性土壤中不存在六价铬化合物，因为它们需要有较高的 E 值（>1.2 V）才可能存在，而此类土壤 E 一般只有数百毫伏，在渍水土壤中都在数十毫伏以下。因此在土壤最常见的 pH 值和 E 值范围内，$Cr(Ⅵ)$ 都可以被迅速还原为 $Cr(Ⅲ)$。土壤中的有机质如腐殖质具很强的还原能力，能很快地把六价铬还原为三价铬。在弱酸性和弱碱性条件下，可能有六价铬化合物。如在 pH $=8$ 和 $E=0.4$ V 的荒漠土壤中，曾发现有铬钾石(K_2CrO_4)存在。

土壤胶体对铬的强吸附作用,也是使土壤中铬的迁移能力和可溶性降低的原因之一。Cr^{3+} 甚至可以交换粘土矿物晶格中的 Al^{3+}。许多土壤还表现了对 CrO_4^{2-} 的吸附作用,其吸附力大于对 Cl^-、SO_4^{2-}、NO_3^- 的吸附。

由于铬在土壤中多以难溶性的不能被植物所利用的氧化物形式存在,被吸附固定在土壤固相中,可溶性低,难以迁移,减轻了铬对作物的危害。含铬污水中大部分铬都残留累积在土壤表层中。

pH 对土壤中铬的毒性有影响,六价铬的情况下,铬对植物的毒性随 pH 升高而增大,而在三价铬的情况下,其对植物的毒性随 pH 降低而增大。

铬对植物生长的刺激作用和抑制作用的机制目前还不清楚。也未有充分证据发现铬是植物必需的营养元素,但其对植物的生长发育具有一定的影响,当环境中含量过高时,也能对植物带来危害。植物体内铬的含量一般为 0.01~1 mg/kg,但植物从土壤溶液中吸收的铬约 98% 保存在根部,且大多数以可溶性的形式存在于根细胞的液泡中,转移到种子里的铬不到 0.1%。

(5) 砷:

土壤平均含砷量为 0.1~20 mg/kg,在大多数土壤中,砷主要以无机态存在。

土壤中的砷主要有三价和五价两种价态。其存在形式可分为水溶性砷、吸附代换性砷和难溶性砷。无机态砷多以离子态被土壤胶体吸附或和铁、铝、钙等离子结合成复杂的难溶性砷化物,因此土壤中水溶性砷极少。水溶性砷主要为 AsO_4^{3-}、AsO_3^{3-} 阴离子,一般只占总砷量的 5%~10%,土壤中的砷大部分与土壤胶体相结合。

土壤中带负电的 AsO_4^{3-} 和 AsO_3^{3-} 可以被胶体吸附。如带正电的氢氧化铁、氢氧化铝以及粘土矿物表面上的铝离子均可吸附砷的阴离子,氢氧化铁吸附砷的能力是氢氧化铝的两倍以上。有机胶体如土壤腐殖质等因其一般带负电荷而对砷无明显的吸附作用。

土壤中水溶性砷酸与亚砷酸随 E 的变化而相互转化。土壤在氧化条件下大部分砷以砷酸存在,随着 E 降低,砷酸转化为亚砷酸。

土壤中水溶性砷与吸附、代换性砷之间的相对含量和土壤 E、pH 的关系很密切。随着 pH 值的升高,土壤胶体上的正电荷减少,因此对砷的吸附量降低,水溶性砷含量增高。砷常以五价氧化态或三价还原态形成砷酸盐或亚砷酸盐而存在于土壤中,一般在旱地土壤或干土中大部分是砷酸盐,在淹水状态下随着氧化还原电位的下降,亚砷酸盐增加。事实上,五价砷在水中的溶解度比三价砷大,但五价砷比三价砷容易被土壤吸附,当二者共存时,亚砷酸多存在于土壤溶液中。由于砷酸比亚砷酸易被胶体吸附而增加土壤固砷数量,随着 E 值降低,砷酸转化为亚砷酸,减少了土壤对砷的吸附,也使水溶性砷含量增高,而增加砷害。而且在对作物的危害中,亚砷酸比砷酸毒性更强。

由上可知,砷与镉、铬等相反,当土壤处于氧化状态时,它的危害比较轻,糙米中砷的含量也比较低。而当土壤淹水还原时,随着 E 下降,砷酸还原为亚砷酸,从而加重了砷对水稻的危害。因此,在实践中对砷污染的水稻土常采取措施提高土壤氧化还原电位以减轻对水稻的危害。

砷是植物容易积累的元素,土壤含砷量与土壤生长的植物含砷量的关系与植物品种、土壤的物理化学条件以及土壤中砷的形态等有关,但目前尚无明显的相关关系。

砷对植物的影响是双重的,有报道说,对作物喷施砷制剂来处理种子,可使作物增产,对此有两种不同的解释：一种认为砷化物可起还原作用，能提高植物细胞中的氧化酶的活性，从而促进植物生长的作用；另一种意见认为是，由于砷杀死了对作物有害的病菌和抑制其繁殖所致。但施加土壤中的砷制剂对植物生长发育可能产生不良影响，豌豆、水稻、玉米、土豆均存在不同程度减产。表4－12为砷对盆栽水稻产量影响的试验结果，投加的砷制剂为砷酸钙。

表4－12　砷对盆栽水稻产量的影响

处理土壤的砷浓度(ppm)	1983 年		1984 年	
	产量(g/盆)	增减产(%)	产量(g/盆)	增减产(%)
9.6(对照)	31.2	0	59.5	0
15	33.2	+6.41	58.1	−2.35
20	31.7	+3.25	58.3	−2.02
25	30.7	−1.60	59.5	0
30	28.0	−10.25	50.6	−14.96
40	26.3	−15.71	50.7	−14.79
65	25.9	−16.99	50.4	−15.29
120	16.8	−45.15	44.1	−25.88

杨景辉,《土壤污染与防治》,科学出版社,1995

4. 有机金属化合物

有机金属化合物是分子中含有金属——碳键(M—C)的一类化合物,其金属原子直接与有机基团的一个或多个碳原子相连接。随着多种有机金属化合物的成功合成及其被广泛应用,其进入环境后发生的变化及生态效应日益引起环境科学家的注意,特别是环境中金属烷基化过程的发现,即环境中的金属及其化合物在一定条件下可以转化成有机金属化合物,使研究有机金属化合物在环境中的发生、分布、迁移、转化及其对生态环境及生物与人体的影响成为环境研究中一个新的重要的领域。

有机金属化合物进入环境的途径是与其用途分不开的,作为农药使用的有机汞如卤化甲基汞、乙基汞、苯基汞及甲氧乙基汞、醋酸苯基汞,有机砷如甲基胂酸钠、二甲基胂酸等直接进入空气、土壤和水域,汽油中使用的烷基铅随汽车尾气大量排入大气并沉降至土壤。有机锡等有机金属化合物在制取、储存、运输和使用时都可能以各种形式进入环境。作为塑料添加剂的有机金属化合物在塑料老化、废塑料的掩埋和焚烧过程中也可能进入土壤、空气和水域。工业生产排放的三废中含有的有机金属化合物也有可能进入环境。

与此同时,环境中存在的无机金属及其化合物在一定条件下也有可能转化为有机金属化合物,目前,在对环境中金属烷基化过程的研究中,对金属甲基化已取得了较充分的证据,特别是对金属汞、砷、硒的环境甲基化作出了较深入的研究。

金属在环境中甲基化,需要有甲基供体,环境中存在的可能提供甲基的物质有甲基钴胺素、S-腺苷甲硫氨酸、N-甲基四氢叶酸等,由于提供的甲基类型不同,有碳负离子、自由基、正碳离子等几种形式,甲基化反应的形式也有所不同。

(1)甲基负碳离子转移到一个具有最高氧化态,没有孤对电子的金属上,形成的甲基金属化合物其金属氧化态不变。Hg^{2+}利用甲基钴胺素甲基化就是这类反应：

$$CH_3CoB_{12} + Hg^{2+} \xrightarrow{H_2O} CH_3Hg^{2+} + H_2OCoB_{12}$$

（2）甲基自由基加成反应，反应中 $CH_3\cdot$ 转移到一个可被氧化到比现有氧化态高一个单位的金属上，形成甲基金属化合物。如：

$$CH_3CoB_{12} + Sn(II) \longrightarrow CH_3Sn(III)\cdot + CoB_{12}\cdot$$

甲基钴胺素中的 CH_3—Co 键在反应中均裂，形成 $CH_3\cdot$ 和 $CoB_{12}\cdot$，$CH_3\cdot$ 和 $Sn(II)$ 加成，在形成的甲基锡自由基中，锡的氧化态由二价变化到三价，甲基锡自由基继续反应，直到生成有机锡（IV）化合物，据报道只有标准氧化还原电势较低的金属离子才能发生此类反应。

（3）通过氧化加成反应，含甲基的分子转移到金属上生成甲基金属化合物。反应后金属的氧化数提高两个单位，配位数也增加 2。如碘甲烷与 $Sn(II)$ 的加成反应：

$$CH_3I + Sn(II)(CH_3COCHCOCH_3)_2 \longrightarrow CH_3Sn(IV)(CH_3COCHCHOCH_3)_2I$$

具有极低氧化还原电势的金属有可能发生这类反应。

（4）甲基正碳离子直接转移到一个具有较低氧化态的金属上，形成甲基金属化合物。金属的氧化数因此增加两个单位。砷的甲基化过程发生的就是此种反应：

$$CH_3^+ + As(III)(OH)_3 \longrightarrow CH_3As(OH)_3^+$$

$$CH_3As(OH)_3^+ \longrightarrow CH_3As(V)O(OH)_2 + H^+$$

S-腺苷甲硫氨酸及 N-甲基四氢叶酸等生物甲基化剂是提供 CH_3 的可能来源。有机金属化合物一般毒性较大，高浓度中毒多表现在对人体中枢神经系统的损害上，此外对人体造血系统、免疫系统也会产生影响，有机金属化合物中的金属原子（或离子）与人体中酶的配位反应可能破坏酶的正常作用，如甲基汞抑制蛋白质合成及 RNA 的合成已有报道。

由于有机金属化合物在环境中的水平很低，因此其对生物和人体的影响主要是长时间的慢性中毒效应。其毒性效应表现出如下规律：

有机金属化合物的毒性比其相应的无机金属的毒性大，这是由于亲脂性使其很容易穿过生物体的脂肪组织和细胞壁而发生毒性作用。但有机砷是一个例外。

低级烷基金属化合物的毒性比高级烷基金属化合物的毒性大，其中以甲基、乙基、丙基金属化合物尤为显著。

完全饱和的中性有机金属化合物在失去一个有机基团以后毒性变大，带电荷的 R_3Sn^+ 结构不仅有亲脂基团，还有亲水偶极，使其不仅在脂肪中，且在体液中也能转移，增强了其毒性。

有机金属化合物对生态环境和人体健康的长期积累影响不容忽视，日本水俣病就是最著名的例子。目前环境中影响较大的有机金属化合物有有机汞化合物（甲基汞、二甲基汞）、有机砷化合物（二甲基胂、三甲基胂）、有机铅化合物（四乙基铅）和有机锡化合物（三烷基锡）等。

2.3　化学农药在土壤中的行为

1. 化学农药对土壤的污染

施于土壤的化学农药，有的化学性质稳定，存留时间长，大量而持续使用的结果，不断在土壤中累积,到一定程度,便会影响到作物的产量与质量,而成为污染物质。它们还可能通过各种途径,挥发、扩散、移动而转入大气、水体和生物体中,构成其他环境因素的污染,通过食物链对人类产生危害。

表 4－13　化学农药的分类与常用农药品种

农　药　类　型		常　用　农　药　品　种
杀虫剂	有机氯制剂	DDT、六六六、毒杀芬、艾氏剂、狄氏剂、氯丹、七氯等
	有机磷制剂	敌百虫、DDVP、乐果、氧化乐果、对硫磷(1605)、内吸磷(1059)、马拉硫磷、甲胺磷、久效磷等
	氨基甲酸酯类	西维因、速灭威、呋喃丹等
	拟除虫菊酯类	苄氯菊酯、溴氰菊酯(敌杀死)、杀灭菊酯(速灭杀丁)等
	沙蚕毒素类	杀虫双、杀螟丹、易杀卫、杀卫蟆等
	取代脲类	除虫脲Ⅰ号(TH6040)、除虫脲Ⅱ号、除虫脲Ⅲ号等
杀菌剂	硫制剂	石灰硫磺合剂
	铜制剂	波尔多液
	有机磷制剂	稻瘟净、异稻瘟净、克瘟散等
	硫代氨基甲酸酯类	代森锌、代森锰锌、代森铵等
	有机汞制剂	赛力散、西力生、富民隆、谷仁乐生等
	有机砷制剂	稻脚青、苏农6401、苏化911、福美胂等
	杂环类	多菌灵、苯菌灵、萎锈灵、三唑酮、叶枯净等
	其他类	托布净、敌锈钠、百菌清、抗菌剂402等
除草剂	苯氧羧酸类	2,4－D、2,4,5－T、2－甲－4－氯等
	醚类	除草醚、草枯醚、乙氧氟草醚等
	酚类	五氯酚钠
	二硝基化合物	氟乐灵、二硝酚等
	均三氮杂苯类	西玛津、扑草净等
	氨基甲酸酯类	灭草灵等
	硫代氨基甲酸酯类	杀草丹、禾大壮等
	酰胺类	敌稗、杀草胺等
	取代脲类	敌草隆、伏草隆等
	其他类	草甘磷、茅草枯、杀草快、百草枯等
植物生长调节剂		乙烯利、矮壮素、萘乙酸、抑芽丹、三十烷醇、九・二〇等
灭螨剂		三氯杀螨醇、三氯杀螨砜等
灭鼠剂		安妥、敌鼠、氯乱鼠、杀鼠醚、杀鼠灵等
杀线虫剂		除线磷、二氯丙烯、二氯丁砜、二溴氯丙烷等
土壤处理剂		溴甲烷、氯化苦、六氯苯、五氯硝基苯等

李天杰,《土壤环境学》,高等教育出版社,1996

　　在农药的物理化学性能指标中,对环境影响最大的是蒸气压、水溶性与分配系数。农药的水溶性愈大,蒸气压愈高,农药在环境中的移动性就愈大。农药的水溶性与分配系数是衡量生物对农药的吸收、富集和毒性大小的重要指标。一般认为水溶性大于 50 mg/L 的农药,不易在生物体内富集,水溶性在 $0.5 \sim 50$ mg/L 之间的农药,有被生物体富集的可能性,而水溶性小于 0.5 mg/L 的农药,极易被生物富集。

因此,了解农药的物理化学性质,农药在土壤中的迁移转化规律,以及土壤对有毒化学农药的净化能力,对于预测其变化趋势及控制土壤和环境的农药污染都具有重大意义。

2. 土壤对农药的吸附作用

化学农药按其化学性质可分为两大类:离子型农药和非离子型农药。离子型农药在水中能离解成离子,如杀草快。非离子型农药如有机氯类的 DDT、艾氏剂(aldrin)、有机磷类的对硫磷(parathion)等。

土壤对农药的吸附有物理吸附、离子交换吸附、氢键吸附等,其中主要是离子交换吸附。

物理吸附的强弱决定于土壤胶体比表面的大小。如土壤无机粘土矿物中,蒙脱石对丙体六六六的吸附量为 10.3 mg/g,而高岭石只有 2.7 mg/g,而土壤有机胶体比粘土矿物胶体对农药有更强的吸附力。许多农药如林丹(lindane)、西玛津(simazine)和 2,4,5 - T 等,大部分吸附在有机胶体上。

土壤的质地和土壤有机质含量对农药的吸附具有显著影响。土壤腐殖质对马拉硫磷(malathion)的吸附力较蒙脱石大 70 倍。腐殖质还能吸附水溶性差的农药如 DDT,它能提高 DDT 的溶解度。DDT 在 0.5% 的腐殖酸钠溶液中的溶解度为在水中的 20 倍。因此腐殖质含量高的土壤,吸附有机氯农药的能力强。

农药本身的化学性质对吸附作用也有很大影响。农药分子中存在的某些官能团如 —OH、—NH$_2$、—NHR、—CONH$_2$、—COOR 以及 —R$_3$N$^+$ 等有助于吸附作用,其中带 —NH$_2$ 的化合物,吸附能力最强。

在同一类型的农药中,农药的分子越大,溶解度越小,被植物吸收的可能性越小,而被土壤吸附的量越多。

离子吸附可分为阳离子吸附和阴离子吸附。离子型农药进入土壤后,一般解离为阳离子,可被带负电荷的有机胶体或矿物胶体吸附,有些农药中的官能团(—OH、—NH$_2$、—NHR、—COOR)解离时产生负电荷成为有机阴离子,则被带正电荷的 $Fe_2O_3 \cdot nH_2O$、$Al_2O_3 \cdot nH_2O$ 胶体吸附。

土壤的 pH 值对农药的吸附也有一定影响。有些农药在不同的酸碱条件下有不同的解离方式,因而有不同的吸附形式。如 2,4 - D 在 pH $3 \sim 4$ 的条件下解离成有机阳离子,被带负电的胶体吸附,而在 pH $6 \sim 7$ 的条件下解离成有机阴离子,被带正电的胶体吸附。

近年来,人们发现吸附性农药可在土壤表层和深层剖面中同时检出,认为这些农药可能被吸附在土壤可溶有机组分上,随着土壤溶液的移动而迁移至土壤不同层面。

化学农药被土壤吸附后,由于存在形态的改变,其迁移转化能力和生理毒性也随之变化。如除草剂、百草枯(paraquat)和杀草快被土壤粘土矿物强烈吸附以后,它们在土壤溶液中的溶解度和生理活性就大大降低。

土壤对化学农药的吸附作用,在某种意义上就是土壤对污染有毒物质的净化和解毒作用。土壤的吸附能力越大,农药在土壤中的有效度越低,净化效果就越好。但是这种土壤净化作用是相对不稳定的,也是有限度的。当被吸附的化学农药为其他离子所交换回到溶液时仍恢复其原有性质;或当加入化学农药的量超过土壤的吸附能力时,土壤就失去了对农药的净化效果,从而使土壤遭受农药污染。

因此,土壤对化学农药的吸附作用,只是在一定条件下起到净化和解毒作用,其主要的作用还是使化学农药在土壤中积累的过程。

3. 化学农药在土壤中的迁移

加入土壤中的农药,在被土壤固相物质吸附的同时,还通过气体挥发、随水淋溶(elaviation)而在土壤中扩散移动,为生物体吸收或转移出土壤之外,而导致大气、水体和生物污染。

化学农药挥发作用的大小,主要决定于农药本身的蒸气压以及土壤的湿度、温度和影响土壤孔隙状况的质地与结构条件。农药的蒸气压相差很大,有机磷和某些氨基甲酸酯类农药蒸气压相当高,而 DDT、狄氏剂、林丹等则较低,因此它们在土壤中挥发快慢不一样。某些土壤熏蒸剂如溴甲烷(bromomethane)之所以被选用,是因为它们有很高的蒸气压,因而可渗入土壤孔隙以接触防治对象。施用后须及时覆土或封盖,否则将很快逸散到大气中去。土壤中农药向大气的扩散,是大气农药污染的重要途径。

农药在土壤中的淋溶,则主要决定于它们在水中的溶解度。大部分农药属非极性有机化合物,在水中的溶解度很低,其溶解度介于 ppm 和 ppb 级的范围内。一些氯化碳氢化合物如聚氯联苯、狄氏剂、林丹,在水中的溶解度仅在 ppb 级范围内。

农药的水迁移方式有两种:一种是直接溶于水中,二是被吸附于土壤固体颗粒表面上随水分移动而进行机械迁移。除水溶性大的农药如 2,4 - D 等易于淋溶外,由于农药为土壤有机质和粘土矿物强烈吸附,特别是难溶性农药如 DDT 等,一般情况下在土体内不易随水向下淋溶,因而大多累积于土壤表层的 30 cm 土层内。有的研究者指出,农药对地下水污染是不大的,而主要是由于土壤侵蚀,通过地表径流流入地面水体,造成水体污染。

农药在气、液相之间的移动,主要是由农药在水、气相间的分配系数 K_{Wa} 的大小所决定的,其计算公式如下:

$$K_{Wa} = \frac{c_W}{c_a} = \frac{S \times 8.29 \times 10^6 \times T}{p \times M \times 10^6}$$

式中,c_W:水中农药浓度($\mu g/ml$);c_a:空气中农药浓度($\mu g/ml$);S:农药在水中溶解度($\mu g/ml$);p:农药蒸气压(Pa);M:农药分子量;T:绝对温度。

一般认为,当农药的 $K_{Wa} < 10^4$ 时,为易挥发性农药,它在环境中的移动,以气态扩散为主;当 K_{Wa} 在 $10^4 \sim 10^6$ 之间时为微挥发性农药,其移动方式以水、气相扩散并重;当 $K_{Wa} > 10^6$ 时,为难挥发性农药,它在环境中以水相移动为主。

农药的挥发、迁移虽可促使土壤本身净化,但却导致扩大、加深其他环境因素的污染。

4. 化学农药在土壤中的降解

农药在土壤中的降解和转化有两种途径:一种是微生物作用下的生物降解;另一种是非生物性的化学降解和光降解。两者可同时发生,或单独发生,交互影响。不同结构的农药在土壤中的半衰期是不同的,大多数农药的降解转化要经历若干中间过程。中间产物的组成、结构、化学活性和物理性质与母体有很大差异。土壤的组成和性质,如土壤中微生物群落的种类、分布,有机质、铁铝氧化物的分布,矿物质的类型,土壤表面的电荷,金属离子的种类,都可能对降解过程产生影响。在农药的化学降解中,水解、氧化、还原、加成、脱卤是常见的反应。土壤中的金属离子、H^+ 和 OH^-、游离态氧以及 H_2O_2 等分别能对某些化学反应过程起催化作用,而农药的化学结构、分子大小、官能团类型及结合方式都会影响农药在环境中的降解。如带有一个不同取代基的苯类化合物,其降解难易程度与取代基种类有关,降解速率的快慢依次为:

$$-NO_2 >-SO_3H >-OCH_3 >-NH_2 >-COOH >-OH$$
$$>带有两个取代基的苯类化合物$$

凡带有一个或两个 $-CH_3$、$-OCH_3$、$-COOH$、$-OH$ 取代基的化合物都较易降解,在两个取代基中只要带有一个 $-NO_2$、$-SO_3H$、$-Cl$ 或带有两个 $-NH_2$ 的化合物则较难降解;取代基位置的不同也影响降解速率,取代基在间位上的化合物比在邻位上或对位上的化合物难降解。

土壤微生物对农药的降解是土壤对农药最彻底的净化。但各种农药的性质和降解过程是很复杂的。有些剧毒农药,一经降解就失去了毒性,如下面的降解:

而另一些农药,虽然自身的毒性不大,但它们的分解产物却毒性很大,如 2,4-D 酯类水解生成的 2,4-D 酸毒性更大,对硫磷光解产物对氧磷,辛硫磷的光解产物硫代特普毒性都很强;还有些农药,其本身和代谢产物都有较大的毒性。所以在评价一种农药是否对环境有污染时,不仅要看农药本身的毒性,而且还要注意代谢产物是否存在潜在的危害。

5. 化学农药在土壤中的残留

农药在土壤中虽经挥发、淋溶、降解而逐渐消失,但仍有一部分残留于土壤中。人们比较关心的是农药在土壤中的残留量和残留期。因为农药在环境中的残留,是导致农药对环境污染和生物危害的根源。农药在土壤中的残留量,既与农药的施用量有关,也取决于农药在土壤环境中的行为。

农药按残留特性可分为:容易在植物体内残留的农药即植物残留性农药如六六六等;容易在土壤中残留的农药如艾氏剂、狄氏剂等;易溶于水、能长期残留在水中的农药如异狄氏剂等。按残留时间长短,可分为无残留性农药,残留期 1～12 个月;中残留性农药,残留期 12～18 个月;长残留性农药,残留期 2～5 年;永久残留性农药,在外界环境中不易被分解破坏。

农药在土壤中的残留量受到挥发、淋溶、吸附及生物、化学降解等诸多因素的影响。上述过程造成农药的损失量难以用数学公式准确全面地表达出来,农药在土壤中的半衰期仅能用下列近似公式推算:

$$R = c_0 e^{-kt} \qquad\qquad t_{\frac{1}{2}} = \frac{\ln2}{k}$$

式中：R—农药残留量(ppm)

   c_0—农药的起始浓度(ppm)

   k—降解速率常数

   t—施用农药的时间

   $t_{\frac{1}{2}}$—农药半衰期

农药在土壤中的残留期,随它们的化学性质和分解的难易程度不同而差别悬殊。一般用以说明农药残留持续性的标志是农药在土壤中的半衰期(half life period)和残留期。前者指施药后土壤中残留农药消失一半所需时间,后者指消失 75%～100% 所需时间。半衰期可用上述公式计算。

农药半衰期的差别非常大,可达几个数量级。有机氯农药化学性质稳定,其半衰期达数年之久,故已被越来越多的国家禁止使用。而有机磷农药及氨基甲酸酯类杀虫剂,残留期只有几天或几周,所以它们在土壤中很少有积累。

表 4-14 各类常用化学农药半衰期

农 药 名 称	半衰期(年)	农 药 名 称	半衰期(年)
含 Pb、Cu、As 农药	10～30	三嗪除草剂	1～2
DDT、六六六、狄氏剂	2～4	苯酸除草剂	0.2～1
有机磷农药	0.02～0.2	尿素除草剂	0.3～0.8
2,4-D、2,4,5-T	0.1～0.4	氨基甲酸酯	0.02～0.1

表 4-15 有机氯农药在土壤中的残留率

农 药 名 称	一年后的残留率(%)	农 药 名 称	一年后的残留率(%)
滴滴涕	80	艾氏剂	26
狄氏剂	75	氯丹	55
林丹	60	七氯	45

表 4-16 有机磷杀虫剂在土壤中的半衰期

农 药 名 称	半衰期(天)	农 药 名 称	半衰期(天)
对硫磷(1605)	180	敌百虫	140
甲基对硫磷	45	乙拌磷	290
甲拌磷(3911)	2	甲基内吸磷	26
氯硫磷	36	乐果	122
敌敌畏	17	内吸磷(1059)	54

陈静生、邓宝生、陶澍等,《环境地球化学》,海洋出版社,1990

影响农药残留期的还有土壤的性质。如土壤的矿物质组成、有机质含量、土壤的酸碱度、氧化还原状况、湿度和温度以及种植的农作物种类和耕作情况等。

各种农药在土壤中残留时间的长短,对于环境和植物保护工作者来说,二者要求是不同的。从环境保护的角度看,各种化学农药的残留期越短越好,以免造成对环境的污染进而通过食物链危害人体健康。但从植物保护来说,如果残留期太短,就难以达到理想的杀虫、治病、灭草的效果。因此,对于农药残留期问题的评价,要从防治污染和提高药效两方面考虑。最理想的情况是:农药的毒性保持的时间长到足以控制作为其目标的生物,而又衰退得足够快,对非目标生物无持续影响,并不使环境遭受污染。

2.4 固体废弃物对土壤环境的影响

1. 固体废弃物(solid wastes)的来源和分类

从生态学的角度来说,废弃物就是生态系统向环境的排放物。人类生产和生活中排放或抛弃的固相物质就称为固体废弃物。

废弃物的概念是相对的,一方面,在生态系统食物链中,前一级的排出物质对于后一级是资源,例如生态循环农业中,鸡粪可养鱼,鱼粪能肥田;另一方面,在人类生产活动中,工厂副产品可以再加工和利用,如废纸造纸、金属回收利用等,这就是废弃物的资源化。随着科学技术的进步和发展,资源的利用将更加充分和合理,废弃物的种类和数量将会变化以至减少。

固体废弃物种类繁多,成分复杂,来源广泛。

(1)产业废弃物:

农业废弃物:农林牧副渔等活动丢弃的固体废弃物,主要是秸秆、树枝、树叶、动物尸体及骨头、家畜粪便等以及塑料制品如农用薄膜等。

矿业废弃物:因采矿而剥离的表土及由于贫矿而丢弃的物质,主要含矿物成分,如煤矸石、金属矿渣等,一般集中堆放。

工业废弃物:工业企业在加工、生产的同时所产生的副产物或不能利用的渣屑。如钢铁厂的钢渣、炼铁厂的瓦斯泥、电厂的粉煤灰、造纸厂的废纸浆、酒厂的酒糟等,一般集中堆放,往往容易造成严重的环境污染问题。

(2)污泥(sludge):

随着工业的发展和环保建设的进步,污水处理正在不断加强,作为污水处理的产品——污泥便不断增多。美国的年污泥产生量达 4×10^6 吨,其中 23%进入土壤,我国从 20 世纪 80 年代末起,主要工业城市都已建立污水处理厂,估计污泥年产生量在 400 万吨以上,加上城镇的排水污泥,污泥处理压力极大,而土壤处置是污泥的主要归宿。

污泥主要包括污水处理厂的产品——剩余活性污泥和城镇排水河沟淤泥。从其来源主要可分为化纤污泥(石化、化纤)、化学污泥(食品、化学工业)以及生活污泥。

污泥含水量很大,一般污泥含水量在 70%～90%间,pH 多呈中性至微碱性。污泥中含有较高数量的有机质及氮磷养分,通常是土壤中养分含量的数倍至数十倍,特别是有机工业和生活污水的污泥中,氮、磷、钾等养分的含量较高。污泥中重金属元素容易富集,造成环境的潜在危害。一般来说,污泥中锌极易超标,工业污泥中铬、铜也常常接近或超过控制标准。污泥中还普遍存在着多环芳烃。污泥中可感染微生物数量较大,许多污泥的生化检测表明,污泥中含有大量的细菌、大肠杆菌、蠕虫卵等,具有潜在的生物污染性。

（3）生活垃圾：

生活垃圾是城市家庭生活和社会生活所产生的固体废弃物,主要有厨房垃圾(茶叶、骨头、菜根、菜叶及烟头等)、破旧物品(玻璃、塑料、陶瓷等)、包装材料(纸盒、纸张等)以及家庭燃煤产生的煤渣。生活垃圾中可能含有有毒、有害元素以及细菌、病毒、寄生虫卵等,是严重的环境公害。

（4）废塑料：

塑料是一种人工合成的高分子聚合物,是一种新型的工业材料,由于它具有重量轻、耐腐蚀、强度高、容易加工成型、外表美观、色泽鲜艳等特点,已经与钢铁、木材和水泥一起成为材料领域的四大支柱,其广泛的用途已扩展到农业、国民经济和社会生活的各个方面。据 1992 年的统计,世界塑料树脂产量已超过一亿吨,其中美国和欧洲各 3 000 万吨,日本 1 200 万吨。占塑料生产总量的 70%～80% 的通用塑料在 10 年内有 80% 转化为废塑料,其中有一半的塑料在 2 年内将转化为废塑料。近年来美国、欧洲和日本的废塑料产生量分别达 1 800 万吨(1990 年)、1 523 万吨(1992 年)和 550 万吨(1991 年),约占城市固体废弃物(MSW)的 4%～10%(以重量计)或 10%～20%(以体积计),其中只有约 7%～14% 能作为材料再生利用,其余绝大部分采用填埋或焚烧的方法加以处理。据有关资料统计,我国 1992 年塑料产量约为 370 万吨, 1995 年为 519 万吨,1999 年达到 871 万吨,7 年的平均增长率为 13%,成为世界上十大塑料制品生产国之一。废塑料主要来源于包装废物、汽车垃圾、加工废料和农用产品,其中各品种所占百分比分别为：低密度聚乙烯(LDPE),27%;高密度聚乙烯(HDPE),21%;聚丙烯(PP),18%;聚苯乙烯(PS),16.6%;聚氯乙烯(PVC),7%。表 4-17 给出了主要塑料品种在各种用途中所占比例及其使用寿命。

表 4-17　塑料制品的用途及其使用寿命。

寿命 品种 用途(%)	1～2 年 包装材料、 一次性容器等	3～5 年 家用杂物、 玩具等	6～9 年 器皿、汽车、 电器制品等	10 年以上 管道、建材、 电线、容器等
热塑性　　LDPE	87	5	2	6
HDPE	32	40	25	3
PP	41	17	32	10
PVC	18	10	13	59
PS	52	10	35	3
热固性　　酚醛树脂	10	15	47	28
脲醛树脂	2	22	47	26
寿命平均分布(%)	39	16	25	20

李国辉,陈晖,胡杰南,废塑料裂解制液体燃料和化学品技术开发进展,《化学进展》,1996,8(2),162

"白色污染"是人们对塑料垃圾污染的一种形象称谓,其主要包括废弃的塑料袋、农用薄膜、一次性聚苯乙烯快餐饭盒及塑料饮料瓶等。"白色污染"一般会对环境产生两种危害,即

"视觉污染"和"潜在危害"。视觉危害是指散落在环境中的废塑料制品对市容、景观的破坏。在大城市、旅游区、水体中、铁道旁散落的废塑料给人们的视觉带来不良刺激,影响城市、风景点的整体美感和市民的心情。潜在危害是指废塑料制品进入自然环境后难以降解从而引起长期的更深层次的环境问题。

大量使用塑料制品形成的"白色污染"正在造成严重的环境污染,众多的塑料袋、塑料快餐盒、餐具、杯盘、包装袋、农用薄膜,在使用后被人们丢弃进入环境,由于塑料性质稳定,不易被环境中的微生物降解。在自然界长期堆放的废塑料,给鼠类、蚊蝇和细菌提供了栖集和繁殖、传播疾病的场所;丢弃的废塑料还可能被动物吞食而死亡;塑料制品和添加剂中含有的有害、有毒成分,会污染地表水和地下水,并通过食物链毒害动植物和人类;同时还给生活垃圾的处理带来困难,在焚烧时则会释放出多环芳烃等有害物质污染大气。长期堆积的废塑料,占用了大量可耕地,造成土壤水分和营养渗漏,不利于土壤中的空气、水分流动,使土壤物理性能变差,导致农作物生长困难,产量下降。

治理"白色污染"是一项社会系统工程,当前应在加强管理、制定有关政策法规、提高人们环保意识的前提下,借鉴国外的减量、回收再用、再生利用、降解材料的治理对策,实施省资源化(减容、减量)、再资源化(回收利用)、无害化(可降解)等多法并举、防治结合的对策和措施。

降解塑料作为高科技产品和环保产品已成为当今世界十分关注的研究开发热点,它的发展不但拓展了塑料应用范围,而且在一定程度上缓解了人类社会与环境的矛盾,对日益枯竭的石油资源也是一个补充,而且从合成技术上展示了生物工程和合金技术在塑料材料领域中的发展和前景,因此降解塑料的研究开发和推广应用,无论从地球环境保护的角度,或从可再生资源的开发,还是从合成功能性高分子、医用高分子的学术领域都具有重要的意义。降解塑料的研究开发方兴未艾,任重道远。

2. 固体废弃物的排放和处理

欧盟每年抛弃的废物约 20 亿吨,大部分来自化学工业和石油化学工业。

我国 2003 年工业固体废弃物产生量为 10.04 亿吨,比上年增长 6.3%,排放量为 1 941 万吨。2004 年工业固体废弃物产生量为 12.0 亿吨,比上年增长 19.5%,其中工业固体废弃物排放量为 1 762 万吨。产生量增长很快,排放量略有减少,固体废弃物的处理任务十分艰巨。

全球废弃塑料每年总量已达 5 000 多万吨。美国 1987 年为 988 万吨,占城市固体废弃物总量的 7.3%,到 2000 年增长至 1 724 万吨。我国 1995 年的塑料废弃物排放量也已达 200 万吨。

固体废弃物的处理是指通过物理的、机械的或化学的方法,将固体废弃物集中隔离或转化成少害或无害的物质,以减轻直至消除对环境的污染。常用的方法有集中隔离、资源化和无害化等。

集中隔离就是将固体废弃物集中起来,从某环境中排除,或以某种方式与环境隔离,使其不参与物质循环,从而对环境不产生影响。常用的方法有下列几种。

堆放法:将固体废弃物在集中地堆放,矿山的矿渣、尾矿、工厂废渣、城市垃圾的处理一般都是采用此种方法,使用堆放法不仅要耗用大量土地,而且会产生严重的环境问题。

掩埋法:用工程手段将固体废弃物掩埋于一定深度的地下,以防治污染扩散。核电站的固体废弃物中含有放射性物质,都采用这种方法处置,某些化工厂的固体废弃物也可如此处置,国外已将此法推广到城市垃圾的处置。

焚烧法:此法是处理可燃性固体废弃物的一种有效方法,并能从焚烧废弃物中获得能量。用焚烧法处理废弃物占德国和日本废弃物处理总量的30%和23%,此法目前主要用于处理城市垃圾。但要注意防止焚烧产生的烟气造成二次污染。

海洋倾倒法:将固体废弃物包装后倾倒入海洋中,发达国家常采用此种方法,将陆地污染转移到海洋,长此以往将会导致海洋的严重污染。

境外转移法:某些发达国家受到国内环境保护的压力,将一些含有严重污染环境的固体废弃物如核废料、化工废弃物等转移到土地、资源价格低的发展中国家,这种损人利己的方法常将污染引入被转移的国家和地区。

固体废弃物的资源化就是经过适当的处理,回收固体废弃物中有价值的成分,进行再加工和生产,实现资源的综合利用。如美国克莱斯勒公司研制的汽车塑料车身,其中20%来自回收的废旧饮料瓶,日本富士回收技术公司利用塑料油化技术,从每千克废塑料中回收0.6升汽油、0.2升柴油和0.2升煤油。

固体废弃物无害化就是通过物理、化学和生物降解等方法,将固体废弃物转化成为无毒无害、性质稳定的物质,以减轻或消除对环境的污染。

3. 固体废弃物的环境效应

固体废弃物的环境影响在其产生和处置过程中均会发生,尤其是固体废弃物在集中堆放和处理过程中引起污染物的迁移,造成环境污染,包括重金属污染、有毒化学物质污染和生物污染。冶炼厂、化工厂含重金属的废渣,在堆放中经过日晒、雨淋,其中含有的重金属元素以辐射状向周围土壤、水体扩散。固体废弃物中的有害物质还可以通过风的传播而使更大范围的环境遭受污染,此外,固体废弃物造成的污染危害还可以通过食物链而扩散、发展。

对于固体废弃物中的污泥,土壤处置是其主要归宿,大量污泥进入土壤,它们间的相互作用将使土壤性质、土壤中的元素分布发生变化,从而对土壤环境发生较大的影响。

污泥中含有丰富的有机成分和氮、磷等营养元素,在土壤贫瘠化严重、有机肥料短缺的情况下,污泥的使用会使土壤有有机质和营养元素含量有所提高,土壤中生物代谢活性增强,有利于土壤中的养分转化,因此,污泥作为一种潜在的有机肥源,可以在很大程度上补充我国肥料的不足。但另一方面,污泥的使用会使土壤重金属含量有不同程度的提高,土壤中重金属的形态分布发生变化,同时,土壤中重金属元素的移动性大大增强,不但有较多的重金属进入植物,而且会有相当量的重金属元素进入土壤溶液,产生次生污染向环境扩散。

2.5 稀土元素在土壤环境中的生态效应

稀土元素是周期系ⅢB族中的钇和镧系元素的总称,共有16个元素。稀土元素的原子结构因外层和次外层电子排布相同,使它们的化学性质相似而难以分离,对它们的了解落后于许多常见元素,其实稀土元素在自然界的分布相当广泛,稀土元素在地壳中的总分布量为153 g/t,其中铈含量最高,次是钇、钕、镧等。铈的丰度与锌很接近,钇和镧的丰度超过我们常见的元素铅、砷、硼、溴等。地壳中稀土元素主要共生在岩石圈,其在各种矿石中含量并不均匀,土壤中的含量在100～200 $\mu g/g$ 范围,而在海水和生物体内含量很低。我国是稀土资源大国,稀土资源分布广、储量大,为稀土的科学研究和开发应用提供了良好的条件。近年来,稀土在工业、医药和农业生产上广泛得以应用,如作为催化剂、微肥、饵料、杀菌防腐剂和植物生长促进剂,取得了一定的成绩。但同时,由于稀土的应用使原先地壳中的稳态元素转变成易被生物利用的可溶性元素,并可能经过食物链进入人体,对生态环境的影响和对生物的毒性效应引起了人们的重视。

早在 20 世纪 30 年代,苏联、罗马尼亚和保加利亚等就对稀土的毒性、药理和生化毒理等方面开展了研究,并发表了一批研究结果,70 年代日本、菲律宾也开展了稀土农用研究。

目前已发现植物对稀土有富集作用,利用放射性元素 ^{90}Y、^{140}La、^{141}Ce、^{147}Nd 可观察到小麦对稀土的吸收、分布和积累。研究表明,La、Ce、Nd 在植物中的分布是根>叶>茎>穗,而 Ce 是根 ≫ 叶 > 茎 > 穗,还发现稀土浓度高时,作物生长受到明显抑制。

动物试验表明稀土对动物的毒性与摄入途径有关,静脉注射毒性最高,经呼吸道摄入也有严重危害,而口服毒性最小。稀土能造成肝损害,还能影响血液的凝固,降低平滑肌和心脏的收缩能力,降低血压直至引起休克等,急性中毒死亡高峰在 48～96 小时。稀土的慢性中毒和远期效应也引起了研究者的注意,如发现 ^{144}Ce(含放射性)可引起大鼠小肠细胞染色体畸变,并影响细胞有丝分裂,导致细胞合成 DNA 的数量减少等。因此放射性稀土元素对生物的影响引起了研究者的重视。

稀土对人体健康的影响已有报道。由于接触稀土烟雾、稀土粉尘引起的头痛、恶心、血小板和血色素下降、支气管炎、上呼吸道疾病和皮肤病的发病率增高。研究还发现,进入动物体内的稀土残留期较长,其排出过程一般由尿排出,可持续数年,而沉积在肺、肝、骨骼中的稀土很难清除,其对生物的毒性效应尚待进一步证实。

另一方面,稀土化合物用以作为诊断疾病的标记物以及治疗肿瘤、皮肤病等也有报道。但从现有资料看,稀土的毒性效应的研究还是十分不够的。动物毒性试验中尚有很多需要验证之处,而稀土人体试验数据极少,特别是对稀土潜在毒性研究的长期观察和试验更是屈指可数。

我国农用稀土的大面积推广,将会带来我国特有的环境问题,其对生态环境的影响十分引人关注。近年来我国学者对施用稀土在农田环境中的形态变化,主要传输过程,稀土在环境中的重要化学反应历程,稀土在大气、水体、土壤环境中的迁移和转化,稀土元素形态与生物可接受性的关系等方面进行了较为深入的研究。

我国学者对天津市大气颗粒物、电厂炉灰中的稀土元素的监测表明,天津市大气颗粒物中总稀土含量夏季为 82～127 ppm,冬季则为夏季的 3 倍。我国的洞庭湖水系、松花江水系以及长江水系等水体中稀土元素的背景值也已测定。我国代表性土壤中稀土元素含量测定结果表明,我国南方土壤中稀土元素含量高于北方,其含量范围一般在几百 ppb 至几百 ppm。其中用 pH 4.8 的醋酸——醋酸钠溶液提取取的可溶态稀土约占总稀土含量的 10% 左右。

食物中稀土含量测定表明:茶叶、薯类、淡水产品和粮食食品中稀土含量较高,而牛奶、鸡蛋、肉类中稀土含量较低。稀土在鱼类内脏中最易富集,其他器官的富集能力较弱,在肌肉中富集最小。在鲤鱼中对稀土元素的富集顺序为轻稀土大于重稀土。而一般认为,稀土元素对生物的毒性随原子序数增大而增大。

我国自然科学基金委员会在九五期间设立"稀土农用的环境化学行为及生态、毒理效应的基础研究"的重大项目,从稀土的环境化学、生态毒理学研究入手,通过多学科交叉综合性研究,揭示农用稀土在环境中的化学转化机理、迁移和归宿的规律及生态、毒理效应,从安全和长期利益的高度对稀土使用的风险性进行预测和科学性评价。

第三节 土壤污染的防治

据 2000 年国家环境保护局公布的中国环境状况公报,中国人均土地面积仅为 0.777 公顷,相当于世界人均土地的三分之一。2000 年,对 30 万公顷基本农田保护区土壤有害重金属抽样监测,其中 3.6 万公顷土壤重金属超标,超标率达 12.1%。对 23 个省(区市)的不完全统计,共发生农业环境污染事故 891 起,污染农田 4 万公顷。

土壤污染的防治已刻不容缓,要防治土壤污染,首先要控制和消除污染源,同时应充分利用土壤本身所具有的强大的自净能力;对已经被污染的土壤,要采取一切有效措施,消除土壤中的污染物,控制土壤污染物的迁移,减少发生次生污染的可能,尽可能使其不进入食物链,从而危及人类健康。

3.1 控制和消除土壤污染源

控制和消除土壤污染源是防止土壤污染的根本措施。土壤对污染物的吸附、化学降解和生物降解,相当于一级、二级、三级净化处理能力。控制土壤污染源,即控制进入土壤中的污染物的数量和速度,使污染物在土壤中缓慢地自行降解,而不致因大量污染物进入土壤而引起土壤严重污染。

控制和减少工业三废(废气、废水、废渣)的排放,利用污水灌溉和使用污泥,要经常了解污水污染物质的组成、含量及其形态分布并控制污水灌溉量。

控制化学农药的使用。对残留量高,毒性大的农药应控制使用范围、使用量和使用次数。研制低毒高效低残留量的新品种农药。现有农药一般都由人工合成,其结构是自然界所不存在的,故微生物难以降解,若在农药合成中选用自然界存在的物质结构的化合物作农药,则环境中一定会存在相应的微生物来分解它。因此今后新品种农药的发展方向应该是采用天然存在的物质如抗菌素、激素、动物毒素和生物碱等,或是采用含有自然界中构成生物体的氨基酸、脂肪酸、核酸等成分来合成农药。

合理使用化学肥料。化肥中含有重金属元素,特别是磷肥中含有较多的有害重金属,其中砷的污染较严重,化肥中还存在着硫氰酸盐、磺胺酸、缩二脲、三氯乙醛以及多环芳烃等有害的有机副产品,在磷肥和钾肥中还存在着放射性核素,上述污染物质都可能在化肥使用时污染土壤环境。同时,由于化肥中的养分利用率仅为 30%～40%,其中氮肥的利用率仅在 30% 左右,钾肥容易被淋失,磷肥则被天然吸附和固定,由于氮肥等的被淋失,导致水环境的富营养化。因此在农田施肥中要调整肥料结构,尽量多施用有机肥料,合理使用化学肥料,控制环境污染。

3.2 增加土壤环境容量和提高土壤净化能力

增加土壤有机质的含量,改良砂性土壤,在砂性土壤中掺杂黏土物质,可以增加和改善土壤胶体的种类和数量,增加土壤对有毒物质的吸附能力和吸附量,从而增大土壤环境容量,提高土壤的自净能力。

发现、分离和培养新的微生物品种,以增强生物降解作用,是提高土壤净化能力的极为重要的一环。

3.3 其他防治土壤污染的措施

1. 利用植物吸收去除重金属

一些植物,对重金属有较高的吸收率,如黄蛇草对重金属的吸附量,可以高达水稻的 10 倍,羊齿类铁角蕨属的植物,也有较强吸收土壤重金属的能力,对土壤中镉的吸收可达 10%,连续种植多年,可降低土壤含镉量。

2. 在土壤中施加抑制剂和强吸附剂

常用的抑制剂有石灰、碱性磷酸盐和石灰性物质,施用石灰,可以提高土壤的 pH 值,使镉、铜、锌、汞等重金属元素形成氢氧化物沉淀。据试验施用石灰后,稻米中含镉量可降低 30%,施用石灰后,土壤 pH 大于 6.5,汞形成水合氧化汞和碳酸盐沉淀,使植物吸收汞明显减少。

碱性磷酸盐可与土壤中镉生成 $Cd_3(PO_4)_2$ 沉淀,与汞形成溶解度更小的 $Hg_3(PO_4)_2$ 沉淀,这对消除土壤污染具有重要意义。

$$3Cd^{2+} + 2Na_3PO_4 \longrightarrow Cd_3(PO_4)_2 + 6Na^{2+}$$

$$3Hg^{2+} + 2Na_3PO_4 \longrightarrow Hg_3(PO_4)_2 + 6Na^{2+}$$

施加强吸附剂可使农药分子失去活性,可减轻农药对作物的危害。如土壤中加入 0.4% 活性炭,豆类作物从土壤中吸收的艾氏剂量降低了 95%,有机质、绿肥等都具有类似的缓解效果。

3. 控制土壤的氧化还原条件

这是减轻土壤重金属污染危害的重要措施之一,我们在前面已经讨论过使土壤淹水或落干的办法来控制土壤的氧化还原电位,以改变重金属元素在土壤中的存在形态,减轻重金属对作物的污染。

4. 改变耕作制度

改变土壤环境条件,可消除某些污染物的危害,如稻棉、水旱轮作,可大大加速 DDT 的降解,一年后 DDT 可基本消失,所以这是一种消除(或减轻)农药污染的有效措施。

5. 换土深翻

当重金属、农药污染严重,而污染地区面积又不大时,可使用换土法,将表层土壤通过深翻换至土层下层深处,这是彻底消除污染最有效的方法。

本章思考题和练习题

1. 为什么土壤母质还不是土壤?

2. 土壤空气组成和大气有何不同?

3. 土壤中的活性酸和潜在酸如何转化?

4. 土壤 pH 如何影响作物的生长,如何减轻这种影响(或危害)?

5. 为什么说有机金属化合物对生态环境和人体健康的影响不容忽视?

6. 如何区分农药的挥发性?

7. 你认为用什么方法处理固体废弃物比较好?

8. 什么是土壤环境背景值和土壤环境容量?

9. 为什么用石灰调节土壤 pH 能显著地降低糙米中的含铅量?

10. 有机金属化合物可能通过哪些途径进入土壤?

11. 固体废弃物会产生哪些环境效应?

12. 农药在土壤中的迁移取决于什么因素?

主要参考文献

1. 刘培桐.环境学概论(第二版).北京：高等教育出版社,1995

2. 曲格平等.环境科学基础知识.北京：中国环境科学出版社,1984

3. 国家自然科学基金委员会.自然科学基金发展战略调研报告——环境化学.北京：科学出版社,1996

4. 世界资源研究所,联合国环境规划署,联合国开发计划.世界资源报告(1992～1993).北京：中国环境科学出版社,1993

5. 环境科学大辞典编辑委员会.环境科学大辞典.北京：中国环境科学出版社,1991

6. 中国环境年鉴编辑委员会.中国环境年鉴(1993).北京：中国环境科学出版社,1993

7. 李悯川.环境化学.北京：中国环境科学出版社,1990

8. 关伯仁.环境科学基础教程.北京：中国环境科学出版社,1995

9. 唐孝炎.大气环境化学.北京：高等教育出版社,1990

10. 王晓蓉.环境化学.南京：南京大学出版社,1997

11. 何燧源,金云云,何方.环境化学.上海：华东理工大学出版社,1996

12. 戴树桂.环境化学.北京：高等教育出版社,1987

13. 王连生.环境健康化学.北京：科学出版社,1994

14. 彭安,王文华.环境生物无机化学.北京：北京大学出版社,1991

15. 王连生.环境化学进展.北京：化学工业出版社,1995

16. 龚书椿,陈应新,韩玉莲,张静贞.环境化学.上海：华东师范大学出版社,1991

17. 金相灿.有机化合物污染化学——有毒有机物污染化学.北京：清华大学出版社,1990

18. 严健汉,詹重慈.环境土壤学.武汉：华中师范大学出版社,1985

19. 杨景辉.土壤污染与防治.北京：科学出版社,1995

20. 联合国环境规划署.世界环境数据手册.北京：中国科学技术出版社,1990

21. U. Forstner, G. T. W. Wittmann. *Metal Pollution in the Aquatic Environment* (Second Edition). Springer-Verlag, Berlin, Heidelberg, New York, Tokyo, 1983

22. 符宗斌,严中伟.全球变化与我国未来的生存环境.北京：气象出版社,1996

23. [美]J·H·塞恩菲尔德.空气污染——物理和化学污染.北京：科学出版社,1986

24. 王麟生.化学元素性质数据手册.北京：科学技术文献出版社,2002

25. 董建,冯致英.环境化合物的联合毒作用.上海：上海科学技术文献出版社,1994

26. 徐亚同.废水中氮磷的处理.上海：华东师范大学出版社,1996

27. 毛文永,文剑平.全球环境问题与对策.北京：中国科学技术出版社,1993

28. 王云,魏复盛等.土壤环境元素化学.北京：中国环境科学出版社,1995

29. 张光华、赵殿华.酸雨.北京：中国环境科学出版社,1989

30. 陈静生,邓宝生,陶澍等.环境地球化学.北京：海洋出版社,1990

31. 唐森本,王欢畅,葛碧洲等.环境有机污染化学.冶金工业出版社,1996

32. 毛文永,白先宏,李忠.资源环境常用数据手册.北京：中国科学技术出版社,1992

33. ［瑞士］W·斯塔姆,［美］J·J·摩尔根.水化学.北京：科学出版社,1987

34. ［美］R·A·贝利,H·M·克拉克,J·P·费里斯,S·克劳斯,R·L·斯特朗.环境化学.武汉：武汉大学出版社,1987

35. ［美］Stanley E. Manahan. 环境化学.天津：南开大学出版社,1993

36. 王华东,郝春曦,王建.环境中的砷——行为·影响·控制.北京：中国环境科学出版社,1992

37. 陈德钧,季廷安,林肇信.大气污染化学.北京：机械工业出版社,1988

38. 叶常明,王春霞,金龙珠.21世纪的环境化学.北京：科学出版社,2004

39. 刘天齐.环境保护.北京：化学工业出版社,1996

40. Thomas G. Spiro, William M. Stigliani. *Chemistry of the Environment*. Prentice-Hall, Inc.，1996

41. James W. Moore. *Inorganic Contaminants of Surface Water: Research and Monitoring Priorities*. Springer-Verlag New York Inc. 1991

42. Bernard J. Nebel. *Environmental Science — The Way the World Works*. Prentice-Hall, Inc.，1981

43. 斯特拉勒等.环境科学导论.北京：科学出版社,1983

44. 李天杰.土壤环境学.北京：高等教育出版社,1996

45. H. J. M. Bowen. 元素的环境化学.北京：科学出版社,1986

46. 彭定一,林少宁.大气污染及其控制.北京：中国环境科学出版社,1991

47. 王连生.有机污染物化学.北京：科学出版社,1991

48. Howard T. Odum, Wlodzimierz Woicik Lowell Pritchard, Jr. *Heavy Metals in the Environment Using Wetlands for their Removal*. CRC Press LLS USA，2000

49. V. A. filov, A. L. Bandman and B. A. Ivin. *Harmful Chemical Substances Volumn 1: Elements in Groups Ⅰ–Ⅳ of the Periodic Table and their Inorganic Compounds England*. Ellos Horwood Limited，1993

50. 廖自基.微量元素的环境化学及生物效应.北京：中国环境科学出版社,1992

51. O. Hutzinger.环境化学手册.北京：中国环境科学出版社,1987

52. 陶秀成,王麟生,姚磊明.环境化学.北京：高等教育出版社,2002

53. 张钟宪等.环境与绿色化学.北京：清华大学出版社,2005

54. ［苏］А·А·别乌斯,П·И·格拉波夫斯卡娅,Н·В·季霍诺瓦.环境地球化学.北京：

科学出版社,1982

55. 王景华.水体污染.北京：科学出版社,1985

56. ［苏］格鲁什科.工业污水中的有毒金属及其无机化合物.北京：科学出版社,1979

57. 南开大学.普通生物学.北京：高等教育出版社,1983

58. 何燧源,金云云,何方.环境化学(第三版).上海：华东理工大学出版社,2000

59. Nazeer Ahmed, Robert McVicker, Thomas W. Anderson. et al. *Ground Water: Protection Alternatives and Strategies in the USA* New York：American Society of Civil engineers,1997

60. 陈立民,吴人坚,戴星翼.环境学原理.北京：科学出版社,2003

61. 闵恩泽,吴巍.绿色化学与化工.北京：化学工业出版社,2000

62. 孙胜龙.环境激素与人类未来.北京：化学工业出版社,2005

63. 张金良,郭新彪.居住环境与健康.北京：化学工业出版社,2004

64. 奚旦立,孙裕生,刘秀英.环境监测(修订版).北京：高等教育出版社,1995

65. 赵睿新.环境污染化学.北京：化学工业出版社,2004

66. 许群.环境、化学与可持续发展.北京：化学工业出版社,2004

67. 李欣,袁一新,宋学峰等.水环境信息学.哈尔滨：哈尔滨工业大学出版社,2004

68. James W. Moore. Inorganic Contaminants of Surface Water：Research and Monitoring Priorities Springer-Verlag New York Inc. 1991

69. 俞誉福,叶明吕,郑志坚.环境化学导论.上海：复旦大学出版社,1997

70. 曲格平.中国的环境与发展.北京：中国环境科学出版社,1992

71. 曾庭英,宋心琦.化学家应是"环境"的朋友.大学化学,1995,10(6)：6

72. 余国营等.土壤环境中重金属元素的相互作用及其对吸附特性的影响.环境化学,1997,16(1)：30

73. 环境化学学科新动向调研小组.环境化学发展新动向.环境化学,1996,15(6)：481

74. 刘驾麒等.典型背景点降水化学组分的分析.环境化学,1996,15(5)：385

75. 喻本德等.氟氯碳化合物的分解及对其损耗臭氧和臭氧消耗潜势的影响.环境化学,1996,15(2)：155

76. 王晓蓉,华兆哲,徐菱等.环境条件变化对太湖沉积物磷释放的影响.环境化学,1996,15(1)：15

77. 蔡道基.化学农药对环境安全性评价.环境化学,1991,10(3)：41

78. 赵美萍,邵敏,白郁华等.我国几种典型树种非甲烷烃类的排放特征.环境化学,1996,15(3)：254

79. 孙立广,谢周清,邢光熹.高硫燃料煤及碳酸盐分布区硫碳在水岩气界面上的循环.环境化学,1996,15(1)：8

80. 陈复,柴发合.我国酸沉降控制策略.环境科学研究,1997,10(1)：27~31

81. 涂强.从自然科学基金资助项目看我国环境化学进展和趋势.化学进展,1997,9(4)：431

82. 陈静生等.中国东部河流沉积物中重金属含量与沉积物主要性质的关系.环境化学,1996,

15(1)：8

83. 李国辉,陈晖,胡杰南.废塑料裂解制液体燃料和化学品技术开发进展.化学进展,1996,8(2)：162

84. 闵恩泽,傅军.绿色化学的进展.化学通报,1999,1：10～15

85. 张志军,包志成,王克欧等.二氧话钛催化下的氯代二苯并-对-二噁英光解反应.环境化学,1996,15(1)：47

86. 陆熙炎.绿色化学与有机合成中的原子经济性.环境化学,1998,10(2)：123

87. 明伟华,府寿宽.对应于绿色环境保护的涂料发展动向.化学进展,1998,10(2)：194

88. 赵振华.酞酸酯对人与环境潜在危害的研究概况.环境化学,1991,10(3)：64

89. 王晓蓉.稀土元素的环境化学研究及发展趋势.环境化学,1991,10(6)：73

90. 陈文明.清洁生产——环境战略的新认识.化学进展,1998,10(2)：113

91. 郑绍建,胡霭堂.淹水对污染土壤镉形态转化的影响.环境科学学报,1995,15(2)：142

92. 秦涛,赵立新,徐晓白.环境致癌物风险评价和生物标记物研究.环境化学,1997,9(1)：22

93. 黄培强,高景星.绿色合成：一个逐步形成的学科前沿.化学进展,1998,10(3)：265

94. 唐有祺.展望化学之未来：挑战和机遇.大学化学,2000,15(6)：3～6

95. 王会祥,唐孝炎.臭氧层耗损：人类面临的重大环境问题.大学化学,1996,11(3)：6

96. 赵振华.酞酸酯对人与环境潜在危害的研究概况.环境化学,1991,10(3)：64

97. Trost B M. Science,1991,254(5037)：1471～1477

98. 戴树桂等.有机污染物生物降解途径的理论预测.环境化学,1997,16(5)：399

99. 金龙珠.近十年来我国环境化学的新进展.环境化学,2003,22(5)：418～419

100. 王菲凤.室内空气中挥发性有机物污染的研究.福建：福建师范大学学报(自然科学版),2002,18(3)：115～120

101. 张宇峰,邵春燕,张雪英等.挥发性有机化合物的污染控制技术.南京工业大学学报,2003,25(3)：89～92

102. 秦大河.进入 21 世纪的气候变化科学——气候变化的事实、影响与对策.科技导报,2004,7

103. 黄俊,余刚,钱易.我国的持久性有机污染物问题与研究对策.环境保护,2001,11：3～6

104. 吴启航,麦碧娴,杨清书等.沉积物中多环芳烃和有机氯农药赋存状态.中国环境科学,2004,24(1)：89～93

105. Liu Ming, Sun Cheng. Miao Xin. *Investigation on Volatile Organic Compounds Pollution in the Ambient Air of City of Nanj Ing*.环境化学.2003,22(3)：227～231

106. 戴乾圜.致癌机理的阐明和高选择性抗癌剂的合成.中国科学 B 辑(化学),2005,35(3)：177～188

107. 王学锋,朱桂芬.重金属污染研究新进展.环境科学与技术,2003,26(1)：54～57

108. 赵丽萍,王麟生.绿色化学——环境战略的新认识.化学教学.2000,7：28～32

109. 汤鸿霄.环境纳米污染物与微界面水质过程.环境科学学报,2003,23(2)：146～155

110. 孙春岐.环境激素的研究进展.承德民族师专学报,2003,23(2)：72～75

111. 夏祥鳌,王明星.气溶胶吸收及气候效应研究的新进展.地球科学进展.2004,19(4): 630~635

112. 李欣,王郁萍.二噁英物质的结构性质分析.哈尔滨工业大学学报,2004,36(4): 513~515